SECOND EDITION

A-LM®
SPANISH

LEVEL ONE

HARCOURT, BRACE & WORLD, INC.

New York Chicago San Francisco Atlanta Dallas

The first edition of this work was produced pursuant to a contract between the Glastonbury Public Schools and the United States Office of Education, Department of Health, Education, and Welfare.

PRINTED IN THE UNITED STATES OF AMERICA

TEXT PHOTOS: opp. p. 1, Carmelo Guadagno, courtesy Museum of the American Indian; 6 Sergio Larrain, Magnum; 16, 26 Harbrace; 30, 42, 46, 55 Monkmeyer; 64 Photo Researchers; 68 Cornell Capa, Magnum; 81 Shostal; 88 Foto Cine Colón, Vernis, S. A.; 108 Pix; 118 Photo Researchers; 131 Rapho-Guillumette; 134 Black Star; 152 FPG; 154 Mauro Mujica; 158 Black Star; 172 Museum of the American Indian; 176 Rapho-Guillumette; 180 Harbrace; 198 Magnum; 214, DPI; 217 Photo Researchers; 222 Harbrace; 232 Monkmeyer; 238 Rapho-Guillumette; 244 Foto Cine Colón Vernis, S. A.; 250 Harbrace; 264, 274 Photo Researchers; 283 Harbrace; 286 Magnum; 288 Rapho-Guillumette; 292, 306, 308 Photo Researchers.

PICTORIAL SECTION PHOTOGRAPHS: Positions are shown in abbreviated form as follows: *t*–top, *b*–bottom, *l*–left, *r*–right, *c*–center.

G1 Haas, Magnum; **G5** *t* Fredric A. Bakunin; *tl* Bernard Wolf; *tr* Katherine Young; *c* Black Star; *bl* Katherine Young; *br* Photo Researchers. **G6** *tl* Photo Researchers; *bl* Susan McCartney; *br* Photo Researchers. **G7** *tl* Alpha Photo Associates; *tr* Photo Researchers; *bl* Mauro Mujica; *br* Photo Researchers. **G8** *t* Pix; *bl* Photo Researchers; *br* James Romeo. **G9** *l* Photo Researchers; *tr* Susan McCartney; *br* Pix. **G10** *t* Photo Researchers; *br* Photo Researchers. **G11** *tl* Thomas Gilbert; *tr* Elliott Erwitt, Magnum; *bl* Elliott Erwitt, Magnum; *br* Monkmeyer. **G12** *l* Pix; *tr* Bernard Wolf; *bl* Photo Researchers. **G13** *tl* Rapho-Guillumette; *tr* Photo Researchers; *bl* Photo Researchers; *br* Harbrace. **G14** *tl* D.P.I.; *tr* Photo Researchers; *br* Susan McCartney. **G15** *tl* Photo Researchers; *tr* Photo Researchers; *b* Susan McCartney. **G16** Photo Researchers. **G17** Photo Researchers

MAPS: PG2-3 Harbrace Map incorporating "Base Map © 1956, Jeppesen and Co.; Denver, Colo., U.S.A. All rights reserved."
PG4 Harbrace Map incorporating "Base Map © 1958, Jeppesen and Co.; Denver, Colo., U.S.A. All rights reserved."

TEXT CREDITS: The contrastive word lists which appear in this book on pp. 316–17 are taken from *The Sounds of English and Spanish* by Robert P. Stockwell and J. Donald Bowen, Univ. of Chicago Press, 1965, pp. 124–125. Used with the author's permission.

WRITING AND CONSULTING STAFF

WRITERS:	**Barbara Kaminar de Mujica**
	Guillermo Segreda, *Manhattanville College*
CONSULTING LINGUISTS:	**Robert P. Stockwell,** *University of California, Los Angeles*
	James W. Harris, *Massachusetts Institute of Technology*
TEACHER CONSULTANT:	**Russell Webster,** *formerly Hackensack Public Schools and River Dell Regional Schools, New Jersey*
RECORDING SPECIALIST:	**Pierre J. Capretz,** *Yale University*
GENERAL CONSULTANT:	**Nelson Brooks,** *Yale University*

A-LM
AUDIO-LINGUAL MATERIALS
LISTENING · SPEAKING · READING · WRITING

A four-level secondary-school program of text, audio, and visual materials in French, German, Russian, and Spanish

LEVEL ONE PROGRAM: *Second Edition*

Student Materials:

STUDENT TEXTBOOK

EXERCISE BOOK

PRACTICE RECORD SET

STUDENT TEST ANSWER FORM BOOKLET

Teacher Materials:

TEACHER'S EDITION

DIALOG POSTERS

SUPPLEMENT POSTERS

CUE CARDS

TEACHER'S TEST MANUAL

Classroom/Laboratory Recorded Materials:

7½ ips FULL-TRACK TAPE SET

7½ ips TWO-TRACK TAPE SET

7½ ips FULL-TRACK TESTING TAPE SET

33⅓ rpm RECORD SET

"Half Sets"

SPANISH 7 TEXTBOOK (*Units* 1–7)

SPANISH 7 PRACTICE RECORD SET

SPANISH 8 TEXTBOOK (*Units* 8–15)

SPANISH 8 PRACTICE RECORD SET

CONTENTS

UNIT 1

BASIC DIALOGS

From now on you will be reading and writing Spanish as well as speaking it. You must avoid the tendency to pronounce a written word the way it would be pronounced if it were English. Spanish spelling is simple to learn, but some letters are used differently from the way they are used in English. Reading Notes will call your attention to those features of Spanish spelling which might otherwise be troublesome. The details of how sounds are represented in writing will be explained in the Letter ↔ Sound Correspondences section at the end of each unit.

Read each dialog, remembering how it sounded in class. Note what each line means. Study all the Reading Notes carefully.

I

ELENA ¿Está Susana en casa?
MARÍA Sí, está con una amiga.
ELENA ¿Dónde están, en la sala?
MARÍA No, en la cocina.

ELENA Is Susana at home?
MARÍA Yes, she's with a friend.
ELENA Where are they, in the living room?
MARÍA No, in the kitchen.

READING NOTES

Questions in Spanish are preceded by an inverted question mark: **¿Está Susana en casa?**

◀ *A community of pre-Columbian dolls from Jalisco, Nayarit, and Colima, Mexico.*

QUESTIONS

1. ¿Está Susana en casa?
2. ¿Dónde está Susana?
3. ¿Está con una amiga?
4. ¿Está Susana en la sala?
5. ¿Está la amiga en la sala?
6. ¿Dónde están Susana y (*and*) la amiga?

DIRECTED DIALOG

A directed dialog is a conversation in which each speaker is told what to say. You will hear the words **pregúntele si . . .** *ask him* (or *her*) *if* . . . when you are to direct a question to another student, and the words **dígale que . . .** *tell him* (*her*) *that* . . . when you are to direct a remark to another student.

For example:

Pregúntele a *Elena* si Susana está en casa. *Ask Elena if Susana is at home.*	¿Está Susana en casa? *Is Susana at home?*
Dígale que sí, que está en la sala. *Tell her yes, she's in the living room.*	Sí, está en la sala. *Yes, she's in the living room.*

Do the following Directed Dialog.

Pregúntele a *María* si Susana está en la cocina.	¿Está Susana en la cocina?
Dígale que no, que está en la sala.	No, está en la sala.

II

ELENA	¡Hola*, Susana! ¿Dónde está tu amiga?
SUSANA	En el teléfono.

ELENA	Hi, Susana. Where's your friend?
SUSANA	On the telephone.

READING NOTES

Hola: h represents no sound.

Exclamations in Spanish are preceded by an inverted exclamation mark: **¡Hola, Susana!**

QUESTIONS

1. ¿Dónde está la amiga de Susana?
2. ¿Está la amiga con Susana en la cocina?
3. ¿Está la amiga en el teléfono?
4. ¿Está Susana en el teléfono?

DIRECTED DIALOG

Pregúntele a *Susana* dónde está el teléfono.	¿Dónde está el teléfono?
Dígale que está en la sala.	Está en la sala.

III

ELENA	¿Es Lili la tía de Susana?
MARÍA	¿Cómo?* ¿Quién?*
ELENA	Lili. Ésa que* está en el sofá.
MARÍA	Ah, sí, es su tía.

ELENA	Is Lili Susana's aunt (the aunt of Susana)?
MARÍA	What (how)? Who?
ELENA	Lili. The one (that one who's) on the sofa.
MARÍA	Oh, yes, that's her aunt.

READING NOTES

¿Cómo?, literally *how,* is used to mean *what* when asking a person to repeat something.

Quién, que: qu represents the sound [k][1], as in *key.*

QUESTIONS

1. ¿Es Lili la amiga de Susana?
2. ¿Quién es Lili?
3. ¿Dónde está Lili?
4. ¿Está Lili en la cocina?
5. ¿Está en la sala?

[1] Throughout this book it will be necessary to distinguish letters from sounds. A symbol in brackets will be used to indicate a sound. You will not be required to write these symbols, but you should learn to recognize them. There is a complete reference list on page 356.

DIRECTED DIALOG

Dígale hola a *Susana.*	Hola, *Susana.*
Dígale hola, y pregúntele dónde está Lili.	Hola, ¿dónde está Lili?
Dígale que está en la sala.	Está en la sala.
Pregúntele con quién.	¿Con quién?
Dígale que con su amiga.	Con su amiga.

IV

ROBERTO*	¿Pero adónde quiere* ir Lili?
RAÚL*	A las carreras.
ROBERTO	¿A las carreras de perros?
RAÚL	Sí, vamos* en mi carro.

ROBERTO	But where (to where) does Lili want to go?
RAÚL	To the races.
ROBERTO	To the dog races?
RAÚL	Yes, we'll go (we go) in my car.

READING NOTES

Roberto, Raúl: r represents the sound [rr].
quiere: qu represents the sound [k].
vamos: v represents the sound [b].

QUESTIONS

1. ¿Adónde quiere ir Lili?
2. ¿Quiere ir a la casa?
3. ¿Quiere ir a las carreras?
4. ¿A las carreras de perros?
5. ¿Raúl quiere ir en su carro o (*or*) en el carro de Lili?

DIRECTED DIALOG

Pregúntele a *Raúl* dónde está Susana.	¿Dónde está Susana?
Dígale que está en el carro.	Está en el carro.
Pregúntele adónde quiere ir.	¿Adónde quiere ir?
Dígale que a las carreras con su tía.	A las carreras con su tía.

V

LILI	¿Quién sabe cuándo llega* Eva?
ADELA	¿De los Estados Unidos? Yo sé.
LILI	¿Cuándo, Adela?
ADELA	El sábado.

LILI	Who knows when Eva arrives?
ADELA	From the United States? I know.
LILI	When, Adela?
ADELA	(The) Saturday.

READING NOTES

Llega: ll represents the sound [y], similar to the y in *yes*.

QUESTIONS

1. ¿Quién llega, Eva o Adela?
2. ¿De dónde llega Eva?
3. ¿Quién sabe cuándo llega?
4. ¿Cuándo llega Eva?

DIRECTED DIALOG

Dígale hola a *Adela* y pregúntele si Susana está en casa.	¡Hola, *Adela!* ¿Está Susana en casa?
Dígale que no, que está en los Estados Unidos.	No, está en los Estados Unidos.
Pregúntele ¿Cómo? ¿Dónde?	¿Cómo? ¿Dónde?
Dígale que en los Estados Unidos.	En los Estados Unidos.

UNIT 2

BASIC DIALOG

Necesito practicar inglés

BLANCA ¿A quién llamas? ¿A la chica americana?[1]
ARTURO Sí, quiero practicar inglés.
BLANCA ¿Por qué no estudias conmigo?
ARTURO Porque tú y yo pronunciamos muy mal.

ARTURO No sé qué pasa, no contestan.
BLANCA Tal vez no llega de la escuela todavía.
ARTURO Bien, hablo con ella más tarde.
BLANCA Entonces, ¿escuchamos unos discos ahora?
ARTURO Si tú quieres.

I Need to Practice English

BLANCA Who(m) are you calling? The American girl?
ARTURO Yes, I want to practice English.
BLANCA Why don't you study with me?
ARTURO Because you and I pronounce very badly.

ARTURO I don't know what's wrong (what passes), they don't answer.
BLANCA Maybe she's not home (doesn't arrive) from school yet.
ARTURO Well, I'll talk with her later (more late).
BLANCA Then shall we listen to some records now?
ARTURO If you want to.

---

[1] The word **a** has no English equivalent in these two sentences.

◀ ***Modern architecture and traditional Spanish furnishings are features of this home in Chile.***

Supplement

¿A quién llamas? ¿A la maestra?	Who are you calling? The teacher?
señora	lady
señorita	young lady
Quiero practicar español.	I want to practice Spanish.
francés	French
alemán	German
ruso	Russian
Tú y yo pronunciamos muy bien.	You and I pronounce very well.
bastante bien	quite (enough) well

Hablo con ella hoy.	I'll talk with her today.
mañana	tomorrow
¿Quieres escuchar una canción?	Do you want to listen to a song?
las noticias	the news
El señor pasa por la biblioteca.	The gentleman stops by the library.
Alguien	Someone

READING NOTES

The following notes are to help you pronounce some of the new words in the Basic Dialog and Supplement.

Dialog

quiero, porque, quieres	**qu** represents the sound [k].
llamas, ella	**ll** represents the sound [ɏ].
tal vez	**v** represents the sound [b].
tal vez	**z** represents the sound [s].
hablo, ahora	**h** represents no sound.

Supplement

señora, señorita, español, mañana, señor	**ñ** represents approximately the sound of *ny* in *canyon.*
ruso	**r** represents the sound [rr].
hoy	**h** represents no sound.
alguien	**gu** represents the sound [g], as in *again.*

Vocabulary Exercises

1. DIALOG RECALL

Use each of the following words in a sentence from the Basic Dialog.

inglés	Necesito practicar inglés.
español	Necesito practicar español.
chica	
practicar	
por qué	
pronunciamos	
alemán	
señorita	

2. FREE COMPLETION

Complete the following sentences with any appropriate word or phrase.

1. Quiero practicar ______.
2. ¿A quién llamas? ¿A la ______?
3. ¿Por qué no estudias ______?
4. Tú y yo pronunciamos muy ______.

---

3. DIALOG RECALL

contestan
tal vez
más tarde
discos
la biblioteca
ahora
las noticias

4. FREE COMPLETION

1. No llega de la ______.
2. Más tarde hablo con ______.
3. ¿Quieres escuchar ______?
4. Alguien pasa por ______.

5. QUESTIONS

1. ¿Quieres practicar inglés o español?
2. ¿Quieres practicar ruso?
3. ¿Quién no llega de la escuela todavía, Blanca o la chica americana?
4. ¿Tú quieres escuchar unos discos?
5. ¿Qué quieres escuchar, una canción o las noticias?

6. BASIC DIALOG VARIATION

Repeat the Basic Dialog, making whatever changes are necessary to adapt it to the following situation:

Arturo calls up the teacher to practice Spanish, but she is probably still at the library.

GRAMMAR

Regular a-*Class Verbs*

PRESENTATION

Hablo con ella más tarde.
Practico con ella más tarde.

If the subject of the sentence is *I*, what is the final vowel of the verb?

¿Por qué no **estudias** conmigo?
¿Por qué no **practicas** conmigo?

If the subject of the sentence is *you,* what are the final vowel and consonant of the verb?

Tal vez no **llega.**
Tal vez no **practica.**

If the subject of the sentence is *he* or *she,* what is the final vowel of the verb?

Tú y yo **pronunciamos.**
Tú y yo **practicamos.**

Which English pronoun could be substituted for *you and I?* If the subject of the sentence is *we* or *you and I,* how does the verb end?

No **contestan.**
No **practican.**

How does the verb end if the subject of the sentence is *they?*

Más tarde **practico** con ella.
¿Por qué no **practicas** conmigo?
Tal vez no **practica.**
Tú y yo **practicamos.**
No **practican.**

What base or stem do all the forms of the verb have in common? Except when the subject is *I*, what vowel sound occurs after the stem in all these verb forms? What part of the verb changes according to the subject?

GENERALIZATION

1. Spanish verbs, as you have seen, have different forms. The above forms are those of the present tense. These forms are composed of the verb stem, followed by a theme vowel and an ending, as shown in the following chart:

practicar, PRESENT TENSE			
	Stem	*Theme vowel*	*Ending*
SINGULAR			
1st person	**practic**	–	**o**
2nd person	**practic**	**a**	**s**
3rd person	**practic**	**a**	–
PLURAL			
1st person	**practic**	**a**	**mos**
3rd person	**practic**	**a**	**n**

Observe the following details:

a. The theme vowel does not appear in the first person singular: **practico.**
b. There is no ending for the third person singular.
c. No second person plural is shown, since that form is normally used only in Spain.
d. Stress always falls on the next-to-the-last syllable, regardless of whether this is the stem or the theme vowel: **practico, practicas, practica, practicamos, practican.**

2. There are three classes of Spanish verbs. A verb is classified according to whether its theme vowel is **a, e,** or **i.** Verbs which follow the above chart in every detail are called regular **a**-class verbs.

3. One form of the verb, called the infinitive, is used as the name form. The infinitive of every Spanish verb consists of the stem + the theme vowel + the ending **r.** The infinitives of the regular **a**-class verbs you have learned so far are these.

contestar	*answer*	**llamar**	*call*	**pasar**	*pass, happen*
escuchar	*listen*	**llegar**	*arrive*	**practicar**	*practice*
estudiar	*study*	**necesitar**	*need*	**pronunciar**	*pronounce*
hablar	*talk, speak*				

4. The simple present tense in Spanish often corresponds precisely to the simple present tense in English.

Necesito practicar inglés.
I need to practice English.

Often, however, the simple present tense is used in Spanish where English uses a progressive construction (a form of the verb *be* followed by the main verb + *-ing*).

¿A quién llamas?
Whom are you calling?

Spanish also uses the simple present tense to refer to an event planned for the future.

Hablo con ella más tarde.
I'll talk with her later.

STRUCTURE DRILLS

7. ENGLISH CUE DRILLS

1. Quiero estudiar.

Quiero estudiar.	Quiero estudiar.
(practice)	Quiero practicar.
(answer)	Quiero contestar.
(pass)	Quiero pasar.
(talk)	Quiero hablar.
(listen)	Quiero escuchar.

2. ¿Quieres hablar conmigo?
   (study–practice–listen–arrive–pronounce)

8. ITEM SUBSTITUTION

1. Más tarde hablo con ella.

Más tarde hablo con ella.	Más tarde hablo con ella.
(llegar)	Más tarde llego con ella.
(estudiar)	Más tarde estudio con ella.
(practicar)	Más tarde practico con ella.

2. ¿Por qué no estudias conmigo?
   (hablar–pronunciar–practicar)

3. Arturo no contesta.
   (estudiar–escuchar–llegar–llamar)

4. Mañana llegamos con la chica americana.
   (practicar–estudiar–hablar)

9. PERSON-NUMBER SUBSTITUTION

1. Escuchan una canción. — Escuchan una canción.
   (she) — Escucha una canción.
   (you) — Escuchas una canción.
   (we) — Escuchamos una canción.
   (they) — Escuchan una canción.
   (he) — Escucha una canción.

2. Llega mañana.
   (you–I–they–he–we)

3. Pronunciamos bastante bien.
   (I–we–he–you–they)

10. FREE RESPONSE

¿Con quién habla Arturo, con Blanca o con la chica americana?
¿A quién llama Arturo?
¿Por qué no contesta la chica americana?
¿Cómo pronuncian Blanca y Arturo?
¿Necesita Arturo practicar inglés o español?
¿Qué escuchan Blanca y Arturo, unos discos o las noticias?
¿Estudias tú español o ruso?
¿Dónde estudias, en casa o en la biblioteca?
¿Hablas inglés muy bien o bastante mal? ¿y español?
¿Hablas mucho por teléfono?
¿Con quién hablas ahora, con la maestra o con una amiga?
¿Quieres escuchar unos discos o estudiar?

11. FREE SUBSTITUTION

Make as many new sentences as you can by substituting one word at a time for the underlined words.

Arturo llega mañana.

12. WRITING EXERCISE

Write the responses to Drills 9.2 and 9.3.

Negation

GENERALIZATION

1. A Spanish sentence is made negative by placing the word **no** before the verb.

Quiero practicar inglés.
I want to practice English.
No quiero practicar inglés.
I don't want to practice English.

2. Spanish **no** can also have the same meaning as English *no*. Thus, the word **no** can occur twice in a row in a Spanish sentence.

No, no quiero practicar inglés.
No, I don't want to practice English.

STRUCTURE DRILLS

13. AFFIRMATIVE → NEGATIVE

Hablamos alemán.	No hablamos alemán.
La chica americana pronuncia bien.	
¿Estudias conmigo?	
Juan y María llegan hoy.	
Llamo a Susana.	
Pasan por la biblioteca.	
Contestan el teléfono.	
Vamos a las carreras.	

14. WRITING EXERCISE

Write the responses to Drill 13.

Subject Pronouns

GENERALIZATION

1. The English subject pronouns have the following Spanish equivalents:

	Singular		*Plural*	
1st person	**yo**	*I*	**nosotros** **nosotras**	*we* *we* (*f.*)
2nd person	**tú** **usted**	*you* (familiar) *you* (formal)	**ustedes**	*you* (formal *or* familiar)
3rd person	**él** **ella**	*he* *she*	**ellos** **ellas**	*they* *they* (*f.*)

2. There are three ways to say *you* in Spanish: **tú, usted** (often abbreviated as **Ud.**), and **ustedes** (often abbreviated as **Uds.**).

   In most Spanish-speaking countries, **tú** is used to address a close friend, a member of one's family, or a young child. It is called the familiar form of address. You will use **tú** with your classmates.

   Usted is used primarily among strangers and people who address each other as **señor, señora,** or **señorita;** it is used when a student addresses a teacher, when a patient addresses a doctor, and in other similar situations, and is often called the formal, or polite form of address. Your teacher may address you as either **tú** or **usted.**

   Ustedes is the plural of both **tú** and **usted.** That is, **ustedes** is used to address two or more people, each of whom you would address individually either as **usted** or as **tú.** (In Spain, **vosotros** is used as the plural of **tú.** See paragraph 1c, page 11.)

3. In two other cases Spanish makes more distinctions than English: in the first person plural **(nosotros)** and in the third person plural **(ellos).**

   Nosotros is used when the speaker includes himself in a group of boys or men, or in a mixed group. **Nosotras** is used in just one situation: when a girl or a woman includes herself in a group consisting entirely of girls or women. Thus, a woman may say either **noso-**

tros (when referring to a mixed group) or **nosotras** (when referring to a group of women); a man will use only **nosotros.**

Ellos is used to refer to either a group of boys or men or to a mixed group. **Ellas** is used to refer to a group of girls or women.

STRUCTURE DRILLS

15. PRONOUN DRILL

Give the pronoun that corresponds to each of the following subjects.

1. Blanca y usted	ustedes
usted y yo	nosotros
Blanca	ella
Eva y Blanca	ellas
Adela y Arturo	ellos
Arturo y yo	nosotros

2. Blanca y yo
Arturo
usted y Blanca
tú y ella
tú, tú, y tú
usted, él y yo

American music as well as Latin rhythms are popular with these Mexican youngsters.

16. PATTERNED RESPONSE

¿Llama usted?	¿Yo? No.
¿Hablo francés yo?	
¿Practica ella?	
¿Llegan ellos?	
¿Contestan ustedes?	
¿Pronuncias mal tú?	
¿Escucha discos él?	
¿Necesitan practicar ellas?	

17. WRITING EXERCISE

Write the responses to Drill 16.

Subject-Verb Agreement

GENERALIZATION

1. Spanish subjects and verbs agree in person and number. That is, if a subject is first person plural, the verb must have the first person plural ending.

yo practico	**nosotros practicamos**
tú practicas	**nosotras practicamos**
usted practica	**ustedes practican**
él practica	**ellos practican**
ella practica	**ellas practican**

Usted and **ustedes** require a third person verb ending in spite of their second person meaning. The ancestor of the modern word **usted** was once used to address aristocratic individuals, royalty in particular (like *your highness* or *your grace* in English) and like *your highness,* **usted** takes a third person verb form: *Is your highness in good health?*

2. A compound subject requires a plural verb ending. If the compound subject includes the pronoun **yo,** the first person plural form of the verb is used.

Tú y yo pronunciamos muy mal.
La maestra y yo hablamos inglés.

If the compound subject does not include the pronoun **yo,** the third person plural form is used.

Juan y ella llegan hoy.
Tú y María escuchan discos.

STRUCTURE DRILLS

18. PERSON-NUMBER SUBSTITUTION

1. Yo no contesto. — Yo no contesto.
   Ellos ______. — Ellos no contestan.
   Usted ______. — Usted no contesta.
   Tú ______. — Tú no contestas.
   Nosotros ______. — Nosotros no contestamos.

2. ¿Cuándo llegan ellos?
   (tú–ella–ustedes–él–usted)

3. Usted y yo escuchamos unos discos.
   (Blanca y usted–Arturo y la maestra–Susana y yo–tú y ella–Arturo y yo)

19. PATTERNED RESPONSE

¿Hablan francés Arturo y usted? — No, nosotros no hablamos francés.
¿Contesta el teléfono Raúl? — No, él no contesta el teléfono.
¿Llegan tarde Blanca y Elena?
¿Estudia inglés Cristina?
¿Necesito practicar inglés yo?
¿Llaman Miguel y usted?
¿Pronuncia muy mal usted?

20. DIRECTED DRILL

Diga que usted estudia con *Arturo.* — Yo estudio con *Arturo.*
Diga que *Juan* y usted estudian con *Arturo.* — *Juan* y yo estudiamos con *Arturo.*
Diga que yo hablo español. — Usted habla español.
Diga que *Susana* y yo hablamos español. — *Susana* y usted hablan español.

21. FREE SUBSTITUTION

Carlos y yo hablamos mucho.

22. FREE RESPONSE

¿Necesitan practicar alemán Arturo y Blanca?
¿Qué necesitan practicar ellos?
¿Necesitan practicar alemán *Roberto* y usted?
¿Quiere usted escuchar unos discos o las noticias?

Y usted, ¿quiere escuchar una canción?
¿Qué pasa? ¿Usted no quiere escuchar unos discos?
¿Hablo yo inglés o español ahora?
Y usted, ¿qué habla?

23. DIRECTED DRILL

Dígale a *Lili* que ella pronuncia bien. ⊛	Tú pronuncias bien.
Dígales a *Eva* y a *Arturo* que ellos pronuncian bien.	Ustedes pronuncian bien.
Dígame que yo pronuncio bien.	Usted pronuncia bien.
Dígale a *Raúl* que él pronuncia bien.	Tú pronuncias bien.
Pregúnteme si yo hablo alemán.	¿Usted habla alemán?
Pregúnteles a *Rosita* y a *Pedro* si ellos hablan alemán.	¿Ustedes hablan alemán?
Pregúntele a *Juan* si él habla alemán.	¿Tú hablas alemán?

24. WRITING EXERCISE

Write the responses to Drills 18.2, 18.3, and 19.

Use of Subject Pronouns

GENERALIZATION

Since person and number are already indicated by verb endings, a Spanish sentence is complete and correct without subject pronouns. Subject pronouns are used in Spanish, however, when necessary for clarity or emphasis.

Necesito practicar inglés.
I need to practice English.

Yo necesito practicar inglés.
I (not you or John) *need to practice English.*

Hablamos español bien.
We speak Spanish well.

Nosotros hablamos español bien, pero él habla mal.
We speak Spanish well, but he speaks badly.

STRUCTURE DRILLS

25. PAIRED SENTENCES

Tal vez escuchan las noticias.	Tal vez escuchan las noticias.
Maybe they're listening to the news.	Tal vez ellos escuchan las noticias.
Maybe they're listening to the news.	Tal vez escuchan las noticias.

No contesta el teléfono.
She doesn't answer the telephone.
She doesn't answer the telephone.

¿A quién llamas tú?
Who are you calling?
Who are you calling?

Nosotros estudiamos con Blanca.
We study with Blanca.
We study with Blanca.

26. FREE RESPONSE

¿Arturo y Blanca estudian ruso o inglés?
¿Qué necesita practicar Arturo?
¿Con quién estudia él?
¿Por qué no estudia con Blanca?
¿Contestan el teléfono en la casa de la chica americana?
¿Sabe Arturo qué pasa con el teléfono?
¿Por qué no contestan?
¿Estudia usted español o francés?
¿Necesita usted estudiar ahora?
¿Cómo habla usted español, bien, bastante bien, o mal?
¿Cómo pronuncia usted inglés?
¿Habla usted con alguien ahora?
¿Hablan ustedes conmigo hoy?
¿Dónde estudian ustedes, en casa o en la biblioteca?
¿Con quién hablan ustedes ahora?

27. DIRECTED ADDRESS

Ask the following questions of the persons indicated by the English cue.

1. ¿Escucha las noticias?
   (your brother) — ¿Escuchas las noticias?

(your friends) ¿Escuchan las noticias?
(your friend's mother) ¿Escucha las noticias?
(your sister) ¿Escuchas las noticias?
(your teacher) ¿Escucha las noticias?

2. ¿Pasa por la escuela ahora?

(your cousin)
(your friend's parents)
(a little girl)
(some classmates)
(the mailman)

28. WRITING EXERCISE

Write the responses to Drill 27.2.

RECOMBINATION MATERIAL

Dialogs

I

MARÍA ¿Qué pasa? ¿Por qué no contestan?
ARTURO ¿A quién llamas?
MARÍA A Susana.
ARTURO Tal vez está en la biblioteca.

QUESTIONS

1. ¿A quién llama María?
2. ¿Contesta alguien el teléfono?
3. ¿Por qué no contesta Susana?

II

RAÚL ¿Dónde está Elena?
MARÍA Está en el teléfono.
RAÚL ¿Con quién habla?
MARÍA Con la chica americana.

QUESTIONS

1. ¿Habla Raúl con María o con Elena?
2. ¿Estudia Elena o habla por teléfono?
3. ¿Con quién habla Elena?

III

PEPE	¿Hablas inglés bien?
MANOLO	No, muy mal, ¿y tú?
PEPE	Bastante bien, ¿y Blanca?
MANOLO	Blanca habla muy bien.

QUESTIONS

1. ¿Manolo habla inglés bien?
2. Y Pepe, ¿habla bien?
3. Y Blanca, ¿cómo habla inglés?
4. Y usted, ¿habla español bien, bastante bien, o bastante mal?

IV

FLORA	¿Quiere usted hablar con alguien?
RICARDO	Sí, con María.
FLORA	No llega de la escuela todavía.
RICARDO	Muy bien, llamo mañana.

QUESTIONS

1. ¿Con quién habla Ricardo ahora, con María o con Flora?
2. ¿Con quién quiere hablar?
3. ¿Por qué no habla Ricardo con María?

Directed Dialogs

Pregúntele a *Ana* si llama a Susana.
¿Llamas a Susana?

Ana, diga que no, que llama a la chica americana.
No, llamo a la chica americana.

Pregúntele a *Fernando* si llama a Susana.
¿Llamas a Susana?

Fernando, diga que sí, que necesita hablar con ella.
Sí, necesito hablar con ella.

Pregúntele a *María* si llama a Susana.
¿Llamas a Susana?

María, diga que sí, que necesita practicar español.
Sí, necesito practicar español.

Rejoinders

Give as many responses as you can to each of the following sentences. Your responses may be questions, statements, exclamations, or phrases. Use only the words and forms you have learned so far.

	Possible Rejoinders
1. Quiero practicar inglés.	¿Por qué no llamas a la chica americana? ¿Por qué no estudias conmigo? Tú y yo pronunciamos muy mal. Yo no hablo bien. ¿Por qué?
2. ¿Llamas a la chica americana?	

LETTER ↔ SOUND CORRESPONDENCES

Lesson 1

READING: ch

The **ch** is a separate letter in the Spanish alphabet and represents the sound [ch], which is similar to the *ch* in the English word *chalk.*

FAMILIAR WORDS chica, escuchamos

UNFAMILIAR WORDS echa, leche, muchacho

READING: c = [k]

The letter **c** before **a, o, u,** or a consonant represents the sound [k].

FAMILIAR WORDS con, americana, conmigo, practicar, contestan, escuela, discos, biblioteca, carro

UNFAMILIAR WORDS casi, cuna, compra, comida, claro

READING: qu = [k]

The letters **qu,** which occur only before **e** and **i,** represent the sound [k].

FAMILIAR WORDS qué, quién, quiero, quieres

UNFAMILIAR WORDS parque, queso, esquina

SENTENCES

1. ¿Qué escuchas? ¿Unos discos?
2. Quiero practicar con la chica americana.
3. ¿Por qué no practicas conmigo?

WRITING

Copy the above sentences and be prepared to write them from dictation.

Spelling Note: The sound [k] is represented by **c** before **a, o, u,** or a consonant, by **qu** before **e** and **i.**

Lesson 2

READING: s, z = [s]

The letters **s** and **z** both represent the sound [s].

FAMILIAR WORDS	pasa, inglés, Susana, están, sala, tal vez
UNFAMILIAR WORDS	blusa, presente, presidente, plaza, perezoso, zapatos, diez

READING: c = [s]

The letter **c** before **e** or **i** represents the sound [s].

FAMILIAR WORDS	francés, necesito, canción, cocina, pronunciamos
UNFAMILIAR WORDS	cine, cinco, gracias, estación, nación, edición

SENTENCES

1. Tal vez escuchan una canción.
2. Susana pasa por la escuela.
3. Blanca pronuncia muy bien.

WRITING

Copy the above sentences and be prepared to write them from dictation.

Spelling Notes:

The sound [s] may be represented by **s** or **z,** or by **c** before **e** or **i.** There is no way to predict which letter will be used. You must memorize the spelling of each new word as you learn it, but the following hints may be helpful:

a. The letter **z** does not normally occur before **e** or **i.**

b. Most cognates, that is, words which are almost the same in form and meaning in English and Spanish, are spelled with the same letter in both languages: **pronuncio,** *pronounce.*

Lesson 3

READING: h

The letter **h** represents no sound.

FAMILIAR WORDS hablo, ahora, hoy
UNFAMILIAR WORDS hora, hombre, hambre, hermano

READING: ll, y = [ɏ]

The letters **ll** and **y** both represent the sound [ɏ].

FAMILIAR WORDS yo, ella, llamas, llega
UNFAMILIAR WORDS ya, oye, silla, olla, llanto, ellos

READING: y = [i]

The letter **y** represents the sound [i] in the word **y** (*and*).

SENTENCES

1. ¿A quién llamas? ¿A ella?
2. ¿Llegan ahora Blanca y Arturo?
3. Yo no sé con quién habla.

WRITING

Copy the above sentences and be prepared to write them from dictation.

Spelling Note: There is no way to predict which words will be written with **ll** and which with **y.** You must memorize the spelling of each new word as you learn it.

HOY
ANCO
EN
ANGKO
POR SABOR...
Crush

UNIT 3

BASIC DIALOG

El Día de la Madre[1]

MANUEL ¿En qué piensas?
MIGUEL En nada. ¿A qué hora cierran las tiendas?
MANUEL No sé. ¿Por qué? ¿Tienes que comprar algo?
MIGUEL Sí, y tú también. Para tu mamá. El lunes es el Día de la Madre.

MIGUEL Me aprietan mucho los zapatos. No puedo caminar más.
MANUEL Yo tampoco. ¿Vamos al cine, mejor?
MIGUEL Vamos. Pensamos en el regalo después. ¿Qué dan?
MANUEL Una película italiana. ¡Apúrate! Ya casi empieza.

Mother's Day

MANUEL What are you thinking about? (In what are you thinking?)
MIGUEL (In) nothing. What time (At what hour) do they close the stores?
MANUEL I don't know. Why? Do you have to buy something?
MIGUEL Yes, and you too. For your mom. Monday is Mother's Day (the day of the mother).

MIGUEL My shoes are too tight. (To me squeeze much the shoes.) I can't walk any more.
MANUEL Neither can I. (I, neither.) Shall we go to the movies instead (better)?
MIGUEL Let's go. We'll think about the gift later. What's playing? (What are they giving?)
MANUEL An Italian movie (film). Hurry up! It's about to begin. (Already almost it begins.)

---

[1] Mother's Day is celebrated in most Spanish-speaking countries on the Feast of the Immaculate Conception, the eighth of December.

◀ *Movie-going is a popular form of entertainment in many Spanish-speaking cities.*

Supplement

uno, dos, tres, cuatro, cinco, seis, siete, ocho, nueve, diez, once, doce	1, 2, 3, 4, 5, 6, 7, 8, 9, 10, 11, 12
Cierran las tiendas a la una. las dos las tres	They close the stores at one o'clock. two o'clock three o'clock
Cierran la puerta. la ventana	They close the door. the window
Miguel tiene que comprar algo.	Miguel has to buy something.
El lunes es el Día de la Madre. El martes El miércoles El jueves El viernes El sábado El domingo	Monday is Mother's Day. Tuesday Wednesday Thursday Friday Saturday Sunday

---

Caminamos por el parque.	We're walking through the park.
Vamos al mercado. al centro	Let's go to the market. downtown (to the center)
Pensamos en el regalo antes.	We'll think about the gift first (beforehand).
Pensamos en el examen. la comida la fiesta el desfile el baile	We're thinking about the exam. the dinner, food, meal the party the parade the dance

BASIC FORMS

The verbs in the following list are taken from the Basic Dialog and Supplement. They include the infinitives of verbs that follow a grammatical pattern you already know, and those of new verbs (preceded by an asterisk) whose forms will be explained in this unit.

Verbs

*apretar	comprar
caminar	*empezar
*cerrar	*pensar

READING NOTES

Dialog

vamos	v represents the sound [b].
mejor	j represents the sound [h].
regalo	r represents the sound [rr].

Supplement

nueve, la ventana, jueves	v represents the sound [b̸].
jueves	j represents the sound [h].

Vocabulary Exercises

1. QUESTIONS

1. ¿Con quién habla Manuel?
2. ¿Tiene que comprar algo Miguel?
3. ¿Manuel también tiene que comprar algo?
4. ¿Qué día es el Día de la Madre?

(*continued*)

(continued)

5. ¿En los Estados Unidos, cierran las tiendas a las seis o a las siete?
6. ¿En los Estados Unidos, es el Día de la Madre el domingo o el lunes?

2. ENGLISH CUE DRILL

¿Tienes que comprar algo?	¿Tienes que comprar algo?
Do you have to talk with her?	¿Tienes que hablar con ella?
Do you have to go to the races?	¿Tienes que ir a las carreras?
Do you have to practice Spanish?	¿Tienes que practicar español?
Do you have to listen to some records?	¿Tienes que escuchar unos discos?
Do you have to buy something?	¿Tienes que comprar algo?

3. DIALOG RECALL

piensas
las tiendas
algo
el Día de la Madre
la puerta
el jueves

Large crowds of shoppers spill over into the street in a commercial section of Lima.

---

4. QUESTIONS

1. ¿Quiere ir Manuel a las tiendas o al cine?
2. ¿Y Miguel también quiere ir al cine?
3. ¿Compran o no compran el regalo?
4. ¿Qué película dan?
5. ¿Usted quiere ir al cine el sábado? ¿Qué película dan?
6. ¿A qué hora empieza?

5. DIALOG RECALL

zapatos
caminar
mejor
el regalo
casi
centro
antes

GRAMMAR

Stem Alternation: e–ie
a–*Class Verbs*

PRESENTATION

¿En qué **piensas?**
Pensamos en el regalo.

Is the stem stressed or unstressed in each verb form? What is the vowel sound in the stem when stressed? How is the sound written? What is the vowel sound in the stem when unstressed? How is the sound written?

GENERALIZATION

1. In certain verb stems the vowel **e** alternates with **ie** (pronounced [ye]); **ie** occurs when the stem is stressed; **e** occurs when the stem is unstressed.

Stressed Stem	*Unstressed Stem*
pienso	**pensar**
piensas	**pensamos**
piensa	
piensan	

2. There is no way to know in advance whether a verb will have this alternation in its stem. You must learn this for each new verb as you encounter it. The **a**-class verbs you have learned so far which have this stem alternation are **apretar, cerrar, empezar,** and **pensar.**

STRUCTURE DRILLS

6. PATTERNED RESPONSE

¿Empieza ahora?	Sí, tiene que empezar.
¿Cierra ahora?	Sí, tiene que cerrar.
¿Piensa ahora?	Sí, tiene que pensar.
¿Empieza ahora?	Sí, tiene que empezar.

7. PERSON-NUMBER SUBSTITUTION

1. Empiezo el examen.	Empiezo el examen.
(tú)	Empiezas el examen.
(él)	Empieza el examen.
(Manolo y yo)	Empezamos el examen.
(ellos)	Empiezan el examen.
(ustedes)	Empiezan el examen.

2. Pensamos en el Día de la Madre.
   (yo–Manolo y usted–él–nosotros–tú)

3. No cierran la ventana.
   (nosotros–yo–tú–ella–usted)

8. PAIRED SENTENCES

Piensa en la fiesta.	Piensa en la fiesta.
(nosotros)	Pensamos en la fiesta.
(ella)	Piensa en la fiesta.

¿Por qué no cierras la puerta?
  (nosotros)
  (tú)

Empiezo mañana.
  (nosotros)
  (yo)

9. FREE RESPONSE

¿Piensan ustedes en inglés o en español?
¿Cierran las tiendas a las cinco o a las seis?
¿A qué hora cierran el mercado? ¿y la escuela?
¿Cierran ustedes las ventanas ahora?
¿Quiere usted cerrar la puerta, *Juan?*
¿Cuándo empieza la película el sábado, a las dos o más tarde?
¿En qué piensa usted, en el examen?

10. WRITING EXERCISE

Write the responses to Drills 7.2, 7.3, and 8.

Gender and the Definite Article

PRESENTATION

Ésa que está en el **carro** es Lili.
Pensamos en el **regalo** después.
Caminamos por el **centro.**
Está en el **teléfono.**

What is the final vowel sound of each of the nouns in heavy type? Which Spanish word corresponds to *the* in these sentences?

Cierran la **puerta.**
Están en la **cocina.**
Pensamos en la **fiesta.**
Pasa por la **biblioteca.**

What is the final vowel sound of each of the nouns in heavy type? Which Spanish word corresponds to *the* in these sentences?

GENERALIZATION

1. All Spanish nouns belong to one of two gender classes: masculine or feminine. Note that these are purely grammatical terms. They are used to classify a word, not to indicate a quality or characteristic.

2. The Spanish form of the definite article *the* is determined by the gender of the noun it is used with: **el** is used with masculine singular nouns; **la** is used with feminine singular nouns.

Masculine	*Feminine*
el carro	**la puerta**
el regalo	**la cocina**
el centro	**la fiesta**
el teléfono	**la biblioteca**
el perro	**la tienda**
el zapato	**la película**

3. In general, you will have to memorize the gender of a noun when you first learn the noun. The following hints, however, will be useful in helping you remember the gender of most Spanish nouns:

Masculine

a. Most nouns that refer to males are masculine: **el chico, el tío, el señor.**
b. Most nouns that end in **o** are masculine: **el regalo, el zapato.**
c. The names of all the days of the week are masculine: **el lunes, el martes.**

Feminine

a. Most nouns that refer to females are feminine: **la chica, la tía, la señora.**
b. Most nouns that end in **a** are feminine: **la puerta, la película.**
c. Most nouns that end in **-ción** are feminine: **la canción.**

4. The following are the nouns you have learned so far for which none of these hints is helpful.

el baile	**el examen**
el cine	**el parque**
el desfile	**el sofá**
el día	

5. Some nouns which refer to people have both a masculine and a feminine form which are identical except for final **o** or **a.** For example, corresponding to the feminine noun **tía** (*aunt*), there is the masculine noun **tío** (*uncle*).

Male person	*Female person*
el amigo	**la amiga**
el chico	**la chica**
el maestro	**la maestra**

STRUCTURE DRILLS

11. ITEM SUBSTITUTION

1. El señor pronuncia muy bien.	El señor pronuncia muy bien.
__ señorita ________________.	La señorita pronuncia muy bien.
__ chica ________________.	La chica pronuncia muy bien.
__ maestro ________________.	El maestro pronuncia muy bien.
__ tía ________________.	La tía pronuncia muy bien.
__ chico ________________.	El chico pronuncia muy bien.

2. La película empieza a las siete.
   (desfile–comida–examen–baile–carrera)

12. WRITING EXERCISE

Write the responses to Drill 11.2.

Plural of Nouns and of the Definite Article

PRESENTATION

Pensamos en **el regalo.**
Pensamos en **los regalos.**
La madre no llega todavía.
Las madres no llegan todavía.
Hablo con **el señor.**
Hablo con **los señores.**

In each pair of sentences, which noun is singular? Which is plural? If a singular noun ends in a vowel, how is its plural formed? If a singular noun ends in a consonant, how is its plural formed? What definite article is used with plural masculine nouns? What definite article is used with plural feminine nouns?

GENERALIZATION

1. Nouns whose singular ends in a vowel add **s** to form the plural.

Singular	*Plural*
regalo	**regalos**
puerta	**puertas**
madre	**madres**

2. Most nouns whose singular ends in a consonant add **es** to form the plural.

señor	**señores**

3. If, however, a noun ends in **s,** and the last syllable is unstressed, nothing is added to form the plural. The most common examples are the first five days of the week.

lunes *Monday*	**lunes** *Mondays*
martes *Tuesday*	**martes** *Tuesdays*
miércoles *Wednesday*	**miércoles** *Wednesdays*
jueves *Thursday*	**jueves** *Thursdays*
viernes *Friday*	**viernes** *Fridays*

4. Recall that the masculine plural pronouns **nosotros** and **ellos** refer to mixed groups as well as to groups consisting of men or boys. Similarly, masculine plural nouns are often used to refer to mixed groups, when there is no special reason to point out that girls or women are included.

boys and girls	**chicos y chicas**	or	**chicos**
aunts and uncles	**tías y tíos**	or	**tíos**
men and women teachers	**maestros y maestras**	or	**maestros**

5. The definite article **los** is used with masculine plural nouns; the definite article **las** is used with feminine plural nouns.

6. The following are the forms of the definite article in Spanish:

	Singular	*Plural*
MASCULINE	**el (maestro)**	**los (maestros)**
FEMININE	**la (maestra)**	**las (maestras)**

STRUCTURE DRILLS

13. SINGULAR → PLURAL

El chico pronuncia bien.	Los chicos pronuncian bien.
La señorita estudia mucho.	Las señoritas estudian mucho.
El señor habla francés.	Los señores hablan francés.
La maestra piensa en algo.	Las maestras piensan en algo.
El maestro no contesta.	Los maestros no contestan.
La chica llega ahora.	Las chicas llegan ahora.

14. ITEM SUBSTITUTION

1. Pienso en los regalos.	Pienso en los regalos.
____________ canción.	Pienso en la canción.
____________ disco.	Pienso en el disco.
____________ exámenes.	Pienso en los exámenes.
____________ noticias.	Pienso en las noticias.
____________ chico.	Pienso en el chico.

2. Juan llega con los discos.
   (regalo–chicas–señorita–maestro–comida–carro)

3. ¿A qué hora cierran las tiendas?
   (biblioteca–mercados–parque–tienda)

15. PROGRESSIVE SUBSTITUTION

La maestra compra los discos.	La maestra compra los discos.
__ señoras ________________.	Las señoras compran los discos.
__________ escuchan ________.	Las señoras escuchan los discos.
______________________ noticias.	Las señoras escuchan las noticias.
__ maestro ________________.	El maestro escucha las noticias.

16. FREE SUBSTITUTION

La fiesta empieza a las cinco.

17. WRITING EXERCISE

Write the responses to Drills 14.2 and 14.3.

Some Uses of the Definite Article

GENERALIZATION

In general, the definite article is used in Spanish much as it is in English. There are, however, some cases where it is used in Spanish where it would not be in English.

a. With days of the week used to tell when an activity or event takes place:

El desfile es el sábado.
The parade is on Saturday.
Estudio los lunes.
I study on Mondays.

But if the name of a day is used to answer the question *"What day is it?"* with **hoy, mañana** or **ahora,** the article is not used:

Hoy es sábado.
Today is Saturday.

b. With titles such as **Sr., Sra., Srta.**[2], when people with these titles are spoken of:

El Sr. Vargas habla ruso.
Mr. Vargas speaks Russian.

But if the person is directly addressed, the definite article is not used:

Sr. Vargas, ¿habla usted ruso?
Mr. Vargas, do you speak Russian?

STRUCTURE DRILLS

18. PAIRED SENTENCES

La fiesta es el viernes.
Today is Friday.
The party is Friday.

La fiesta es el viernes.
Hoy es viernes.
La fiesta es el viernes.

Mañana es lunes.
Monday is Mother's Day.
Tomorrow is Monday.

---

[2] **Señor, señora,** and **señorita,** when followed by a proper name, may be abbreviated **Sr.** (*Mr.*), **Sra.** (*Mrs.*), and **Srta.** (*Miss*).

El Sr. Vargas habla bastante bien.
You speak pretty well, Mr. Vargas.
Mr. Vargas speaks pretty well.

La Srta. García piensa en el Sr. Pérez.
Miss García, you're thinking about Mr. Pérez.
Miss García is thinking about Mr. Pérez.

19. FREE RESPONSE

¿Es la fiesta de la escuela el sábado o el domingo?
¿Cuándo es el baile de la escuela?
¿Qué día es hoy?
¿Qué día es mañana?
Sr. *García,* ¿pronuncia bien la Srta. *Pérez?*
¿En qué piensan las chicas, en los exámenes o en los chicos?
¿Quién cierra las ventanas?
¿Quiere usted ir a la escuela los sábados y los domingos?
¿Qué días estudia usted?
¿Cierran las tiendas los domingos o los lunes?

Word Order in Statements and Yes/No Questions

GENERALIZATION

1. The order in which words may occur in sentences is much freer in Spanish than in English. Also, Spanish permits exactly the same order of words in statements as in questions. The three most common patterns in simple sentences are the following:

	Subject	+	*Predicate*		
STATEMENT	**Blanca**		**habla inglés.**		
QUESTION	**¿Blanca**		**habla inglés?**		
	Predicate	+	*Subject*		
STATEMENT	**Habla inglés**		**Blanca.**		
QUESTION	**¿Habla inglés**		**Blanca?**		
	Verb	+	*Subject*	+	*Remainder*
STATEMENT	**Habla**		**Blanca**		**inglés.**
QUESTION	**¿Habla**		**Blanca**		**inglés?**

2. Some Spanish speakers consider the order Subject + Predicate to be more typical of statements, and the other two orders to be more typical of questions. However, all three orders are used for both types of sentences.

3. Since the same patterns of word order occur in both statements and questions, one can tell only by the intonation, or melody, of a sentence whether it is a statement or a question. At the end of a statement the pitch of the voice falls, but at the end of a question the pitch of the voice rises.

STRUCTURE DRILLS

20. QUESTION FORMATION

Change each of the following statements to a question by raising the pitch of your voice.

Miguel necesita zapatos.	¿Miguel necesita zapatos?
Caminan por el parque Juan y Pablo.	
Cierra la puerta la maestra.	
Arturo estudia en la biblioteca.	
El Sr. García pasa por el mercado.	
Los exámenes empiezan el miércoles.	
Estudias español tú.	

21. ANSWER → QUESTION

Ask two appropriate questions for each of the following answers.

No, el lunes no es el Día de la Madre.	¿Es el lunes el Día de la Madre? ¿El lunes es el Día de la Madre?
Sí, Arturo piensa en Blanca.	
Sí, la película empieza a la una.	
No, los chicos no pronuncian mal.	
No, la señora no habla español.	
Sí, Raúl estudia inglés.	

22. DIRECTED DRILL

Pregúntele a *Juan* si Blanca habla inglés.	¿Blanca habla inglés? ¿Habla inglés Blanca?
Pregúntele a *María* si Susana y Teresa llegan a la una.	
Pregúntele a *Manuel* si los tres chicos estudian ruso.	

Pregúntele a *Juanita* si el baile empieza a las nueve.
Pregúntele a *Lupe* si Miguel pasa por el parque.
Pregúntele a la maestra si *Camilo* y usted pronuncian bien.

23. WRITING EXERCISE

Write the responses to Drills 21 and 22. Write two different questions for each sentence in Drill 22.

RECOMBINATION MATERIAL

Dialogs

I

MIGUEL Paquito, ¿qué día es hoy?
PAQUITO Hoy es sábado.
MIGUEL ¿Es hoy el Día de la Madre?
PAQUITO No, es mañana.

QUESTIONS

1. ¿Sabe Paquito qué día es?
2. ¿Qué día es?
3. ¿Es el Día de la Madre?
4. ¿Qué día es el Día de la Madre?

II

SUSANA Vamos al centro.
LUCINDA No, mejor mañana, hoy no puedo caminar más.
SUSANA ¿Por qué? ¿Qué pasa?
LUCINDA Me aprietan mucho los zapatos.

REJOINDERS

Vamos al centro.

Outdoor markets, like this one in Mexico City, are common in most Spanish-speaking countries.

III

FERNANDO	El miércoles empiezan los exámenes.
RICARDO	¿Tienes que estudiar mucho?
FERNANDO	Sí, ¿y tú?
RICARDO	Yo también.
FERNANDO	Vamos a la biblioteca entonces.

QUESTIONS

1. ¿Qué día empiezan los exámenes?
2. ¿Tiene que estudiar Fernando?
3. ¿Y Ricardo?
4. ¿Para qué quiere Fernando ir a la biblioteca?

IV

CAROLINA	¿Qué película dan?
FLORA	Una película italiana.
CAROLINA	¿A qué hora empieza?
FLORA	A las cuatro. Apúrate.

QUESTIONS

1. ¿De qué hablan Carolina y Flora?
2. ¿Quiere ir Flora al cine?
3. ¿Dan una película italiana o americana?
4. ¿A qué hora empieza la película?

Rejoinders

1. Vamos al cine, mejor.

No, me aprietan mucho los zapatos.
¿Qué dan?
No, quiero estudiar.
No, no puedo caminar más.
¿A qué hora empieza la película?

2. No puedo estudiar más.
3. ¿Ya empieza el desfile?
4. ¿Cierran a las cinco?

LETTER ↔ SOUND CORRESPONDENCES

Lesson 1

READING: b, v = [b]

The letters **b** and **v** both represent the sound [b] after a pause and after the sound [m].

FAMILIAR WORDS bastante, bien, vamos, ventana, viernes, baile, también

UNFAMILIAR WORDS vaso, base, voy, bote, vote, bonita, hombre, hambre, caramba

READING: b, v = [b̸]

The letters **b** and **v** both represent the sound [b̸] in any position except after a pause or after the sound [m].

FAMILIAR WORDS Eva, sabe, la biblioteca, la ventana, nueve, jueves, sábado

UNFAMILIAR WORDS uva, novio, a ver, autobús

READING: b AND v

The letters **b** and **v** represent exactly the same two sounds. Whether they represent [b] or [b̸] depends only on their position in the word or phrase, never on which letter is used. There is no sound [v] in normal Spanish.

PAIRS	[b]	[b̸]
	bien	muy bien
	vamos	no vamos
	ventana	la ventana
	viernes	ese viernes
	baile	ese baile

READING: n = [m]

The letter **n** represents the sound [m] when it occurs before the sounds [b] and [p].

FAMILIAR WORDS con Blanca, un viernes, un baile, con Pepe

UNFAMILIAR WORDS don Pedro, con permiso, un vaso, un vestido

SENTENCES

1. ¿Vamos a la biblioteca con Pedro?
2. El sábado vamos a un baile.
3. Blanca habla inglés bastante bien.

WRITING

Copy the above sentences and be prepared to write them from dictation.

Spelling Notes:

There is no way to predict which words will be written with **b** and which with **v.** You will have to memorize the spelling of each new word as you learn it. However, the following hints may be helpful:

a. Most cognates are spelled with the same letter in both languages: **verbo,** *verb;* **victoria,** *victory;* **bomba,** *bomb;* **verso,** *verse.*

b. Only the letter **b** may follow an **m: también.**

Lesson 2

READING: d = [d]

The letter **d** represents the sound [d] after a pause and after the sounds [n] and [l].

FAMILIAR WORDS dan, dos, día, disco, desfile, doce, domingo, después, dónde, cuándo, tienda

UNFAMILIAR WORDS dulce, dinero, anda, blando, lindo, grande, falda, caldo.

READING: d = [đ]

The letter **d** represents the sound [đ] when it occurs in any position except after a pause or after the sounds [n] and [l].

FAMILIAR WORDS nada, puedo, Adela, mercado, estudia, sábado, tarde, madre, usted

UNFAMILIAR WORDS lado, cada, seda, sido, medias, espada, padre, adiós, verdad, sed

FAMILIAR PAIRS

[d]	[đ]
dan	¿qué dan?
día	¿qué día?
dos	uno y dos
dónde	adónde
después	y después
discos	y discos

READING: ñ

The letter **ñ** represents the sound [ñ], similar to the *ny* in *canyon.*

FAMILIAR WORDS señora, señor, señorita, mañana, español

UNFAMILIAR WORDS uña, año, baño, castaño, España

SENTENCES

1. ¿Dónde estudia usted español, señorita?
2. ¿Qué día es mañana? Domingo.
3. Vamos al mercado y a las tiendas.

WRITING

Copy the above sentences and be prepared to write them from dictation.

UNIT 4

BASIC DIALOG

La nueva escuela

EL MAESTRO	Vamos a ver, usted es Susana, ¿no?
CRISTINA	No, don[1] Pedro. Ella es Susana; yo soy Cristina.
EL MAESTRO	¡Pero son idénticas! ¿Cuál de las dos es mayor?
SUSANA	Ninguna. Somos gemelas.
EL MAESTRO	Ah, con razón. Muy bien, hasta mañana.
SUSANA	Esta escuela es muy bonita. Me gusta mucho. ¿A ti te gusta?
CRISTINA	¡Claro! Es mucho más linda que la otra.
SUSANA	Sí, y los compañeros son tan simpáticos, ¿verdad?
CRISTINA	Excepto ese chico rubio. ¡Qué pretencioso!
SUSANA	¿Y por qué eres tan amiga de él entonces?

The New School

THE TEACHER	Let's see, you're Susana, aren't you (no)?
CRISTINA	No, don Pedro. She's Susana; I'm Cristina.
THE TEACHER	But you're identical! Which one (of the two) is older?
SUSANA	Neither one (none). We're twins.
THE TEACHER	Oh, no wonder (with reason). All right, see you (until) tomorrow.
SUSANA	This school is very nice (pretty). I like it a lot. (To me it pleases much.) Do you like it? (To you it pleases?)
CRISTINA	Of course! It is much nicer (more pretty) than the other one.
SUSANA	Yes, and the kids (companions) are so nice, aren't they (truth)?
CRISTINA	Except that blond boy. What a showoff! (How pretentious!)
SUSANA	And why are you so friendly with him (friend of his) then?

[1] **Don** is a title of respect used with first names. **Doña** is the corresponding title for women.

◀ ***A school in Ecuador. Most school children wear uniforms in Spanish-speaking countries.***

Supplement

Buenos días.	Good morning.
Buenas tardes.	Good afternoon.
Buenas noches[2].	Good evening, good night.
Hasta luego.	See you later. (Until then.)
Adiós.	Good-bye.
¿Cuál de las dos es menor?	Which one is younger?
Somos alumnos.	We are students.
hermanos	brothers (brothers and sisters)

Esta escuela es pequeña.	This school is small.
grande	big
Esta blusa es muy bonita.	This blouse is very pretty.
falda	skirt
corbata	tie
camisa	shirt
A usted le gusta mucho.	You like it a lot.
A él le gusta mucho.	He likes it a lot.
A ella le gusta mucho.	She likes it a lot.
Excepto ese vestido.	Except that dress.
abrigo	coat
sombrero	hat
Ese examen es fácil.	That exam is easy.
difícil	difficult
¡Qué antipático!	How unpleasant!
inteligente	intelligent
alto	tall
bajo	short

---

[2] **Buenas noches** means both *good evening* when meeting someone in the evening, and *good night* when departing.

BASIC FORMS

The new nouns included in the Basic Forms list are only those which do not end in **o** or **a.** The letter *m.* or *f.* following each noun indicates its gender.

Verb

*ser

Nouns

noche *f.*   razón *f.*   tarde *f.*

Vocabulary Exercises

1. QUESTIONS

1. ¿Con quién hablan las gemelas?
2. ¿Hablan en español o en inglés?
3. ¿Quién es don Pedro?
4. ¿Es don Pedro un alumno?
5. ¿Son hermanas Susana y Cristina?
6. ¿Son gemelas?
7. ¿Son idénticas Susana y Cristina?
8. ¿Cuál de las dos hermanas es mayor?
9. ¿Cuál es menor?

2. DIALOG RECALL

vamos
pero
cuál
gemelas
hasta
menor
hermanos

---

3. QUESTIONS

1. ¿Es bonita la nueva escuela?
2. ¿Le gusta a Susana?
3. ¿A Cristina también le gusta?
4. ¿Son simpáticos los compañeros?
5. El chico rubio, ¿es simpático o antipático?
6. ¿Por qué?
7. ¿Le gusta a usted esta escuela?
8. ¿Es grande o pequeña?
9. ¿Es bonita esta escuela?

4. DIALOG RECALL

bonita
linda
verdad
excepto
pretencioso
pequeña

GRAMMAR

ser, *Present Tense*

PRESENTATION

Yo **soy** Cristina.
¿Por qué **eres** tan amiga de él?
Usted **es** Susana, ¿no?
Ella **es** Susana.
Somos gemelas.
Los compañeros **son** tan simpáticos.

Which form of the verb corresponds to **yo**? to **tú**? to **él, ella** and **usted**? Which form corresponds to **nosotros**? to **ellos, ellas, ustedes**?

GENERALIZATION

The verb **ser** is highly irregular. The forms of the present tense must be memorized.

ser, PRESENT TENSE		
	Singular	*Plural*
1	**soy**	**somos**
2	**eres**	**son**
3	**es**	

STRUCTURE DRILLS

5. PERSON-NUMBER SUBSTITUTION

1. ¿De dónde eres? ⊛ — ¿De dónde eres?
   (ustedes) — ¿De dónde son?
   (usted) — ¿De dónde es?
   (nosotros) — ¿De dónde somos?
   (él) — ¿De dónde es?
   (yo) — ¿De dónde soy?

2. Son de los Estados Unidos. ⊗
   (ella–Pedro y yo–tú–yo–ellos)

6. FREE RESPONSE

¿Quiénes son Susana y Cristina?
¿Quién es don Pedro?
¿Son Susana y Cristina hermanas?
¿Es Cristina menor que Susana? ¿Por qué?
¿Es Susana mayor que Cristina? ¿Por qué?
¿Es usted hermana gemela?
¿Son hermanas ustedes dos?
¿De dónde es usted?
¿Son ustedes de los Estados Unidos?
¿Quién es ese chico?
¿Quién es usted?
¿Quién soy yo?
¿Es usted un alumno o el maestro?
¿Y yo?

7. DIRECTED DIALOG

Pregúntele a *Susana* de dónde es.	¿De dónde eres?
Dígale que usted es de los Estados Unidos.	Soy de los Estados Unidos.
Pregúntele si *María* y ella son amigas.	¿*María* y tú son amigas?
Dígale que sí, que *María* también es de los Estados Unidos.	Sí, *María* también es de los Estados Unidos.

8. WRITING EXERCISE

Write the responses to Drill 5.2.

The Indefinite Article

PRESENTATION

¿Tienes que comprar un **regalo?**
Escuchan un **disco.**

Dan una **película** italiana.
Escuchan una **canción.**

(continued)

(continued)

Which form of the indefinite article (the word which means *a, an*) is used with singular masculine nouns? with singular feminine nouns?

Compro unos **regalos.**
Escuchan unos **discos.**

Compro unas **corbatas.**
Escuchan unas **canciones.**

Which form of the indefinite article is used with plural masculine nouns? with plural feminine nouns?

GENERALIZATION

	Singular	*Plural*
MASCULINE	**un (compañero)**	**unos (compañeros)**
FEMININE	**una (compañera)**	**unas (compañeras)**

Like the definite article, the indefinite article agrees in number (singular or plural) and gender (masculine or feminine) with the noun it modifies.

In English, the singular form of the indefinite article is *a* or *an;* the plural form is *some.*

STRUCTURE DRILLS

9. ITEM SUBSTITUTION

1. Compramos una camisa.

Compramos una camisa.	Compramos una camisa.
______ regalo.	Compramos un regalo.
______ corbata.	Compramos una corbata.
______ abrigo.	Compramos un abrigo.
______ falda.	Compramos una falda.
______ vestido.	Compramos un vestido.
______ blusa.	Compramos una blusa.
______ perro.	Compramos un perro.

2. ¿Llega con unos compañeros?
   (amigas–señores–amigos–chicos–señoritas–alumnos)

3. Quiero un sombrero.
   (camisas–discos–falda–vestidos–abrigo–blusas–carro)

4. ¿Por qué no compras unos discos?
   (blusas–corbata–abrigo–zapatos–perro)

10. FREE COMPLETION

1. Necesito una ______.
   Necesito un ______.
   Necesito unas ______.
   Necesito unos ______.

2. Llegan con un ______.
   Llegan con unas ______.
   Llegan con unos ______.
   Llegan con una ______.

11. FREE RESPONSE

¿Necesita usted comprar un regalo?
¿Quiere usted comprar algo? ¿Qué quiere comprar?
Y usted, ¿qué quiere comprar?
¿Necesita usted unos discos?
¿Qué necesita usted?

12. FREE SUBSTITUTION

Estudia con unos amigos.

13. WRITING EXERCISE

Write the responses to Drills 9.2, 9.3, and 9.4.

Adjective Agreement

PRESENTATION

El chico es muy **pretencioso.**
Don Pedro es **simpático.**
El abrigo es muy **bonito.**

(*continued*)

(continued)

What is the gender and number of the noun in each sentence? What is the final vowel of the adjective if the noun it modifies is masculine singular?

La película es **italiana.**
La escuela es **pequeña.**

What is the gender and number of the noun in each sentence? What is the final vowel of the adjective if the noun it modifies is feminine singular?

El compañero es tan **simpático.**
Los compañeros son tan **simpáticos.**

¿La chica? Es **americana.**
¿Las chicas? Son **americanas.**

In each pair, how does the noun in the second sentence differ from the noun in the first? How does the adjective differ? How is the plural formed for adjectives whose singular ends in a vowel?

GENERALIZATION

1. An adjective agrees in gender and number with the noun it modifies.

El señor es pretencioso.
Los señores son pretenciosos.
La señora es pretenciosa.
Las señoras son pretenciosas.

Adjectives like **pretencioso, pretenciosa** consist of a stem **(pretencios-)** + a gender marker (**o** for masculine, **a** for feminine). The stem + the gender marker **(pretencioso, pretenciosa)** is pluralized by adding **s,** just like nouns which end in a vowel.

2. The masculine plural form of an adjective is used to modify two or more masculine nouns.

Juan y Pedro son rubios.

The feminine plural form is used to modify two or more feminine nouns.

María y las otras chicas son simpáticas.

The masculine plural form is used to modify two or more nouns of different genders.

El señor y la señora son antipáticos.
María, Paco, y Elena son americanos.

STRUCTURE DRILLS

14. ITEM SUBSTITUTION

1. El maestro no es nuevo.	El maestro no es nuevo.
La maestra __________.	La maestra no es nueva.
El vestido __________.	El vestido no es nuevo.
El abrigo __________.	El abrigo no es nuevo.
La película __________.	La película no es nueva.
El carro __________.	El carro no es nuevo.

2. Los hermanos son casi idénticos.
   (las gemelas–los sombreros–los vestidos–las faldas–las chicas)

3. Las gemelas son bastante altas.
   (el señor–los chicos–Juan y María–las hermanas–la señorita)

15. WRITING EXERCISE

Write the responses to Drills 14.2 and 14.3.

A home economics class in Peru.

Other Types of Adjectives

PRESENTATION

El chico es **mayor.**
La chica es **mayor.**

El examen es **difícil.**
La canción es **difícil.**

Do adjectives which end in a consonant show gender agreement?

El chico es **mayor.**
Los chicos son **mayores.**

La canción es **difícil.**
Las canciones son **difíciles.**

Do adjectives which end in a consonant show number agreement?

El mercado es **grande.**
La biblioteca es **grande.**
Los mercados son **grandes.**
Las bibliotecas son **grandes.**

Do adjectives which end in e show gender agreement? Do they show number agreement? What generalization can you make about adjectives which end in e or a consonant?

GENERALIZATION

Many adjectives whose singular form ends in e or a consonant, rather than in the gender markers o and a, do not show gender agreement with the noun they modify.

El chico La chica	**es inteligente.**	**El chico La chica**	**es mayor.**

These adjectives, however, do agree in number. Their plurals are formed in the usual way—by adding s after e, or es after a consonant.

Los chicos Las chicas	**son inteligentes.**	**Los chicos Las chicas**	**son mayores.**

STRUCTURE DRILLS

16. ITEM SUBSTITUTION

1. ¿Es grande la biblioteca?
   ¿________ el cine?
   ¿________ los parques?
   ¿________ las tiendas?
   ¿________ la escuela?
   ¿________ los mercados?
   ¿________ el desfile?

¿Es grande la biblioteca?
¿Es grande el cine?
¿Son grandes los parques?
¿Son grandes las tiendas?
¿Es grande la escuela?
¿Son grandes los mercados?
¿Es grande el desfile?

2. El chico es inteligente y simpático.
   (la chica–los maestros–las maestras–la alumna–los alumnos)

3. El baile es muy fácil.
   (los bailes–la canción–el examen–las canciones)

4. La chica es mayor.
   (los gemelos–la tía–el señor–los dos chicos)

17. PAIRED SUBSTITUTIONS

¿Los compañeros? ¡Qué simpáticos!
¿La maestra? ¡________________!

¿Los gemelos? ¡Qué pretenciosos!
¿La chica rubia? ¡____________!

¿La cocina? ¡Qué pequeña!
¿El carro? ¡____________!

¿El baile? ¡Qué difícil!
¿Las canciones? ¡____!

¿Las chicas? ¡Qué inteligentes!
¿El Sr. Pérez? ¡____________!

¿Los compañeros? ¡Qué simpáticos!
¿La maestra? ¡Qué simpática!

18. FREE SUBSTITUTION

¿Las corbatas? ¡Qué lindas!

19. WRITING EXERCISE

Write the responses to Drills 16.2 and 16.3.

Adjectives of Nationality

GENERALIZATION

1. Many adjectives which refer to nationality have the gender markers o, a. There are also nationality adjectives whose masculine singular form ends in a consonant. These show both gender and number agreement. The feminine singular is formed by adding a to the final consonant. The plurals are formed by adding es to the masculine singular and **s** to the feminine singular.

   El maestro es francés.
   La maestra es francesa.

   Los maestros son franceses.
   Las maestras son francesas.

   If the masculine singular ends in és, the other forms do not require a written accent **(francés, francesa).**

2. Here are the adjectives of nationality you have learned so far which do not end in o or a.

alemán, alemana	**francés, francesa**
español, española	**inglés, inglesa**

STRUCTURE DRILLS

20. PATTERNED RESPONSE

1. La película es italiana, ¿verdad? — No, es española.
   Los zapatos son italianos, ¿verdad?
   El carro es italiano, ¿verdad?
   Las canciones son italianas, ¿verdad?
   El abrigo es italiano, ¿verdad?
   Los gemelos son italianos, ¿verdad?

2. Los chicos son franceses, ¿y la chica? — La chica es francesa también.
   La blusa es nueva, ¿y los zapatos?
   El Sr. Pérez es rubio, ¿y la Sra. Pérez?
   Los compañeros son inteligentes, ¿y las compañeras?
   El parque es grande, ¿y la escuela?

Las gemelas son bajas, ¿y la madre?
La maestra es muy buena, ¿y los alumnos?

21. FREE COMPLETION

Me gusta esta escuela. Es muy ______.
Los vestidos son tan ______________.
Juan y María son bastante _________.
No me gusta ese chico. Es _________.
¿Las gemelas? Son muy ___________.

22. REJOINDERS

¿Te gusta la chica alemana?

Esta escuela es muy buena, ¿verdad?

23. PROGRESSIVE SUBSTITUTION

Lupita y yo somos inglesas.	Lupita y yo somos inglesas.
El señor ______________.	El señor es inglés.
_________ son _________.	Los señores son ingleses.
______________ antipático.	El señor es antipático.
Las chicas ______________.	Las chicas son antipáticas.
_________ es _________.	La chica es antipática.
______________ idénticos.	Los chicos son idénticos.

24. FREE SUBSTITUTION

El maestro es inteligente y simpático.

25. FREE RESPONSE

¿Son Susana y Cristina idénticas?
¿Es bonita la escuela?
¿Son los compañeros simpáticos o antipáticos?
¿Cuál de los compañeros no es tan simpático?
¿Por qué no es simpático?
¿Es nueva esta falda? ¿y ese vestido? ¿y esta corbata?
¿Es *Camilo* alto o bajo? ¿y usted? ¿y ella?
¿Es *Mauricio* mayor o menor que la maestra? ¿y ustedes? ¿y él?
¿Son ustedes españoles?

26. DIRECTED ADDRESS

1. Make the following remark to the persons indicated.

¡Es tan inteligente!	¡Es tan inteligente!
(a un amigo)	¡Eres tan inteligente!
(a dos chicas)	¡Son tan inteligentes!
(a un chico y a una chica)	¡Son tan inteligentes!
(al Sr. García)	¡Es tan inteligente!
(a su hermana)	¡Eres tan inteligente!

2. Ask the following question of the persons indicated.

¿Es americano o alemán?	
(a dos chicas)	¿Son americanas o alemanas?
(a un chico)	
(a una chica y a un chico)	
(a unos alumnos)	
(a un maestro)	

27. BASIC DIALOG VARIATION

Repeat the Basic Dialog, this time making the twins boys named Arturo and Camilo.

28. WRITING EXERCISE

Write the responses to Drills 20.1 and 20.2.

Information Questions

PRESENTATION

¿**Qué** canción escuchas?
¿**Qué** canciones escuchas?

¿**Quién** es don Pedro?
¿**Quiénes** son **las gemelas**?

¿**Cuál** maestro es mejor?
¿**Cuáles maestros** son mejores?

Which is the word that asks the question in each sentence? Which of the above interrogative words show number agreement?

GENERALIZATION

1. Spanish **qué** generally corresponds to English *what.*

   ¿Qué estudia Juan?
   What is John studying?
   ¿Qué canción escucha Juan?
   What song is John listening to?

2. Spanish **quién** corresponds to English *who.*

   ¿Quién estudia español?
   Who is studying Spanish?

   Unlike English, Spanish has a plural *who,* **quiénes,** which is used to refer to a plural noun.

   ¿Quiénes van? ¿Todos ustedes?
   Who is going? All of you?

   Note that the verb that goes with **quiénes** is also plural.

3. Spanish **cuál** generally corresponds to English *which.*

   ¿Cuál corbata compra?
   Which tie is he buying?
   ¿Cuál de las corbatas compras?
   Which of the ties are you buying?

   Like **quién, cuál** has a plural form: **cuáles.**

   ¿Cuáles chicos estudian?
   Which boys are studying?
   ¿Cuáles de los chicos estudian?
   Which of the boys are studying?

4. In questions which use the interrogatives **qué, quién(es),** or **cuál(es)** the word order is (1) interrogative phrase, (2) predicate, (3) subject.

   ¿Qué (1) **estudia** (2) **Juan?** (3)

   ¿Qué canción (1) **escucha** (2) **María?** (3)

   ¿Cuál de las corbatas (1) **compra** (2) **el chico rubio?** (3)

5. In English sentences such as *Who(m) are you studying with?* (*With whom are you studying?*), the preposition can be placed either at the beginning or at the end of the sentence. In Spanish the preposition always occurs at the beginning of the sentence, preceding the interrogative word.

   ¿Con quién estudias?
   Who(m) are you studying with?
   ¿En qué piensas?
   What are you thinking about?

   The Spanish equivalent of *whose* is **de quién** (*of whom*).

   ¿De quién es este libro?
   Whose book is this?

STRUCTURE DRILLS

29. ANSWER → QUESTION

Make a question for each answer by replacing the underlined words with an interrogative word.

Manolo estudia español.	¿Quién estudia español?
Camilo estudia inglés.	
Cristina y Susana estudian inglés también.	
Manolo y Camilo son alumnos.	
Esta escuela es más bonita que la otra.	
Las películas italianas son mejores que las otras.	

30. ENGLISH CUE DRILLS

1. ¿En qué piensas?	¿En qué piensas?
Who are you thinking about?	¿En quién piensas?
Who (*pl.*) are you thinking about?	¿En quiénes piensas?
Which girl are you thinking about?	¿En cuál chica piensas?
Which girls are you thinking about?	¿En cuáles chicas piensas?
What are you thinking about?	¿En qué piensas?

2. ¿De quién es el sombrero?
   Whose coat is it?
   Whose shirt is it?

Whose records are they?
Whose presents are they?
Whose car is it?
Whose hat is it?

31. ANSWER → QUESTION

Los zapatos son de mi hermano.	¿De quién son los zapatos?
El carro es de unos amigos.	
Ese perro es de doña Marta.	
Esta corbata es de mi tío.	
Los regalos son de mi madre.	
El disco es de las gemelas.	
Las canciones son de la maestra.	

32. WRITING EXERCISE

Write the responses to Drills 29, 30.2, and 31.

RECOMBINATION MATERIAL

Dialogs

I

JUAN ¿Te gusta esta escuela?
JOSÉ Sí, pero me gusta más la otra.
JUAN ¿Por qué? ¿Es más grande?
JOSÉ No, pero los compañeros son más simpáticos.

QUESTIONS

1. ¿A Juan le gusta esta escuela?
2. ¿Le gusta más esta escuela o la otra?
3. ¿Es más grande la otra escuela?
4. ¿Por qué le gusta más, entonces?

Girls play in a courtyard in Argentina.

II

OLGA	¿Quieres ir a las carreras conmigo?
ANA	No puedo. Tengo que ir a la tienda.
OLGA	¿Qué necesitas comprar?
ANA	Un regalo para mi tío.

QUESTIONS

1. ¿Adónde quiere ir Olga?
2. ¿Adónde tiene que ir Ana?
3. ¿Qué necesita comprar ella?
4. ¿Para quién necesita comprar un regalo?

III

LILI	¿Quién es ese chico?
ROSA	¿Cuál?
LILI	Ése que pasa por la biblioteca.
ROSA	No sé quién es.

REJOINDER

¿Quién es ese chico?

IV

LUISA ¡Qué linda es tu blusa!
EVA ¿Te gusta?
LUISA Sí, me gusta mucho. ¿Es nueva?
EVA Sí, es un regalo de mi mamá.

QUESTIONS

1. ¿De qué hablan Luisa y Eva?
2. ¿Es bonita la blusa de Eva?
3. ¿Es nueva?
4. ¿Es un regalo de quién?

Rejoinders

1. Buenas noches, doña Marta.
2. Ana y María son casi idénticas.
3. Necesitamos comprar algo.

LETTER ↔ SOUND CORRESPONDENCES

Lesson 1

READING: g = [g] OR [g̸]

The letter **g** before **a, o, u** or a consonant represents either the sound [g] or [g̸].

FAMILIAR WORDS llega, conmigo, algo, amigo, abrigo, gusta, ninguna, inglés
UNFAMILIAR WORDS gato, liga, gordo, contigo, segundo, gracias, grita

READING: gu = [g] OR [g̸]

The letter combination **gu** before **e** or **i** represents either the sound [g] or [g̸].

FAMILIAR WORDS Miguel, alguien
UNFAMILIAR WORDS sigue, llegue, guerra, guía, en seguida

READING: g = [h]

The letter **g** before **e** or **i** represents the sound [h].

(*continued*)

(*continued*)

FAMILIAR WORDS gemelas, inteligente

UNFAMILIAR WORDS gente, ligero, álgebra, gira, gigante, biología, geología

READING: j = [h]

The letter **j** always represents the sound [h].

FAMILIAR WORDS mejor, jueves, bajo

UNFAMILIAR WORDS hijo, ojo, rojo, jefe, viaje, viejo, mojado, Jiménez

SENTENCES

1. Las gemelas García son muy inteligentes.
2. ¿Cuál de las dos es mejor? Ninguna.
3. Miguel llega con alguien.
4. ¿Con Jorge? No, con Guillermo.

WRITING

Copy the above sentences and be prepared to write them from dictation.

Spelling Notes:

1. The sounds [g] and [g̸] before **a, o, u** or a consonant are represented by the letter **g.**
2. The sounds [g] and [g̸] before **e** and **i** are represented by the letters **gu.**
3. The sound [h] before **e** or **i** is represented by either the letter **g** or the letter **j**. There is no way to predict which words will be spelled with **g** and which with **j.** You will have to memorize the spelling of each new word as you learn it, but it may help you to remember that most cognates are spelled with the same letter in both languages: **inteligente,** *intelligent;* **Jerusalén,** *Jerusalem.*

Lesson 2

READING: r = [r]

The letter **r** represents the sound [r], except after **n, l, s,** and at the beginning of a word.

FAMILIAR WORDS americana, quiero, hora, para, claro, madre, otra, practica, martes, tarde, llamar, pensar, comprar, mayor, menor

UNFAMILIAR WORDS toro, loro, mira, sorda, prisa, buscar, lugar

READING: **r, rr** = [rr]

The letter **r** represents the sound [rr] at the beginning of a word or after **n, l,** and **s.** The letter **rr** always represents the sound [rr].

FAMILIAR WORDS ruso, regalo, razón, rubio, cierran, perro

UNFAMILIAR WORDS rojo, roto, rana, Puerto Rico, Costa Rica, Enrique, enredo, alrededor, Israel, arregla, correo

The letter **r** at the beginning of a word represents the sound [rr] even when the preceding word ends in a vowel.

FAMILIAR AND UNFAMILIAR PAIRS

[rr]	[r]
habla ruso	hablar uno
busca razones	buscar algo
canta Rosa	cantar óperas
llega rápido	llegar aquí
come rápido	comer algo
hace ropa	hacer obras

SENTENCES

1. Quiero comprar un regalo para don Pedro.
2. ¿A qué hora cierran el mercado?
3. La señorita americana no habla ruso.
4. ¡Ah, con razón!

WRITING

Copy the above sentences and be prepared to write them from dictation.

Spelling Notes:

1. The sound [rr] is represented by:
   a. the letter **r** at the beginning of a word;
   b. the letter **r** within a word after **n, l,** or **s**;
   c. the letter **rr** (**rr** occurs only between vowels within a word).

2. The sound [r] within a word is represented by the letter **r,** except after **n, l,** or **s.** The sound [r] does not occur at the beginning of a word.

UNIT 5

BASIC DIALOG

Los problemas de Pedrito

PEDRITO ¡Ay, caramba! Cuando arreglan mi cuarto, no encuentro nada. ¡Mamá! ¡tía Luisa!
MADRE ¡Cómo gritas, hijo! ¡No estamos sordas! ¿Dónde estás?
PEDRITO Aquí estoy. ¿Dónde están mis cosas?
MADRE No buscas bien. Todo está en su lugar.

MADRE ¿Adónde vas con tanta prisa? ¿Al partido de fútbol?[1]
PEDRITO Sí, juega El Santos[2], campeón del mundo. A propósito, mami . . . este[3]. . .
MADRE Ajá, ya sé. No tienes dinero. ¿Cuánto cuestan los boletos?
PEDRITO No recuerdo. Creo que cinco pesos.

Pedrito's Problems

PEDRITO Oh, darn it! When they clean (fix) my room, I can't (don't) find anything. Mom! Aunt Luisa!
MOTHER What shouting (how you scream), son! We're not deaf! Where are you?
PEDRITO Here I am. Where are my things?
MOTHER You're not looking very hard (well). Everything's in its place.

MOTHER Where are you going in such a hurry (with so much haste)? To the soccer game?
PEDRITO Yes, El Santos, the world champion (champion of the world), is playing. By the way, mom . . . uh. . .
MOTHER Aha, I already know. You don't have any money. How much are (cost) the tickets?
PEDRITO I don't remember. I think (believe that) five pesos.

[1] The Spanish word **fútbol** is the equivalent of *soccer,* the most popular sport in Latin America. The type of football played in the United States is called **fútbol americano** in Spanish.

[2] **El Santos** is a well-known Brazilian soccer team.

[3] **Este . . . ,** like the English expression *uh . . . ,* indicates hesitation on the part of the speaker.

◀ ***A fast-moving soccer game draws loud cheers and boos from an excited crowd in Buenos Aires.***

Supplement

¿Cómo está usted? Bien, gracias.	How are you? Fine, thanks.
¿Cuándo limpian la casa?	When do they clean the house?
Sus cosas están en el baño. el dormitorio el comedor	Your things are in the bathroom. the bedroom the dining room
¿Dónde están los pantalones? las medias los calcetines los guantes los pañuelos	Where are the pants? the stockings the socks the gloves the handkerchiefs

---

¿Adónde va Pedro? ¿Al estadio? café	Where is Pedro going? To the stadium? café
¿Vas conmigo al restaurante? aeropuerto banco	Will you go with me to the restaurant? airport bank
Los boletos son caros. baratos	The tickets are expensive. cheap

BASIC FORMS

Verbs

arreglar	*encontrar	*jugar
buscar	*estar	limpiar
*costar	gritar	*recordar

Nouns

café *m.*	fútbol *m.*	pantalones *m. pl.*
calcetín *m.*	guante *m.*	problema *m.*
campeón *m.*	lugar *m.*	restaurante *m.*
comedor *m.*		

Vocabulary Exercises

1. QUESTIONS

1. ¿Quién grita?
2. ¿Gritan mucho ustedes?
3. ¿Grito mucho yo?
4. ¿A quiénes llama Pedrito?
5. ¿Quién contesta, la mamá o la tía?
6. ¿Qué busca Pedrito?
7. ¿Busca él bien o busca mal?
8. ¿Dónde están las cosas que Pedrito busca?

2. DIALOG RECALL

arreglan
sordas
aquí
lugar
limpian
dormitorio
pantalones

---

3. QUESTIONS

1. ¿Adónde quiere ir Pedrito?
2. ¿Adónde va usted hoy?
3. ¿Tiene dinero Pedro?
4. ¿Quién limpia su dormitorio, usted o su mamá?
5. ¿Quién arregla la sala de su casa?
6. ¿Quién limpia la cocina? ¿y el baño?

4. DIALOG RECALL

prisa
campeón
dinero
restaurante

5. ANTONYM DRILL

Repeat each of the following sentences, replacing the underlined word with a word that has the opposite meaning.

Luisa es mayor que Pedro.	Luisa es menor que Pedro.
Los boletos son caros.	
Mi tía es simpática.	
El comedor es grande.	
¿Cómo está usted? Muy bien.	
Pedrito es bastante alto.	
La ventana es pequeña.	

GRAMMAR

estar, *Present Tense*

PRESENTATION

Aquí **estoy.**
¿Dónde **estás**?
Todo **está** en su lugar.
No **estamos** sordas.
¿Dónde **están** mis cosas?

Which form of the present tense of **estar** has an ending that differs from those of regular **a-**class verbs like **practicar?** How do the other forms (except **estamos**) differ from those of regular **a-**class verbs?

GENERALIZATION

estar, PRESENT TENSE		
	Singular	*Plural*
1	**est – oy**	**est a mos**
2	**est á s**	**est á n**
3	**est á –**	

This verb has two peculiarities: (1) the first person singular ending is **oy** rather than **o;** (2) the stress is on the **o** of **estoy** and on the theme vowel of all other forms, rather than on the next-to-last syllable as for regular verbs.

STRUCTURE DRILLS

6. PERSON-NUMBER SUBSTITUTION

Estamos en la sala.	Estamos en la sala.
(yo)	Estoy en la sala.
(tú)	Estás en la sala.

(ella)	Está en la sala.
(ustedes)	Están en la sala.
(ellos)	Están en la sala.
(usted)	Está en la sala.

7. PATTERNED RESPONSE

¿Dónde están mis cosas?	Están aquí.
¿Dónde están ustedes?	
¿Dónde están mis calcetines?	
¿Dónde está el dinero?	
¿Dónde estás tú?	
¿Dónde estoy yo?	
¿Dónde está mi mamá?	
¿Dónde está usted?	

8. FREE RESPONSE

¿Dónde está Pedrito?
Y sus cosas, ¿dónde están?
¿Dónde está usted, en casa?
¿Cómo está su mamá?
¿Dónde estamos ahora?

9. WRITING EXERCISE

Write the responses to Drill 7.

Information Questions

PRESENTATION

¿**Dónde** están mis cosas?
¿**Adónde** vas con tanta prisa?
¿**Cuándo** limpian la casa?
¿**Cómo** vas al partido?
¿**Cuánto** cuestan los boletos?
¿**Por qué** arreglan la sala?

Which is the word that asks the question in each of the above sentences?

¿**Cuánto dinero** necesitas?
¿**Cuánta comida** compramos?
¿**Cuántos pesos** tienes?
¿**Cuántas cosas** buscas?

Does **cuánto** agree in gender and number with the noun it modifies? What is the English equivalent of the singular form **cuánto?** of the plural form **cuántos?**

GENERALIZATION

1. Spanish **cómo, cuándo,** and **por qué** generally correspond to English *how, when,* and *why.*

2. Spanish **dónde** corresponds to English *where* when the location of something is being questioned.

   ¿Dónde están mis cosas?
   Where are my things?

   Spanish has another word for *where,* **adónde,** which is used to question direction of movement rather than location.

   ¿Adónde vas con tanta prisa?
   Where are you going in such a hurry?

   Adónde is really a phrase consisting of the preposition **a,** *to,* + **dónde,** *where,* which has come to be written as one word.

3. Spanish **cuánto** corresponds to English *how much.*

   ¿Cuánto cuestan los boletos?
   How much do the tickets cost?

   Cuánto may modify a noun; if it does, it agrees in number and gender with the noun it modifies.

   ¿Cuánta comida compramos?
   How much food shall we buy?
   ¿Cuántos boletos necesitan?
   How many tickets do they need?

   English makes a distinction between *how much* with singular nouns and *how many* with plural nouns. In Spanish the distinction is made merely by using the singular or the plural form of **cuánto.**

STRUCTURE DRILLS

10. ENGLISH CUE DRILLS

1. ¿Adónde vas?	¿Adónde vas?
When are you going?	¿Cuándo vas?
How are you going?	¿Cómo vas?
Why are you going?	¿Por qué vas?
Where are you going?	¿Adónde vas?

2. ¿Cómo hablas español?
Where do you speak Spanish?
When do you speak Spanish?
Why do you speak Spanish?
How do you speak Spanish?

11. ANSWER → QUESTION

Make a question for each of the following statements by replacing the underlined words with the appropriate interrogative word.

1. Pedro y Pablo están en el dormitorio.	¿Dónde están Pedro y Pablo?
Van al estadio.	
Hoy juega El Santos.	
El Santos juega muy bien.	
Van al partido con Roberto.	
Necesitan comprar boletos.	
Cuestan cuatro pesos.	
Compran tres boletos.	

2. Tía Luisa quiere ir a las tiendas.	¿Adónde quiere ir tía Luisa?
Las tiendas están en el centro.	
Ella necesita comprar un regalo.	
El regalo es para Pedrito.	
Tía Luisa tiene diez pesos.	
Necesita más dinero porque el regalo cuesta mucho.	
Tía Luisa tiene problemas.	
Mañana va al banco.	
Va a las tiendas después.	

12. WRITING EXERCISE

Write the responses to Drills 10.2 and 11.2.

Contraction of the Definite Article

PRESENTATION

Vamos **a la** biblioteca.
¿Vas **a las** carreras?
No quiero ir **a los** partidos.
Vamos **al** centro.

What happens when **a** and **el** come together in a sentence?

¿A qué hora llegan **de la** escuela?
¿Vas a la fiesta **de las** gemelas García?
Es el campeón **de los** Estados Unidos.
¡Qué linda es la casa **del** maestro!

What happens when **de** and **el** come together in a sentence?

GENERALIZATION

The masculine singular form of the definite article contracts with **a** and **de:**

a + **el** → **al**

de + **el** → **del**

The other forms do not contract.

STRUCTURE DRILLS

13. ITEM SUBSTITUTION

1. ¿Adónde vas? ¿Al estadio?

¿Adónde vas? ¿Al estadio?	¿Adónde vas? ¿Al estadio?
_______ banco?	¿Adónde vas? ¿Al banco?
_______ sala?	¿Adónde vas? ¿A la sala?
_______ comedor?	¿Adónde vas? ¿Al comedor?
_______ aeropuerto?	¿Adónde vas? ¿Al aeropuerto?
_______ cocina?	¿Adónde vas? ¿A la cocina?
_______ tiendas?	¿Adónde vas? ¿A las tiendas?

2. Llegan tarde a la escuela.
(baile–fiestas–biblioteca–centro–partidos)

3. ¿Tienes el disco de la señora? — ¿Tienes el disco de la señora?
   ________________ señor? — ¿Tienes el disco del señor?
   ________________ alumnos? — ¿Tienes el disco de los alumnos?
   ________________ chicas? — ¿Tienes el disco de las chicas?
   ________________ maestro? — ¿Tienes el disco del maestro?
   ________________ maestra? — ¿Tienes el disco de la maestra?

4. Tal vez no llega de la escuela todavía.
   (centro–tiendas–banco–fiesta–café–aeropuerto–carreras)

Possession with de

GENERALIZATION

In English, *'s* after a noun is often used to indicate possession. Spanish does not have an equivalent for the English *'s*. Instead, the following construction is used: definite article + noun + **de** + possessor.

¿Dónde está el abrigo de Juan?
Where is John's coat?

STRUCTURE DRILLS

14. TRANSFORMATION DRILL

Make new sentences using the possessive construction. Follow the pattern given.

María compra un pañuelo muy bonito. — El pañuelo de María es muy bonito.
Juan compra unos pantalones muy caros.
Lupe compra unos guantes nuevos.
Cristina compra unas medias lindas.
Manolo compra una corbata francesa.
Pedro compra unos boletos muy baratos.

15. ENGLISH CUE DRILL

No es la tía de María.
He's not María's brother.
They're not María's friends.
She's not María's daughter.

(*continued*)

(*continued*)

They're not María's problems.
It's not María's car.
They're not María's things.
She's not María's aunt.

16. WRITING EXERCISE

Write the responses to Drills 13.2, 13.4, and 14.

Personal a

PRESENTATION

Escuchan **el disco.**
Escuchan **al maestro.**

¿Buscas **los boletos**?
¿Buscas **a los chicos**?

No encuentro **mis cosas.**
No encuentro **a mis hijas.**

When the direct object is a noun which refers to a person, which word precedes the noun and its modifiers?

GENERALIZATION

When the direct object of a verb is a noun or an indefinite pronoun which refers to a person, it is normally preceded by **a.**

Llamo a la chica americana.
Busco a alguien.
¿A quién llamas?

This **a,** usually called the personal **a,** has no equivalent in English; it simply marks the direct object as referring to a person.

The personal **a** is often omitted with the verb **tener,** *have.*

Tiene dos hermanos.

STRUCTURE DRILLS

17. ITEM SUBSTITUTION

1. Buscamos al chico.	Buscamos al chico.
__________ campeones.	Buscamos a los campeones.
__________ banco.	Buscamos el banco.
__________ gemelas.	Buscamos a las gemelas.
__________ baño.	Buscamos el baño.
__________ Sr. González.	Buscamos al Sr. González.
__________ Susana.	Buscamos a Susana.
__________ puerta.	Buscamos la puerta.
__________ alguien.	Buscamos a alguien.

2. No encuentro los guantes.
   (señores–Pedro–restaurante–cosas–alumnas–chico–café–Roberto)

18. QUESTION FORMATION

Escuchan al maestro.	¿A quién escuchan?
Llamas a Cristina.	
Busca los guantes.	
Llaman después a Arturo y a Pedro.	
Arregla el dormitorio.	

19. WRITING EXERCISE

Write the responses to Drills 17.2 and 18.

Stem Alternation: o-ue
a-*Class Verbs*

PRESENTATION

No **encuentro** nada.
No **encontramos** nada.

Is the stem stressed or unstressed in each verb form? What is the vowel sound in the stem when stressed? How is the sound written? What is the vowel sound in the stem when unstressed? How is the sound written?

GENERALIZATION

1. In certain verb stems the vowel **o** alternates with **ue** (pronounced [we]); **ue** occurs when the stem is stressed; **o** occurs when the stem is unstressed.

Stressed Stem	*Unstressed Stem*
encuentro	**encontrar**
encuentras	**encontramos**
encuentra	
encuentran	

2. Notice that the **o-ue** stem alternation is like the **e-ie** stem alternation in that it occurs only in stressed syllables.

3. In the verb **jugar, u** rather than **o** alternates with **ue. Jugar** is the only Spanish verb which has a **u-ue** alternation.

4. The **a**-class verbs you have learned so far which have this stem alternation are **costar, encontrar, jugar,** and **recordar.**

STRUCTURE DRILLS

20. PERSON-NUMBER SUBSTITUTION

1. No recuerdo qué día es hoy. — No recuerdo qué día es hoy.
   (el maestro) — No recuerda qué día es hoy.
   (los alumnos) — No recuerdan qué día es hoy.
   (nosotros) — No recordamos qué día es hoy.
   (tú) — No recuerdas qué día es hoy.
   (ustedes) — No recuerdan qué día es hoy.
   (mis amigos y yo) — No recordamos qué día es hoy.
   (yo) — No recuerdo qué día es hoy.

2. Juegan fútbol el sábado.
   (yo–Juan–nosotros–tú–ustedes–mi hermano y yo–usted)

21. PAIRED SENTENCES

No encuentra los boletos.	No encuentra los boletos.
(nosotros)	No encontramos los boletos.
(él)	No encuentra los boletos.

¿Por qué no juegan ahora?
(nosotros)
(ellos)

¡Qué bien recuerdo ese partido!
(nosotros)
(yo)

22. PROGRESSIVE SUBSTITUTION

Yo no encuentro el café.
Mi amiga y yo ______.
______ buscamos ______.
________________ cosas.
Pedrito ______________.
______ recuerda ______.
________________ baile.
Nosotros ______________.
______ vamos ______________.
________________ cocina.

A professional soccer match in Madrid. Soccer is played throughout the Spanish-speaking world.

23. FREE SUBSTITUTION

Yo no recuerdo al Sr. García.

24. FREE RESPONSE

¿Le gusta jugar fútbol a usted?
¿Cuándo juegan ustedes fútbol?
¿Recuerda usted adónde quiere ir Pedrito?
¿Recuerda cuánto cuestan los boletos para el partido?
A propósito, ¿cuánto cuesta ir al cine aquí?
¿Cuánto cuesta ir a un partido de fútbol?
¿Juega usted fútbol? ¿Con quiénes?
¿Juegan fútbol las chicas?

25. WRITING EXERCISE

Write the responses to Drills 20.2, 21, and 22.

RECOMBINATION MATERIAL

Dialogs

I

PEDRITO Tía Luisa, ¿dónde está mamá? ¿Ah, tía Luisa? ¡tía Luisa! ¡tía Luisa!
TÍA LUISA ¿Por qué gritas, Pedrito? No estoy sorda. ¿Qué quieres?
PEDRITO Busco mis pantalones.
TÍA LUISA ¿Tus calcetines?
PEDRITO ¡Mis PAN-TA-LO-NES!

QUESTIONS

1. ¿A quién llama Pedrito?
2. ¿Con quién quiere hablar?
3. ¿Quién grita?
4. ¿Qué cosa busca él?
5. ¿Sabe tía Luisa si Pedrito busca sus pantalones?

II

EL CHICO	Buenos días. ¡Qué bonita esta corbata! ¿Cuánto cuesta?
EL SEÑOR	Muy barata, mi amigo, muy barata: diez pesos.
EL CHICO	¡Diez pesos! Adiós.
EL SEÑOR	¿Le gusta la corbata? Ocho pesos.
EL CHICO	No, gracias. Muy cara todavía.
EL SEÑOR	¡Siete!
EL CHICO	Muy cara. Cinco, tal vez.
EL SEÑOR	¡No no no no no no y no! No puedo. ¡Seis pesos! Un regalo.
EL CHICO	Cinco.
EL SEÑOR	¡Ay caramba! Está bien: cinco.

REJOINDERS

1. ¡Qué bonitos los guantes!
2. Siete pesos, mi amigo, un regalo.

CONVERSATION STIMULUS

You want to buy a pair of shoes. Bargain with the salesman.

III

EL HIJO	¿Qué buscas?
LA MADRE	El abrigo. Ah, aquí está. ¿Vas conmigo?
EL HIJO	¿Adónde? ¿al cine? ¡Claro!
LA MADRE	No, al centro, a las tiendas. Apúrate, vamos.
EL HIJO	¿Qué vas a comprar?
LA MADRE	Unos guantes y una falda para tu hermana.
EL HIJO	A propósito, mami, este . . . este . . .
LA MADRE	Ajá, ya sé, discos. Pero no. Cuestan muy caros.

QUESTIONS

1. ¿Qué busca la madre?
2. ¿Adónde va ella?
3. ¿Quiere el hijo ir con su mamá?
4. ¿Qué quiere comprar ella?
5. ¿Qué quiere comprar el hijo?
6. ¿Por qué no quiere comprar discos la madre?

Rejoinders

1. Mamá . . . ¿dónde están mis cosas?
2. Hoy juega El Santos, campeón del mundo.
3. ¡Ay caramba! ¡¡Pedro!! ¡¡Luisa!!

Conversation Stimulus

You're looking for your things, but your mother has just cleaned your room and you can't find anything.

Start like this:

¡Mamá! ¡No encuentro nada!
¿Qué buscas? ¿Tu ________ ?
No, mi ________________
Todo ________________

You want to go to the movies with a friend, but you haven't got enough money for a ticket, so you have to ask your father for some.

Start like this:

Papá, este . . . este . . . Necesito tres pesos.
¡Cómo! ________________
Quiero ir ________________
¿Cuánto cuestan ________?
Creo que ________. Ya tengo ______.

LETTER ↔ SOUND CORRESPONDENCES

Lesson 1

READING: THE WRITTEN ACCENT

It is important to learn which syllable of a word is stressed. There are many pairs of words with different meanings which are pronounced alike except for the stress.

papa (*potato*)	papá (*Dad*)
llamo (*I call*)	llamó (*he called*)
tomas (*you take*)	Tomás (*Thomas*)
abra (*open*)	habrá (*there will be*)
estas (*these*)	estás (*you are*)

In words with a written accent, the syllable with the written accent is the one which is stressed.

FAMILIAR WORDS

mamá	Pérez	sábado
café	fútbol	película
inglés	miércoles	exámenes
después		

UNFAMILIAR WORDS

allá	álbum	público
allí	túnel	sótano
cortés	lápiz	lástima

SENTENCES

1. A propósito, ¿Tomás está aquí?
2. No, está en el café.
3. Ah, con razón. Hoy es sábado.

WRITING

Copy the above sentences and be prepared to write them from dictation.

Lesson 2

READING: WORDS WITH NO WRITTEN ACCENT

In words with no written accent that end with a vowel, an **n,** or an **s,** the stress falls on the next-to-the-last syllable. This is the most common stress pattern in Spanish.

FAMILIAR WORDS

todo	partido	inteligente
baño	barato	americano
sorda	boleto	españoles
tanta	arreglan	alemanes
llaman	problemas	señoritas
hablan	estamos	

UNFAMILIAR WORDS

mesa	viven	sentado	delante
cena	grises	cansado	conocen
saben	cartas	contenta	delgados

In words with no written accent that end in a consonant other than **n** or **s**, the stress falls on the last syllable.

FAMILIAR WORDS

pasar	comedor
menor	español
lugar	caminar
usted	practicar
verdad	necesitar
Miguel	

UNFAMILIAR WORDS

pared	libertad
Brasil	parasol
azul	Uruguay
poner	universal
calor	

SENTENCES

1. ¿Estudias ruso, francés, alemán, o español?
2. ¿Yo? Inglés.
3. José y yo vamos al café.
4. Después vamos al partido de fútbol.

WRITING

Copy the above sentences and be prepared to write them from dictation.

Spelling Notes:

1. Words ending in a vowel, in **n** or in **s**, in which the stress falls on the next-to-the-last syllable, require no written accent.
2. Words ending in a consonant other than **n** or **s**, in which the stress falls on the last syllable, require no written accent.
3. All other words require a written accent on the stressed syllable.

Lesson 3

SPELLING NOTES: WRITTEN ACCENT IN PLURAL NOUNS AND ADJECTIVES

1. A noun or an adjective which ends in **n** or **s**, and has a written accent on the last syllable in the singular, will not require a written accent in the plural.

calcetín	calcetines
canción	canciones
campeón	campeones

alemán	alemanes
inglés	ingleses
francés	franceses

2. A noun or an adjective of two or more syllables which ends in **n** or **s,** and has no written accent in the singular, will require a written accent in the plural.

examen	exámenes

SPELLING NOTES: OTHER USES OF THE WRITTEN ACCENT

1. In certain special cases the written accent does not indicate the position of stress within a word, but rather serves to distinguish two words of different meaning or function which are spelled the same except for the accent mark.

   These special written accents do correspond to stresses in spoken phrases: the word with the written accent is stressed, the word without the written accent is not.

Tú no buscas. (**Tú** stressed in sentence.)	Tu amigo no busca. (**Tu** unstressed in sentence.)
tú (*you*)	tu (*your*)
sí (*yes*)	si (*if*)
sé (*I know*)	se (*to him*)
dé (*give*)	de (*of, from*)
mí (*me*)	mi (*my*)
más (*more*)	mas (*but*)

2. Interrogative and exclamatory words are always written with an accent and stressed: **cómo, cuándo, cuánto, dónde, quién, qué, cuál.** Note that these same words are not written with an accent and not stressed when they are not used in an interrogative or exclamatory sense.

¡**Cómo** juega ese chico!	Juega **como** (*like*) un campeón.
¿**Cuándo** limpian la sala?	**Cuando** limpian la sala, no encuentro nada.

SENTENCES

1. ¿Cuánto cuestan los boletos? No sé.
2. ¡Cómo gritas, hijo! ¿Qué quieres?
3. ¿Tú estás en tu cuarto?

WRITING

Copy the above sentences and be prepared to write them from dictation.

UNIT 6

BASIC DIALOG

Álbum de familia

HERNÁN ¿Puedo ver este álbum?
CARLOS Sí, claro, son fotos de mi familia.
HERNÁN ¡Qué bonita es esta chica! ¿Quién es?
CARLOS Una prima. Está bonita en la foto, pero ella no es muy linda, francamente.

HERNÁN ¡Qué graciosa esta otra foto! ¿Dónde es la fiesta?
CARLOS En mi casa. A ver si adivinas cuál soy yo.
HERNÁN No tengo la menor idea. ¿Dónde estás?
CARLOS Ése que está sentado en el suelo. Ése soy yo.

Family Album

HERNÁN Can I see this album?
CARLOS Yes, of course, they're pictures (photos) of my family.
HERNÁN What a pretty girl this is! Who is she?
CARLOS A cousin. She's cute in the picture, but she isn't very pretty, really (frankly).

HERNÁN What a funny picture this other one is! Where's the party?
CARLOS At my house. Let's see if you guess which one is me.
HERNÁN I don't have the slightest (least) idea. Where are you?
CARLOS The one (that) who's sitting (seated) on the floor. That's me.

◄ ***A large family poses for a portrait during a reunion.***

Supplement

¿Puedo ver este periódico?	Can I see this newspaper?
libro	book
Son fotos de mi padre.	They're pictures of my father.
abuelo	grandfather
novio	boy friend
¡Qué guapo[1] es ese chico!	What a handsome boy that is!
feo	homely (ugly)
delgado	thin
gordo	fat

¿Dónde es la cena?	Where is the dinner?
el almuerzo	the lunch
la reunión	the meeting
La comida está en la mesa.	The food is on the table.
Ése que está sentado en la silla.	The one who's sitting on the chair.
Ése que está cansado.	That one who's tired.
enfermo	sick
contento	happy
trece, catorce, quince, dieciséis, diecisiete, dieciocho, diecinueve, veinte	13, 14, 15, 16, 17, 18, 19, 20

BASIC FORMS

Verbs

adivinar

Nouns

álbum *m.*	foto *f.*
padre *m.*	reunión *f.*

[1] **Guapo** means *handsome* when used for a boy, *pretty* when used for a girl. **Bonito** and **lindo** are not used to refer to a boy.

Vocabulary Exercises

1. QUESTIONS

1. ¿Con quién habla Hernán?
2. ¿De qué hablan ellos?
3. ¿Qué quiere ver Hernán?
4. ¿Quién es la chica que está en la foto?
5. ¿Es la hermana de Carlos?
6. ¿Es su novia?

2. DIALOG RECALL

álbum
familia
bonita
francamente
libro
padre
guapa

---

3. QUESTIONS

1. ¿Es graciosa la otra foto?
2. ¿De qué es?
3. ¿Dónde es la fiesta?
4. ¿Adivina Hernán cuál es Carlos?
5. ¿Tiene usted un álbum?
6. ¿Es un álbum de familia?
7. ¿Cuántas fotos tiene usted? ¿De quiénes son?
8. ¿Tiene usted fotos de su novio? ¿de sus amigos? ¿de su familia?
9. Y un álbum de la escuela, ¿no tiene?
10. ¿Cuántos hermanos tiene usted?
11. ¿Tiene muchos primos?
12. ¿Cuántos primos tiene usted? ¿Cuántos abuelos tiene? ¿Cuántos tíos?
13. A ver si usted adivina cuántos hermanos tengo yo.

4. DIALOG RECALL

graciosa
adivinas
idea
sentado
reunión
silla

5. NUMBER DRILL

1. Say the following numbers in Spanish:
   5, 15, 2, 12, 7, 17, 10, 20, 16, 19, 14

2. Say the number which is one digit higher:

3 cuatro	18	19	17
14	15	12	10

6. ENGLISH CUE DRILL

¡Qué bonita es la casa!	¡Qué bonita es la casa!
It sure is a funny movie!	¡Qué graciosa es la película!
What a nice album it is!	¡Qué lindo es el álbum!
Is he a handsome boy!	¡Qué guapo es el chico!
It sure is a big family!	¡Qué grande es la familia!
What a homely girl she is!	¡Qué fea es la chica!
It's a really pretty house!	¡Qué bonita es la casa!

7. REJOINDERS

A ver si adivinas cuál soy yo.

GRAMMAR

ser *and* estar *with Predicate Nouns and Adverbs*

GENERALIZATION

As a speaker of English, you are used to a single verb *be.* In Spanish you will have to learn to choose correctly between two verbs, **ser** and **estar,** both of which correspond to *be.*

In certain situations **estar** is always used; in others **ser** is always used.

1. Only **estar** is used to refer to the location of something or someone.

Todo está en su lugar.
Mis cosas están en la cocina.
¿Dónde estás?
Aquí estoy.

2. Only **ser** is used to link two noun phrases. (A noun phrase is a noun or a pronoun and any modifiers it may have.)

Yo soy Cristina.
El señor alto es don Pedro.
El lunes es el Día de la Madre.

3. Only **ser** is used to link a noun phrase and adverbial expressions that indicate source or destination.

María es de los Estados Unidos. (source)
Los regalos son para mi mamá. (destination)

4. Only **ser** is used to refer to the time and place of events.

La reunión es a las ocho.
¿Dónde es la fiesta?
El examen es aquí.

In these sentences **ser** means *take place, occur, be held.*

5. Some Spanish nouns can refer to either objects or events. With these nouns you must take special care to distinguish between location of an object and occurrence of an event. For example, **comida** may mean *food* (the actual objects eaten) or *meal* (the event of eating that food); **película** may mean *film* (the object that goes into a camera or projector) or *movie* (the event of showing a film). Nouns like **comida** and **película** may occur with either **ser** or **estar,** but the choice is not free: if the noun refers to an object, **estar** must be used (to express location); if the noun refers to an event, **ser** must be used (with the meaning *occur, take place*).

object	*event*
La comida está en la mesa.	**La comida es en mi casa.**
La película está en el suelo.	**La película es en el Cine Apolo.**

6. Summary:

estar	**ser**
Noun Phrase + **estar** + Location (other than an event)	Noun Phrase + **ser** + Noun Phrase Noun Phrase + **ser** + {Source / Destination} Noun Phrase (event) + **ser** + {Time / Place}

STRUCTURE DRILLS

8. PERSON-NUMBER SUBSTITUTION

Está aquí, pero es de Colombia.	Está aquí, pero es de Colombia.
(yo)	Estoy aquí, pero soy de Colombia.
(ella y yo)	Estamos aquí, pero somos de Colombia.
(tú)	Estás aquí, pero eres de Colombia.
(ellos)	Están aquí, pero son de Colombia.
(él)	Está aquí, pero es de Colombia.
(ustedes)	Están aquí, pero son de Colombia.

9. PATTERNED RESPONSE

¿Don Pedro?, ¿el maestro?	Sí, don Pedro es el maestro.
¿El periódico?, ¿en el suelo?	Sí, el periódico está en el suelo.
¿Doña Marta?, ¿la abuela de Ana?	Sí, doña Marta es la abuela de Ana.
¿Ese libro?, ¿para la Sra. García?	Sí, ese libro es para la Sra. García.
¿Nosotros?, ¿en el aeropuerto?	Sí, nosotros estamos en el aeropuerto.
¿Pepe y Pedro?, ¿los campeones?	Sí, Pepe y Pedro son los campeones.
¿Ellas?, ¿aquí?	Sí, ellas están aquí.
¿Ellas?, ¿de aquí?	Sí, ellas son de aquí.
¿Esta silla?, ¿para el comedor?	Sí, esta silla es para el comedor.
¿Los gemelos?, ¿de California?	Sí, los gemelos son de California.

10. DIRECTED DIALOG

Pregúntele a *Pepe* si él está en la foto.	¿Estás en la foto?
Pepe, diga que sí, y a ver si adivina cuál es usted.	Sí, a ver si adivinas cuál soy yo.
Diga que claro: ése que está sentado en el sofá.	Claro: ése que está sentado en el sofá.
Pepe, diga que no, que ése es *Camilo.*	No, ése es *Camilo.*

11. PAIRED SENTENCES

¿Dónde es la cena?	¿Dónde es la cena?
Where's the dinner (food)?	¿Dónde está la cena?
Where's the dinner (being held)?	¿Dónde es la cena?

¿Es aquí el almuerzo?
Is the lunch (food) here?
Is the luncheon (being held) here?

La película es en la sala.
The movie (reels of film) is in the living room.
The movie is (being shown) in the living room.

¿Dónde son los exámenes?
Where are the exam papers?
Where are the exams (being given)?

La comida es aquí.
The food is here.
The dinner is (taking place) here.

12. DOUBLE ITEM SUBSTITUTION

La fiesta es mañana.
El baile ______.
______ aquí.
Mi padre ______.
______ de California.
Mis abuelos ______.
______ en mi casa.
La reunión ______.
______ en la sala.
El libro ______.
______ para Juan.

La fiesta es mañana.
El baile es mañana.
El baile es aquí.
Mi padre está aquí.
Mi padre es de California.
Mis abuelos son de California.
Mis abuelos están en mi casa.
La reunión es en mi casa.
La reunión es en la sala.
El libro está en la sala.
El libro es para Juan.

13. FREE RESPONSE

Buenos días, ¿cómo está usted?
Usted es el *Sr. García,* ¿no?
¿Cómo está su familia?
¿De dónde son ustedes?
¿Tiene usted un hermano?
¿Dónde está él ahora?
¿Dónde está su mamá?
¿De dónde es su mamá, de Nueva York?
Y su padre, ¿de dónde es él?
A ver si adivina de dónde soy yo.
¿Cuándo es el partido de fútbol? ¿Dónde es?
¿A qué hora es el partido?
A propósito, ¿cuánto cuestan los boletos?

14. DOUBLE ITEM SUBSTITUTION

El partido es esta tarde.
__________ en el estadio.
Los chicos __________.
__________ de los Estados Unidos.
Nosotros __________.
__________ en la sala.
La reunión __________.
__________ a las ocho.
La cena __________.
__________ en la mesa.
Las cosas __________.
__________ aquí.
El baile __________.

El partido es esta tarde.
El partido es en el estadio.
Los chicos están en el estadio.
Los chicos son de los Estados Unidos.
Nosotros somos de los Estados Unidos.
Nosotros estamos en la sala.
La reunión es en la sala.
La reunión es a las ocho.
La cena es a las ocho.
La cena está en la mesa.
Las cosas están en la mesa.
Las cosas están aquí.
El baile es aquí.

15. FREE SUBSTITUTION

El maestro está aquí.

16. WRITING EXERCISE

Write the responses to Drill 11.

ser *and* **estar** *with Predicate Adjectives*

GENERALIZATION

1. On pages 92 and 93 you learned about situations in which only **ser** or **estar** can be used; the choice depends upon specific words or phrases in the rest of the sentence.

   There is also a construction in which either verb may occur: noun phrase + **ser** or **estar** + adjective. Both of the following sentences are correct:

   María es linda.
   María está linda.

   They are, however, quite different in meaning. The choice of **ser** or **estar** with adjectives is determined by the relationship of the adjective to the rest of the sentence.

a. **Ser** expresses a norm. The sentence **María es linda** says that the adjective **linda,** *pretty,* normally applies to María—that being pretty is her normal condition.
b. **Estar** expresses an attribute of the subject at a particular time. The sentence **María está linda** says that the adjective **linda** happens to describe María at a particular time —whether or not she is normally pretty.

2. The difference in the relationships expressed by **estar** and **ser** is illustrated clearly in the dialog line **Está** (she happens to look) **bonita en la foto, pero ella no es** (normally) **muy linda, francamente.** Let us imagine a different situation: the girl not only looks pretty in the photograph, but also is, in fact, a very pretty girl. Then the speaker might have said: **Está bonita en la foto porque ella es muy linda.**

3. English, lacking the distinction between **ser** and **estar** with adjectives, frequently makes a roughly equivalent distinction by using expressions like these:

She looks pretty. **(Está linda.)**
He's gotten sick. **(Está enfermo.)**
We haven't gone deaf. **(No estamos sordas.)**
He sure has grown! **(¡Qué grande está!)**

STRUCTURE DRILLS

17. PATTERNED RESPONSE

¡Qué bonita es esa chica! — Está bonita en la foto, pero ella no es muy bonita, francamente.

¡Qué gordo es ese señor! — Está gordo en la foto, pero él no es muy gordo, francamente.

¡Qué lindas son las primas de Juan! — Están lindas en la foto, pero ellas no son muy lindas, francamente.

¡Qué delgada es doña Delia! — Está delgada en la foto, pero ella no es muy delgada, francamente.

18. PAIRED SENTENCES

Esta mesa es bastante nueva. — Esta mesa es bastante nueva.
This table looks quite new. — Esta mesa está bastante nueva.
This table is quite new. — Esta mesa es bastante nueva.

¡Qué gordo es Alfonso!
Alfonso has certainly gotten fat!
Alfonso surely is fat!

(*continued*)

(*continued*)

¿Soy muy delgado?
Do I look very thin?
Am I very thin?

¡Qué feos son mis zapatos!
My shoes look so ugly!
My shoes are so ugly!

¿Por qué gritas? No soy sordo.
Why are you shouting? I haven't gone deaf.
Why are you shouting? I'm not deaf.

19. PATTERNED RESPONSE

¿Cómo es Pedrito?	Es alto y guapo.
¿Cómo está Pedrito?	Está enfermo hoy.
¿Cómo son los gemelos?	
¿Cómo están los gemelos?	
¿Cómo es usted?	
¿Cómo está usted?	
¿Cómo es su novia?	
¿Cómo está su novia?	

20. FREE RESPONSE

¿De qué son las fotos de Carlos?
¿Quién es la chica que está en la foto?
¿Es ella muy linda?
¿Cómo está en la foto?
¿Cómo es la otra foto?
¿De qué es la foto?
¿Es la fiesta en casa de Carlos o de Hernán?
¿Dónde está Carlos en la foto?
¿Qué día es hoy?
¿Está bonito el día?
¿Cómo es esta escuela?
¿Cómo es su mamá?
¿Cómo es su casa?
¿Cómo están ustedes?
¿Y cómo son ustedes? ¿Son buenos?

21. QUESTION-ANSWER FORMATION

Ask questions about don Pedro which will elicit answers containing the following information about him. Use the correct form of **ser** or **estar** in each of your questions.

Information	*Question*	*Answer*
un señor	¿Quién es don Pedro?	Don Pedro es un señor.
aquí		
un maestro		
sí, en esta foto		
ése que está sentado en el sofá		
no, no muy gordo		
en la escuela ahora		
sí, mayor que el Sr. García		
sí, muy contento con el álbum		
sí, bastante simpático		
muy bien		
no, no muy cansado		

22. WRITING EXERCISE

Write the responses to Drills 18 and 19.

The Suffix -ito

GENERALIZATION

Spanish has a number of suffixes, called diminutive suffixes, which can be added to noun stems and sometimes to adjective stems to indicate smallness, cuteness, or a feeling of affection on the part of the speaker. (The stem is the noun or adjective minus the last vowel, if there is one.) The most common diminutive suffix is **-ito** (**-ita** feminine), which can be added to the stem of many, although not all, nouns. The gender of a noun is never changed by the addition of **-ito, -ita.**

perro	**perrito** (*little dog, puppy*)
casa	**casita** (*little house*)
mesas	**mesitas** (*little tables*)
Juan	**Juanito** (*Johnny*)

The Suffix -ísimo

The suffix **-ísimo** has the meaning *extremely* and can be affixed to the stem of most adjectives. The **-ísimo** form of the adjective is usually called the superlative form.

alto	**altísimo**
grande	**grandísimo**
fácil	**facilísimo**

The **-ísimo** form of the adjective must, of course, be masculine or feminine, singular or plural, to agree with the noun it modifies.

María está lindísima esta noche.
Los exámenes son dificilísimos.

STRUCTURE DRILLS

23. NOUN → DIMINUTIVE FORM

¿Cómo estás, Lupe?	¿Cómo estás, Lupita?
Son unos regalos.	
¡Qué bonito es ese perro!	
Busco unas mesas.	
¿Quién es ese chico?	
Vamos con mi abuela.	
¿Cuándo llegan tus hermanos?	

24. ADJECTIVE → SUPERLATIVE FORM

El álbum es lindo.	El álbum es lindísimo.
Todos los chicos son altos.	
Las gemelas son inteligentes.	
Juana está gorda ahora.	
Estamos cansados.	
El examen es fácil.	
Esta escuela es grandc.	

25. CUED DIALOG

1. (ese chico)

1ST STUDENT	¿Es guapo ese chico?
2ND STUDENT	Sí, es guapísimo.

(tu novia)
(las primas)
(los gemelos)
(ese chico)

2. (la biblioteca)

1st STUDENT ¿La biblioteca es muy grande?
2nd STUDENT Sí, es grandísima.

(el estadio)
(las casas)
(los parques)
(la biblioteca)

26. WRITING EXERCISES

Write the responses to Drills 23 and 24.

ir *and* **dar**, *Present Tense*

PRESENTATION

¿Adónde quiere ir?
¿Adónde voy?
¿Adónde vas?
¿Adónde va?
¿Adónde vamos?
¿Adónde van?

What is the theme vowel of the infinitive **ir?** What is the theme vowel in the present tense forms? Which present tense form has an irregular ending?

GENERALIZATION

ir, PRESENT TENSE		
	Singular	*Plural*
1	**voy**	**vamos**
2	**vas**	**van**
3	**va**	

1. The present tense forms of **ir** consist of the stem **v** and the theme vowel **a** + an ending. The ending of the first person singular is **oy** (like that of **estar: estoy;** and **ser: soy**). The other endings are those of regular **a**-class verbs.

   The first person plural form of **ir—vamos—**may mean *let's go* as well as *we go, we're going.*

dar, PRESENT TENSE		
	Singular	*Plural*
1	**doy**	**damos**
2	**das**	**dan**
3	**da**	

2. **Dar** is regular in the present tense except for the first person singular **doy,** which ends in **oy** like **soy, estoy,** and **voy.**

STRUCTURE DRILLS

27. PERSON-NUMBER SUBSTITUTION

1. ¿Adónde vas? — ¿Adónde vas?
   (ustedes) — ¿Adónde van?
   (yo) — ¿Adónde voy?
   (los chicos) — ¿Adónde van?
   (nosotros) — ¿Adónde vamos?
   (él) — ¿Adónde va?
   (tú) — ¿Adónde vas?

2. Vamos a la reunión ahora.
   (yo–tú y Juan–Pedro–ellos–Susana y yo–tú)

28. PATTERNED RESPONSE

Doy una fiesta el sábado. — ¿Ah, sí? ¿usted da una fiesta?
Damos una fiesta el sábado.
Las gemelas García dan una fiesta el sábado.
Tú das una fiesta el sábado.
Ana y yo damos una fiesta el sábado.
Doy una fiesta el sábado.

29. FREE RESPONSE

¿Adónde va usted este sábado?
¿Va al cine?
¿Qué dan?
¿Van ustedes a un baile el sábado?
¿Va su mamá al mercado hoy?
¿Qué día va ella al mercado?
¿Va su padre con ella?
¿A usted le gusta dar fiestas?
¿Da muchas?
¿Le gusta más dar o ir a fiestas?

30. WRITING EXERCISE

Write the responses to Drills 27.2 and 28.

Writing

1. SENTENCE CONSTRUCTION

Write a sentence using the following items in the order given. Use the appropriate form of **ser** or **estar** in each sentence.

MODEL prima / linda / foto

Possible sentences
Tu prima está muy linda en la foto.
La prima de Juan no está muy linda en esta foto.

1. libro / para / maestra
2. chicos / en / comedor
3. hermanito / guapo / foto
4. dónde / álbum / familia
5. novio / sentado / sofá
6. yo / cansadísimo / ahora
7. Juan y yo / en / cocina
8. chico / hijo / doña Delia
9. cuándo / fiesta / escuela
10. tú / no / foto

2. PARAGRAPH COMPLETION

Copy the following paragraph, filling in the blanks with the correct form of **ser** or **estar.**

Aquí tengo una foto de mi familia. El señor que __1__ sentado en el sofá __2__ mi abuelo. Las dos chicas que __3__ sentadas con él __4__ mis primas, Marta y Carmen. Marta no __5__ muy bonita en la foto, pero francamente, ella __6__ mucho más linda que su hermana. Mi hermano y yo __7__ en la foto también. A ver si usted adivina dónde __8__ yo. Sí, yo __9__ ése que __10__ sentado en la silla. Y mi hermano __11__ ése que __12__ con todas las chicas.

RECOMBINATION MATERIAL

Dialogs

I

MIGUELITA	A ver si adivina quién soy yo, don Francisco.
DON FRANCISCO	Mmm . . . no, no sé, no recuerdo. ¿Quién eres?
MIGUELITA	La hermana menor de Manolo.
DON FRANCISCO	Ah, sí, claro, ahora recuerdo. ¡Qué alta estás!

QUESTIONS

1. ¿Recuerda don Francisco quién es Miguelita?
2. ¿Quién es Miguelita?
3. ¿Es ella mayor o menor que Manolo?
4. ¿Cómo está Miguelita ahora?

II

CAROLINA	¡Qué bonita está la fiesta!
CRISTINA	¿Te gusta?
CAROLINA	Sí, mucho. ¿Cuál es tu primo?
CRISTINA	Ése que está sentado en el sofá.

QUESTIONS

1. ¿Dónde están las dos chicas?
2. ¿Está Carolina contenta con la fiesta?
3. ¿Cuál chico es el primo de Carolina?
4. ¿Dónde está sentado?

III

MANUEL	Hola, Blanca. ¿Cómo estás?
BLANCA	Muy bien.
MANUEL	¿Quieres caminar por el parque conmigo?
BLANCA	No puedo. Me aprietan mucho los zapatos.

REJOINDERS

¿Quieres caminar por el parque conmigo?

IV

PATRICIO Ése que está sentado en el sofá, ¿es tu padre?
MAURICIO No, es mi abuelo.
PATRICIO Y la señora que está sentada con él, ¿es tu abuela?
MAURICIO No, es mi madre.

QUESTIONS

1. ¿Quiénes hablan?
2. ¿Quién está sentado en el sofá, el padre de Mauricio?
3. ¿Y quién es la señora que está sentada con él?

V

RODRIGO A ver si adivinas quién es el chico que está en la foto conmigo.
GONZALO Mmm . . . tu hermano gemelo.
RODRIGO No, es Carlos, mi primo.
GONZALO ¿Es verdad? Pero . . . son idénticos.

QUESTIONS

1. ¿Qué tiene Rodrigo?
2. ¿Adivina Gonzalo quién está en la foto con Rodrigo?
3. ¿Quién piensa Gonzalo que está en la foto?
4. ¿Quién es Carlos?
5. ¿Cómo son Carlos y Rodrigo?

Narrative

Yo

Yo soy Francisco Castro, alumno de la Escuela Americana. Es una escuela muy bonita y moderna*. Me gusta mucho. Mis compañeros son todos muy buenos y simpáticos. Aquí tengo dos fotos: una es de la escuela; bonita ¿no? La otra es de todos los chicos y chicas que están en mi clase*, y del maestro, don Pedro. Ése que está sentado con la chica rubia soy yo.

*Cognates are indicated by an asterisk (*).

QUESTIONS

1. ¿Quién es el chico que habla en la narración*?
2. ¿Es él un alumno o el maestro?
3. ¿Dónde estudia?
4. ¿Cómo es la Escuela Americana?
5. ¿Cómo son los compañeros de Francisco?
6. ¿Cuántas fotos tiene Francisco?
7. ¿De qué es una de las fotos?
8. ¿De qué es la otra foto?
9. ¿Está el maestro en la foto también?
10. ¿Con quién está sentado Francisco en la foto?

Rejoinders

1. ¡Qué guapo es ese chico!
2. A ver si adivinas cuál soy yo.
3. ¿Dónde es la fiesta?

Conversation Stimulus

You are looking at a family album with a friend.

Start like this: ¡Qué graciosa es esa foto! ¿Dónde ________?
En la casa de ________________
¿Quién es ________________
¿Ella? ________________
¿Y quiénes son ________________

LETTER ↔ SOUND CORRESPONDENCES

SPELLING NOTES: SPELLING CHANGES WITH SUFFIXES

c → qu

1. If the stem of a word ends in **c**, the **c** changes to **qu** before the suffixes **-ito** and **-ísimo** in order to retain the sound [k].

chico	chiquito
chica	chiquita
Marco	Marquito
simpático	simpatiquísimo

g → gu

2. If the stem of a word ends in **g,** the **g** changes to **gu** before the suffixes **-ito** and **-ísimo** in order to retain the sound [g] or [ǥ].

amigo	amiguito
abrigo	abriguito

z → c

3. If the stem of a word ends in **z,** the **z** changes to **c** before the suffixes **-ito** and **-ísimo.** This change is just a convention; it is not needed to retain the sound [s].

Beatriz	Beatricita

WRITING

Spelling Note: [f] = **f**

The sound [f] is always represented by the letter **f.** The letter combination *ph* does not occur in Spanish.

SENTENCES

1. ¿Puedo ver la foto de la fiesta?
2. Claro, Felipe.
3. ¿Quién es esta chiquita?
4. Mi prima Beatricita. Es simpatiquísima.

WRITING

Copy the above sentences and be prepared to write them from dictation.

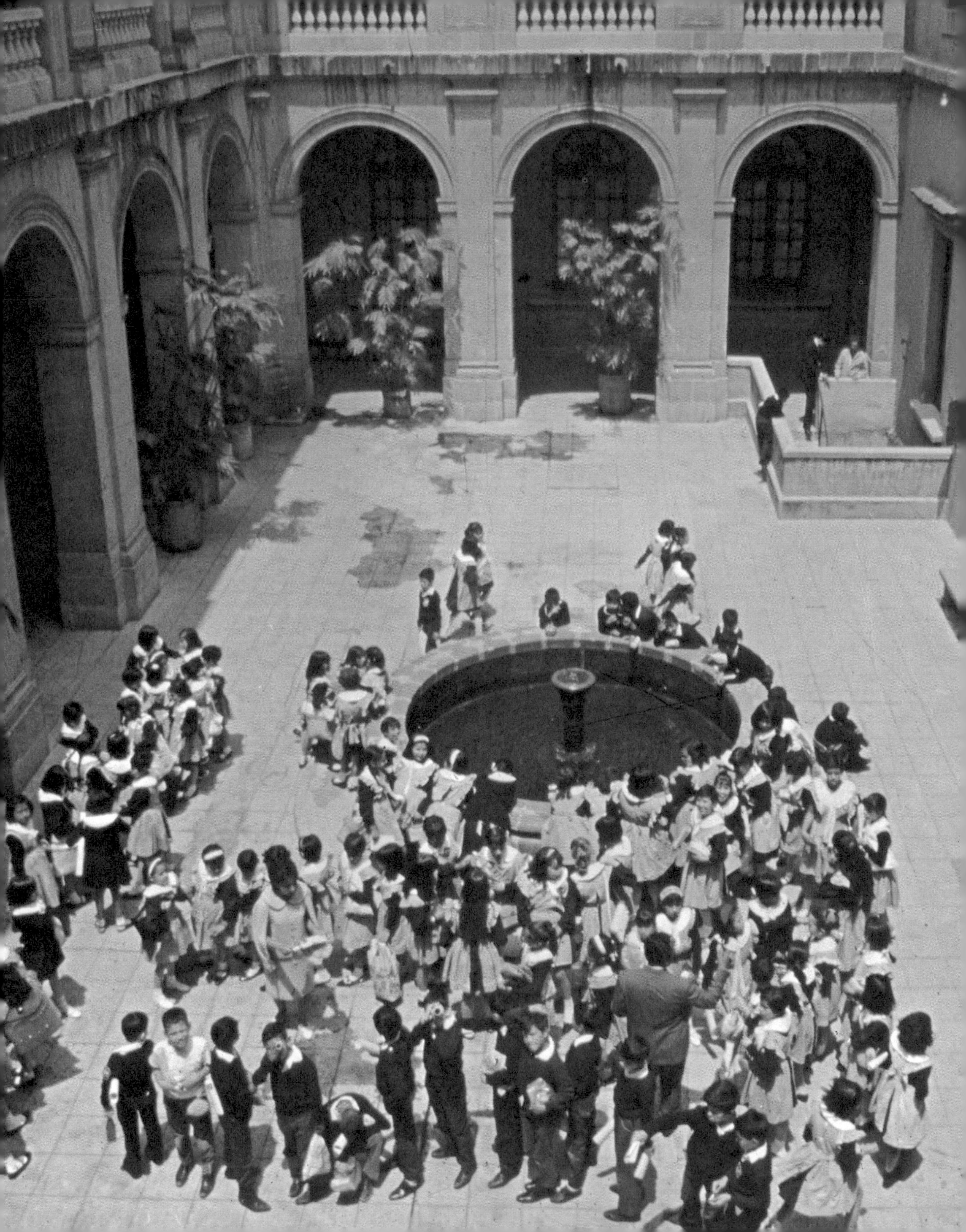

UNIT 7

BASIC DIALOG

Con Conchita: durante el recreo

ENRIQUE Tú sabes hablar inglés, ¿verdad?
CONCHITA No mucho. Leo y escribo un poco solamente. ¿Por qué?
ENRIQUE ¿Qué dice esta carta? Es de una chica que vive en Canadá.
CONCHITA Necesito un diccionario. Vamos a la biblioteca.

CONCHITA Dice que se llama Sue, que es rubia, de ojos azules . . .
ENRIQUE Mmm . . . debe ser muy bonita. ¿Qué más dice?
CONCHITA Quiere saber cómo eres tú . . . cuántos años tienes . . .
ENRIQUE Yo no sé cómo soy yo. ¿Cómo soy yo, Conchita?
CONCHITA Yo creo que tú eres un gordito muy simpático.

With Conchita: During Recess

ENRIQUE You know how to speak English, don't you?
CONCHITA Not very well (much). I only read and write a little. (I read and write a little only.) Why?
ENRIQUE What does this letter say? It's from a girl who lives in Canada.
CONCHITA I need a dictionary. Let's go to the library.

CONCHITA She says her name is (she calls herself) Sue, that she's blond, with blue eyes . . .
ENRIQUE Mmm . . . she must be very pretty. What else (more) does she say?
CONCHITA She wants to know what you're like (how you are) . . . how old you are (how many years you have) . . .
ENRIQUE I don't know what I'm like. What am I like, Conchita?
CONCHITA I think you're a very nice little fat boy.

◄ ***Youngsters gather in a school patio during recess.***

Supplement

Vamos sin Conchita.	Let's go without Conchita.
Está delante de Conchita. detrás de	He's in front of Conchita. back of
¿De qué color es tu vestido? Amarillo. Rojo. Café. Blanco.	What color is your dress? Yellow. Red. Brown. White.

¿Cómo te llamas? Me llamo Conchita.	What's your name? My name's Conchita.
Dice que es trigueña. pelirroja	She says she's brunette. redheaded
Dice que tiene pelo rubio.	She says she has blond hair.
Tiene ojos negros. castaños[1] grises verdes	She has black eyes. brown grey green
Tú eres un gordito muy perezoso. listo distraído	You're a very lazy little fat boy. clever absent-minded
Vamos a la calle. plaza esquina estación	Let's go to the street. square (plaza) corner station
Voy a la biblioteca contigo.	I'll go to the library with you.
¿Qué quieres comer? hacer	What do you want to eat? do (make)

[1] **Castaño** is generally used only to indicate color of hair and eyes. Otherwise, one common Spanish equivalent of *brown* is **café,** although there are other equivalents used throughout Spanish America. Expressions like **unos zapatos de color café** may be shortened to **unos zapatos café,** where **café** remains singular in spite of the plural **zapatos.**

BASIC FORMS

Verbs

*creer	*saber
*deber	*escribir
*leer	*vivir

Nouns

color *m.*	calle *f.*
	estación *f.*

Adjectives

azul	gris
café	verde

Vocabulary Exercises

1. QUESTIONS

1. ¿Habla inglés Enrique?
2. ¿Habla inglés Conchita?
3. ¿De quién es la carta de Enrique?
4. ¿Dónde vive la chica?
5. ¿Qué necesita Conchita?
6. ¿Adónde va Conchita a buscar el diccionario?
7. ¿Tiene usted un diccionario español-inglés?
8. ¿Estudia usted con diccionario o sin diccionario?

2. DIALOG RECALL

un poco
carta
Canadá
diccionario

---

3. QUESTIONS

1. ¿Cómo se llama la chica que vive en Canadá?
2. ¿Es bonita ella?
3. ¿Cómo es ella?
4. ¿Qué quiere saber Sue en la carta?
5. ¿Cómo es Enrique?
6. ¿Con quién habla usted durante el recreo?
7. ¿Es el recreo antes o después de esta clase?

4. ANTONYM DRILL

Hablo poco español.
¿Vamos con Conchita?
¿Quién es ese chico que está detrás de Luis?
Sue debe ser muy bonita.
¡Qué gordo está Enrique!
Practicamos antes de la cena.
¿De qué color es? ¿Blanco?

5. ENGLISH CUE DRILL

¿Cómo es Enrique?
What is Conchita like?
What is the station like?
What are the students like?
What is the school like?
What are the twins like?
What is Enrique like?

GRAMMAR

Position of Descriptive Adjectives

PRESENTATION

¿A quién llamas? A la **chica americana.**
Excepto ese **chico rubio.**
Tiene **ojos azules.**
Eres un **gordito muy simpático.**

In each of these sentences, what is the position of the adjective in relation to the noun?

GENERALIZATION

1. Adjectives which specify some quality or characteristic of the noun they modify are called descriptive adjectives. The underscored adjectives in the following examples are descriptive adjectives:

Está bonita en la foto, pero ella no es muy linda.
Los boletos son caros.
¡Qué feos están mis zapatos!

2. As the above examples illustrate, descriptive adjectives may occur—with **ser, estar,** and a few other verbs—as the predicate adjective of a sentence.

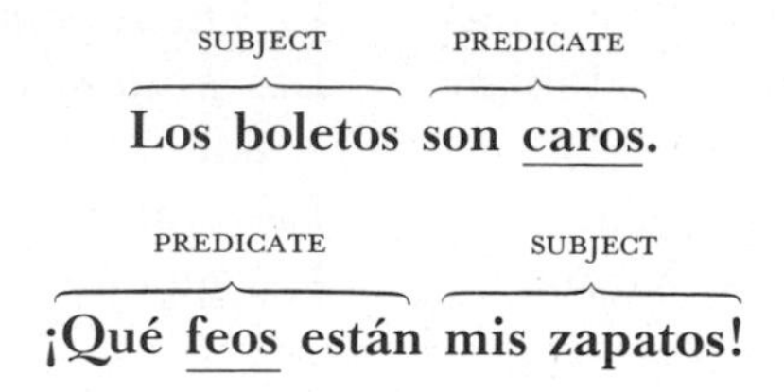

3. Descriptive adjectives may also occur inside a noun phrase after the noun they modify. Noun + adjective is a normal word order in Spanish.

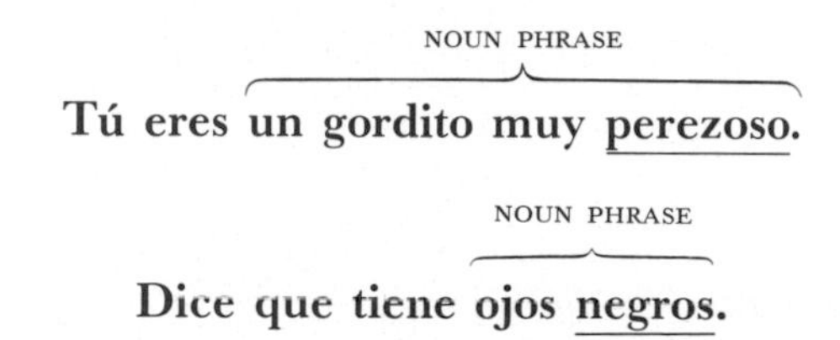

NOUN PHRASE
Tú eres un gordito muy perezoso.
NOUN PHRASE
Dice que tiene ojos negros.

STRUCTURE DRILLS

6. ITEM SUBSTITUTION

1. Tengo unas amigas muy listas. — Tengo unas amigas muy listas.
   ______ una hermana ______. — Tengo una hermana muy lista.
   ______ unos compañeros ______. — Tengo unos compañeros muy listos.
   ______ un novio ______. — Tengo un novio muy listo.
   ______ una prima ______. — Tengo una prima muy lista.
   ______ unos amigos ______. — Tengo unos amigos muy listos.
   ______ un perro ______. — Tengo un perro muy listo.

2. ¿Buscas una corbata verde?
   (un pañuelo–unos guantes–un vestido–unas medias–una blusa)

3. ¿Vas con la chica francesa?
   (los señores–el alumno–la familia–las señoras–el maestro)

7. TRANSFORMATION DRILL

El diccionario es nuevo. Está aquí. — El diccionario nuevo está aquí.
La corbata es amarilla. Es de Juan. — La corbata amarilla es de Juan.
Los pañuelos son blancos. Están en mi cuarto. — Los pañuelos blancos están en mi cuarto.

(continued)

(*continued*)

La chica es pelirroja. Se llama Susana.	La chica pelirroja se llama Susana.
Los alumnos son americanos. Hablan bien español.	Los alumnos americanos hablan bien español.
Las chicas son rubias. Son gemelas.	Las chicas rubias son gemelas.
Los guantes son rojos. Son de María.	Los guantes rojos son de María.

8. FREE RESPONSE

¿Tiene *Juana* ojos verdes?
¿Y *Pedro*?
¿Y usted?
¿Tiene usted pelo rubio?
¿Y su mamá?
¿Y el maestro?
¿Es blanco el vestido de *Ana*?
¿Y los zapatos de *María*?
¿Y la camisa de *Juan*?
¿De qué color es la blusa de *Susana*?
¿Y los pantalones de *Camilo*?

9. PROGRESSIVE SUBSTITUTION

El diccionario nuevo está aquí.
__ camisas ______________.
________ amarilla ________.
________________ están __.
__ guante ______________.
________ rojos __________.
________________ está __.
__ zapatos ______________.
________ gris ___________.
________________ están __.

10. FREE SUBSTITUTION

El maestro nuevo está aquí.

11. WRITING EXERCISE

Write the responses to Drills 6.2, 6.3 and 9.

12. DIRECTED DIALOG

Pregúntele a *Gloria* si recuerda la fiesta del otro día.	¿Recuerdas la fiesta del otro día?
Dígale que claro, y pregúntele por qué.	Claro, ¿por qué?
Pregúntele si recuerda al chico alto de ojos negros.	¿Recuerdas al chico alto de ojos negros?
Dígale que claro, que es muy guapo.	Claro, es muy guapo.
Dígale que usted va a una fiesta con él este domingo.	Yo voy a una fiesta con él este domingo.

13. DIRECTED DIALOG VARIATION

1. Do the directed dialog again, reading the directions to another student and using adjectives of your own choice.
2. Do the directed dialog again, reading the directions to another student and making it a conversation between two boys talking about a girl.

14. ENGLISH CUE DRILL

Es un chico rubio de ojos azules.
She's a redheaded girl with green eyes.
She's a brunette lady with brown eyes.
He's a tall gentleman with grey eyes.
She's a pretty young lady with black eyes.
He's a blond boy with blue eyes.

15. FREE RESPONSE

¿Cómo se llama usted?
¿Cómo es usted? ¿alto? ¿gordo? ¿de ojos castaños?
¿Cuántos años tiene usted?
¿Cómo son sus compañeros?
¿Es usted perezoso o le gusta estudiar?
¿Cómo es su casa?
¿Tiene novia?
¿Cómo es ella?
¿Cuántos años tiene ella?

16. WRITING EXERCISE

Write the responses to Drill 14.

Prepositions

GENERALIZATION

1. Spanish, like English, has a number of simple prepositions, consisting of a single word. The following are the simple prepositions you have encountered so far:

a, *to*	**Vamos a las carreras.**
con, *with*	**Más tarde hablo con ella.**
de, *from, of*	**No llega de la escuela todavía.**
durante, *during*	**Durante el recreo.**
en, *in, on, at*	**Está en la mesa.**
para, *for*	**Es un regalo para tu mamá.**
por, *through, by, for*	**Pasa por el parque.**
sin, *without*	**Vamos sin Conchita.**

2. Spanish, like English, also has a number of compound prepositions. These consist of an adverb plus the simple preposition **de.**

delante (*in front, ahead*)	+ **de** →	**delante de** (*in front of, ahead of*)
detrás (*in back, behind*)		**detrás de** (*in back of, behind*)
después (*afterwards, later*)		**después de** (*after*)
antes (*before, beforehand*)		**antes de** (*before, prior to*)

STRUCTURE DRILLS

17. PAIRED SENTENCES

Vamos después del recreo.	Vamos después del recreo.
We'll go later.	Vamos después.
We'll go after recess.	Vamos después del recreo.

Estudian antes del examen.
They study beforehand.
They study before the exam.

Es ése que está delante de Ana.
He's the one who's in front.
He's the one who's in front of Ana.

El carro está detrás de la casa.
The car's in back.
The car's in back of the house.

18. FREE RESPONSE

¿Con quién estudia usted?
¿De dónde es usted?
¿Necesita usted comprar un regalo para su mamá?
¿Necesitan ustedes comprar un regalo para la maestra?
¿Estudia usted con diccionario o sin diccionario?
¿Juegan fútbol los chicos durante el recreo?
¿Y las chicas también?
¿Pasa usted por la biblioteca hoy?

Pronouns as Objects of Prepositions

PRESENTATION

¿Quién está sentado delante de ti?
¿Delante de **mí**? Fernando Gómez.

Tengo un regalo para ti.
¿Para mí? Muchas gracias.

Which Spanish word corresponds to *me* after a preposition? Which word corresponds to *you* (familiar)?

GENERALIZATION

1. In English, pronouns used as the objects of verbs and pronouns used as the objects of prepositions are the same.

He hit { *me.* / *you.* / *her.* / *them.* }

The book is for { *me.* / *you.* / *her.* / *them.* }

2. In Spanish, however, pronouns used as the objects of prepositions are the same as subject pronouns, except for the first person singular and the second person singular (familiar).

El libro es para { **usted.** / **él, ella.** / **nosotros.** / **ustedes.** / **ellos, ellas.** }

3. For the first person singular and the second person singular (familiar), Spanish has two special forms.

El libro es para {**mí.** / **ti.**}

Furthermore, **mí** and **ti** have special forms after the preposition **con.**

con + mi → conmigo   **con + ti → contigo**

Ellos van {**conmigo.** / **contigo.**}

STRUCTURE DRILLS

19. PATTERNED RESPONSE

1. ¿Es la carta para ti?	Sí, es para mí.
¿Van las chicas sin ella?	Sí, van sin ella.
¿Está Juan delante de usted?	Sí, está delante de mí.
¿Piensan los chicos en mí?	Sí, piensan en usted.
¿Estudia el chico rubio con ellos?	Sí, estudia con ellos.
¿Es el regalo para nosotros?	Sí, es para ustedes. (*or* para nosotros.)

Pupils learn to read and write in an open-air school in rural Costa Rica.

2. ¿Puedo ir con ustedes? — ¿Con nosotros? Sí, claro.
   ¿Van a la estación conmigo?
   ¿Juan estudia con ella?
   ¿Quieres ir a la plaza con nosotros?
   ¿Puedo practicar contigo?
   ¿María vive con ellas?
   ¿Necesitan hablar con usted?

20. FREE RESPONSE

¿Le gusta más jugar, o hablar con sus amigos durante el recreo?
¿Con quién va usted al cine?
¿Va antes o después de la cena?
¿Quién está sentado detrás de usted? ¿y delante de usted?
¿Quién habla español con ustedes?
¿Quién practica español con usted?

21. WRITING EXERCISE

Write the responses to Drill 19.2.

Regular e-*Class Verbs*

PRESENTATION

¿Qué quieres comer?
¿Qué **como**?
¿Qué **comes**?
¿Qué **come**?
¿Qué **comemos**?
¿Qué **comen**?

What is the stem of the verb **comer**? What is the theme vowel? What are the endings added to the stem + theme vowel to agree with the subject? Are these endings the same as those added to the stem + theme vowel of regular **a**-class verbs?

GENERALIZATION

1. In Unit 2 you studied the present tense of regular verbs whose theme vowel is **a.** There is also a large class of verbs whose theme vowel is **e.** The regular verbs of this class which you have encountered so far are **comer, creer, deber,** and **leer.**

2. The present tense of regular **e**-class verbs is just like that of **a**-class verbs, except for the theme vowel.

comer, PRESENT TENSE		
	Singular	*Plural*
1	**com – o**	**com e mos**
2	**com e s**	**com e n**
3	**com e –**	

STRUCTURE DRILLS

22. PERSON-NUMBER SUBSTITUTION

1. Como a las ocho.	Como a las ocho.
(tú)	Comes a las ocho.
(ellos)	Comen a las ocho.
(usted)	Come a las ocho.
(mi hermano y yo)	Comemos a las ocho.
(ustedes)	Comen a las ocho.
(él)	Come a las ocho.

2. Leo español un poco solamente.
   (usted–yo–ella–tú–ellos–Juana y usted–nosotros)

3. Francamente, debe estudiar más.
   (yo–tú–ellos–Pedro y yo–él–ustedes–ella)

23. WRITING EXERCISE

Write the responses to Drills 22.2 and 22.3.

Regular **i**-*Class Verbs*

PRESENTATION

Sé escribir un poco solamente.
Escribo un poco solamente.
Escribes un poco solamente.

Escribe un poco solamente.
Escribimos un poco solamente.
Escriben un poco solamente.

What is the stem of the verb **escribir?** What is the theme vowel? In which present tense forms is the theme vowel different? How is it different? What difference do you notice between the present tense forms of **i**-class verbs and those of **e**-class verbs?

GENERALIZATION

There is a third class of verbs, called **i**-class verbs, whose theme vowel is **i** when stressed and **e** when unstressed.

escribir, PRESENT TENSE		
	Singular	*Plural*
1	**escrib – o**	**escrib i mos**
2	**escrib e s**	**escrib e n**
3	**escrib e –**	

The present tense forms of this class of verbs are like those of **e**-class verbs except for the first person plural. The regular **i**-class verbs which you have encountered so far are **escribir** and **vivir.**

STRUCTURE DRILLS

24. PERSON-NUMBER SUBSTITUTION

1. Escribo una carta en inglés. — Escribo una carta en inglés.
   (tú) — Escribes una carta en inglés.
   (ellos) — Escriben una carta en inglés.
   (usted) — Escribe una carta en inglés.
   (él y yo) — Escribimos una carta en inglés.
   (ustedes) — Escriben una carta en inglés.
   (él) — Escribe una carta en inglés.
2. Viven en la esquina.
   (nosotros–María y ella–yo–tú–él–ustedes)

25. SINGULAR → PLURAL

Debo estudiar más.	Debemos estudiar más.
Escribo una carta ahora.	
Leo el periódico.	
Vivo en la esquina.	
No creo a Juan.	
¿Como ahora?	

26. FREE RESPONSE

¿Qué necesita Conchita para leer la carta de Sue?
¿Lee Enrique muy bien en inglés?
¿Lee y escribe inglés Conchita?
¿Cuándo escribe usted cartas?
¿Necesita un diccionario para leer en español?
¿Y para escribir una carta en español?
¿Leen ustedes mucho o poco?
¿En qué calle vive usted?
¿Vive usted en la esquina?
¿Cree usted que es fácil o difícil leer en español?
¿Escriben los alumnos mucho durante el día?
¿A quién debe usted llamar después de la cena?
¿A qué hora come usted? ¿Come mucho?
¿Dónde viven ustedes, en Canadá?

27. PROGRESSIVE SUBSTITUTION

Juana escribe una carta.
Mi amigo y yo ______.
_____ leemos ________.
______________ periódico.
Mi padre ______________.
_____ encuentra ________.
______________ boletos.
Los chicos ____________.
_____ compran ________.
______________ cosas.

28. WRITING EXERCISE

Write the responses to Drills 24.2, 25, and 27.

saber, ver, hacer, *Present Tense*

GENERALIZATION

saber, PRESENT TENSE		
	Singular	*Plural*
1	**sé**	**sabemos**
2	**sabes**	**saben**
3	**sabe**	

Saber is a regular **e**-class verb except for the first person singular form **sé.**

ver, PRESENT TENSE		
	Singular	*Plural*
1	**veo**	**vemos**
2	**ves**	**ven**
3	**ve**	

Ver is a regular **e**-class verb except for the first person singular form **veo.**

hacer, PRESENT TENSE		
	Singular	*Plural*
1	**hago**	**hacemos**
2	**haces**	**hacen**
3	**hace**	

Hacer is a regular **e**-class verb except for the first person singular form **hago.**

STRUCTURE DRILLS

29. PERSON-NUMBER SUBSTITUTION

1. Sabe hablar inglés, pero no mucho. — Sabe hablar inglés, pero no mucho.
   (yo) — Sé hablar inglés, pero no mucho.
   (tú) — Sabes hablar inglés, pero no mucho.
   (Juanita) — Sabe hablar inglés, pero no mucho.
   (Juan y María) — Saben hablar inglés, pero no mucho.
   (nosotros) — Sabemos hablar inglés, pero no mucho.

2. No ven la calle.
   (tú–ustedes–Ana y yo–yo–usted)

3. ¿Qué haces?
   (nosotros–la maestra–los alumnos–yo–tú)

30. PLURAL → SINGULAR

Sabemos leer en español. — Sé leer en español.
¿Qué hacemos aquí?
No vemos nada.
No sabemos cómo se llama.
¿Por qué no hacemos el almuerzo?
Vemos el álbum.

31. DIRECTED DIALOG

Pregúntele a *Juan* qué dice esta carta. — ¿Qué dice esta carta?
Juan, diga que usted no sabe, que está en alemán. — No sé, está en alemán.
Pregúntele a *Pepe* si él sabe alemán. — *Pepe,* ¿tú sabes alemán?
Pepe, dígale que no mucho, que usted estudia inglés. — No mucho. Yo estudio inglés.
Pregunte quién sabe alemán aquí. — ¿Quién sabe alemán aquí?
Susana, diga que María y usted saben alemán, que ustedes son alemanas. — María y yo sabemos alemán. Nosotras somos alemanas.

32. FREE RESPONSE

¿Qué ven ustedes en el libro de español? ¿muchas fotos?
¿Qué ve usted en las fotos?
¿Quién hace la cena en su casa?

¿Hace usted la cena?
¿Hace usted todas las comidas?
¿Sabe usted dónde está su mamá? ¿Dónde está ahora?
¿Sabe usted hablar español? ¿y francés?
¿Sabe su padre hablar español?

33. WRITING EXERCISE

Write the responses to Drills 29.2, 29.3, and 30.

Writing

1. MULTIPLE ITEM SUBSTITUTION

Write a new sentence substituting the items given for the corresponding words in the original sentence. Make any necessary changes.

MODEL María compra una blusa nueva.
chicos / necesitar / carro
Los chicos necesitan un carro nuevo.

1. Los chicos juegan en el parque.
   Sra. García / vivir / esquina
2. Ana no estudia conmigo.
   mis amigos / ir / sin
3. Tiene unos regalos para ti.
   escribir / carta / con
4. Quiero practicar con las chicas españolas.
   deber / estudiar / chico
5. ¿Quién es el chico rubio, un alumno nuevo?
   señora / pelirrojo / maestra

2. DIALOG COMPLETION

Copy the following dialog, filling in each blank with any appropriate word.

Carlos, aquí tengo una carta para ti.
¿Para __1__? Debe ser de Bárbara.
¿Quién es Bárbara?
Una chica que __2__ en los Estados Unidos. ¿Quieres ver? Qué bien __3__ español, ¿verdad? Creo que __4__ ser una chica muy __5__.
¿Cuántos años __6__?
Yo no __7__. ¿Trece? ¿Catorce? ¿Quién __8__? Pero yo __9__ que debe ser menor que nosotros. Dice que es __10__, y que tiene ojos __11__.
Sí, ella es muy __12__.

RECOMBINATION MATERIAL

Dialogs

I

JORGE	¿Cuántos años tienes?
ESTEBAN	Once. Casi doce.
JORGE	Yo soy mayor que tú. Yo tengo trece.
ESTEBAN	Yo sé. Pero yo soy más alto.

QUESTIONS

1. ¿Con quién habla Jorge?
2. ¿Cuántos años tiene Esteban?
3. ¿Quién es mayor, Jorge o Esteban?
4. ¿Cuál chico es más alto?

II

TERESA	¿Quién es ese chico que está delante de nosotras?
ROSITA	¿Cuál? ¿Ése de la camisa roja?
TERESA	No, el otro.
ROSITA	Se llama Juan Gómez. Es nuevo.
TERESA	Es guapo, ¿verdad?

QUESTIONS

1. ¿Cómo se llama la amiga de Rosita?
2. ¿De quién hablan las dos chicas?
3. ¿Dónde está Juan?
4. ¿Es nuevo Juan?
5. ¿Cómo es él?

III

SUSANA	A ver si adivinas cuántos años tengo.
ARTURO	Mmm, catorce.
SUSANA	No, más.
ARTURO	¿Quince?

SUSANA Más todavía.
ARTURO ¿Diecisiete?
SUSANA No, tengo dieciséis solamente.

CONVERSATION STIMULUS

Have a friend try to guess your age.

Narrative

El gordito contesta la carta de Sue

Señorita Sue Richardson
2105 De Neve Circle
Toronto, Canadá

Estimada[2] amiga:

5 Muchas gracias por tu carta tan bonita. Tú debes ser una chica muy inteligente. Y muy bonita también. ¿Cuántos años tienes? ¿No tienes una foto?

Yo tengo casi quince años. Soy pelirrojo, y tengo ojos castaños. También soy un poco gordo, no muy gordo, un poco 10 solamente.

Tengo dos hermanos: una hermana mayor que se llama Vera (bastante fea y pretenciosa), y un hermano menor, Chucho[3], que tiene diez años.

Yo sé jugar fútbol americano, pero me gusta más el fútbol de 15 aquí. También juego tenis*. ¿Sabes tú jugar tenis?

Bien, no puedo escribir más porque tengo que estudiar. Hasta luego.

Tu amigo,

Quique

Quique[4]
Enrique Alberto (Quique) González

---

[2] *Dear,* literally *esteemed:* a normal salutation in letters.

[3] **Chucho** is short for the name **Jesús.**

[4] **Quique** is short for **Enrique.**

QUESTIONS

1. ¿Dónde vive Sue?
2. ¿Cómo empieza la carta Enrique?
3. ¿Cómo debe ser Sue?
4. ¿Qué quiere Enrique?
5. ¿Cuántos años tiene él?
6. ¿Cómo es Enrique?
7. ¿Es delgado?
8. ¿Cuántos hermanos tiene?
9. ¿Cómo se llama la hermana de Enrique?
10. ¿Cómo es Vera?
11. ¿Quién es Chucho?
12. ¿Cuántos años tiene?
13. ¿Sabe Enrique jugar fútbol?
14. ¿Sabe jugar fútbol americano?
15. ¿Qué más sabe jugar?
16. ¿Por qué no puede escribir más?

Rejoinders

1. Tú sabes hablar inglés, ¿verdad?
2. Sue es rubia y tiene ojos azules.
3. Necesito un diccionario.

LETTER ↔ SOUND CORRESPONDENCES

READING: **i** = [y]

Before another vowel, the letter **i** without an accent mark represents the sound [y]. Thus, the letter combinations **ia, ie, io,** and **iu** represent one syllable each: [ya], [ye], [yo], [yu].

FAMILIAR WORDS familia, pronuncia, noticias, fiesta, pienso, estudio, biblioteca

UNFAMILIAR WORDS hacia, piano, septiembre, noviembre, julio, silencio, ciudad

READING: **u** = [w]

Before another vowel, the letter **u** without an accent mark represents the sound [w]. Thus, the letter combinations **ua, ue, ui,** and **uo** represent one syllable each: [wa], [we], [wi], [wo].

FAMILIAR WORDS cuarto, cuatro, guantes, escuela, puedo, juego, nuevo, Luisa

UNFAMILIAR WORDS gradual, cuaderno, duelo, muela, cuidado, continuo

READING: í = [i]; ú = [u]

The letters **í** (**i** with a written accent) or **ú** (**u** with a written accent) before another vowel represent a separate, stressed syllable.

FAMILIAR WORDS día, tía, todavía, García, María, tío

UNFAMILIAR WORDS comía, vivía, policía, librería, mío, río, sitúa, continúa, gradúa

PAIRS

hacia	gracia	media	su novia	Mario	sitio	julio
hacía	García	media	todavía	María	mi tío	un lío

continua
continúa

READING: cc = [ks]

The double consonant **cc,** which occurs only before **e** or **i,** represents the sounds [ks].

FAMILIAR WORDS diccionario

UNFAMILIAR WORDS acceso, acción, lección, dirección, sección, ficción, accidente

SENTENCES

1. María todavía pronuncia muy mal.
2. ¿Qué día es la fiesta? El viernes.
3. ¿Vas al estadio con tu tío?
4. ¿Dónde está el diccionario? En tu cuarto.

WRITING

Copy the above sentences and be prepared to write them from dictation.

Spelling Notes:

1. Whenever **i** or **u** comes before any other vowel sound and is pronounced as a separate, stressed syllable, it is written with an accent mark.
2. Double consonants are extremely rare in Spanish. In fact, with the exception of **cc,** they almost never occur. (The **rr** and **ll** are separate letters, not double consonants.) Notice that the letter combination **cc** represents two sounds: the first **c** corresponds to the sound [k], the second to the sound [s]. The **cc** follows the generalizations, then, that **c** before a consonant represents the sound [k], and that **c** before **e** or **i** represents the sound [s].

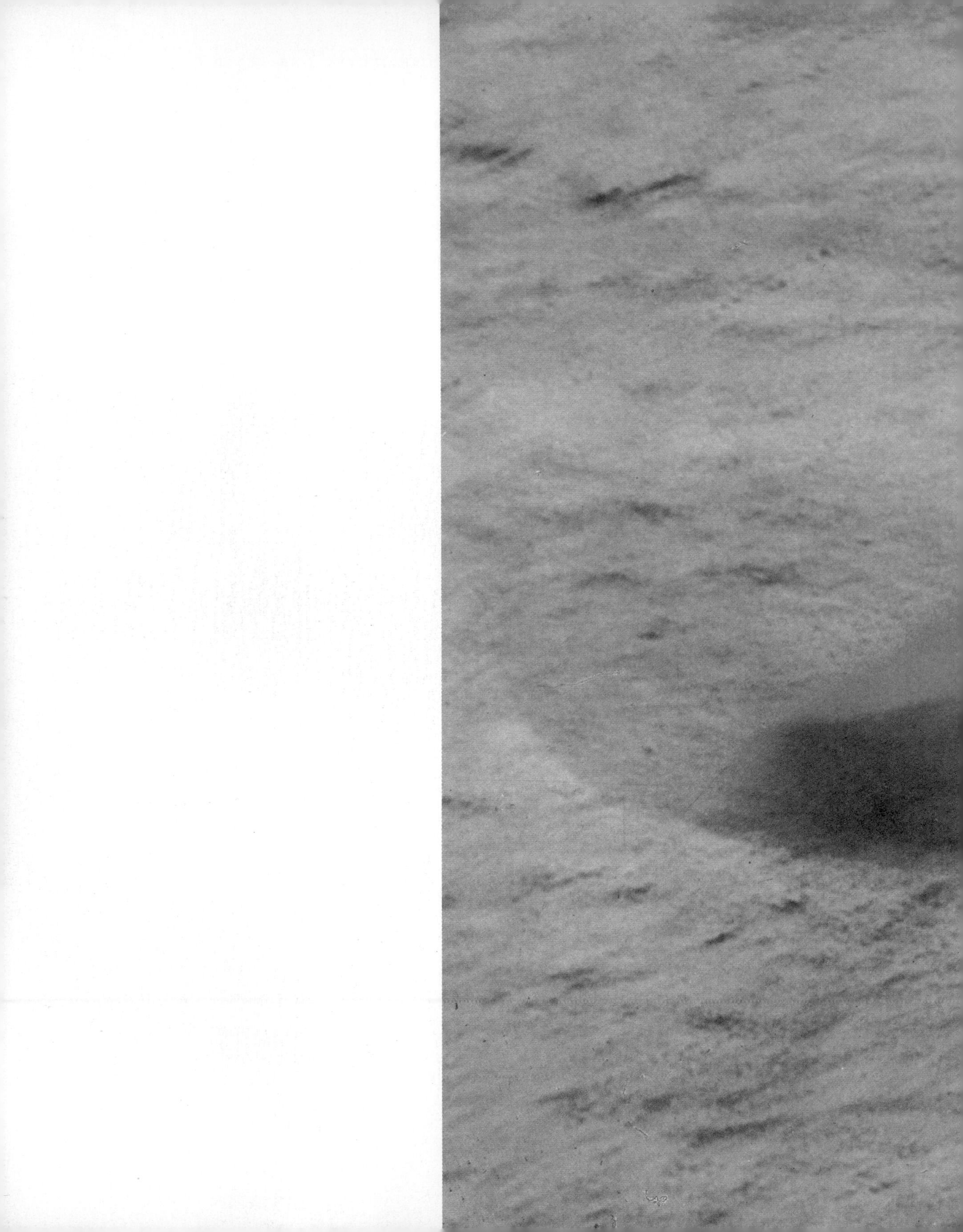

Glimpses of the Spanish World

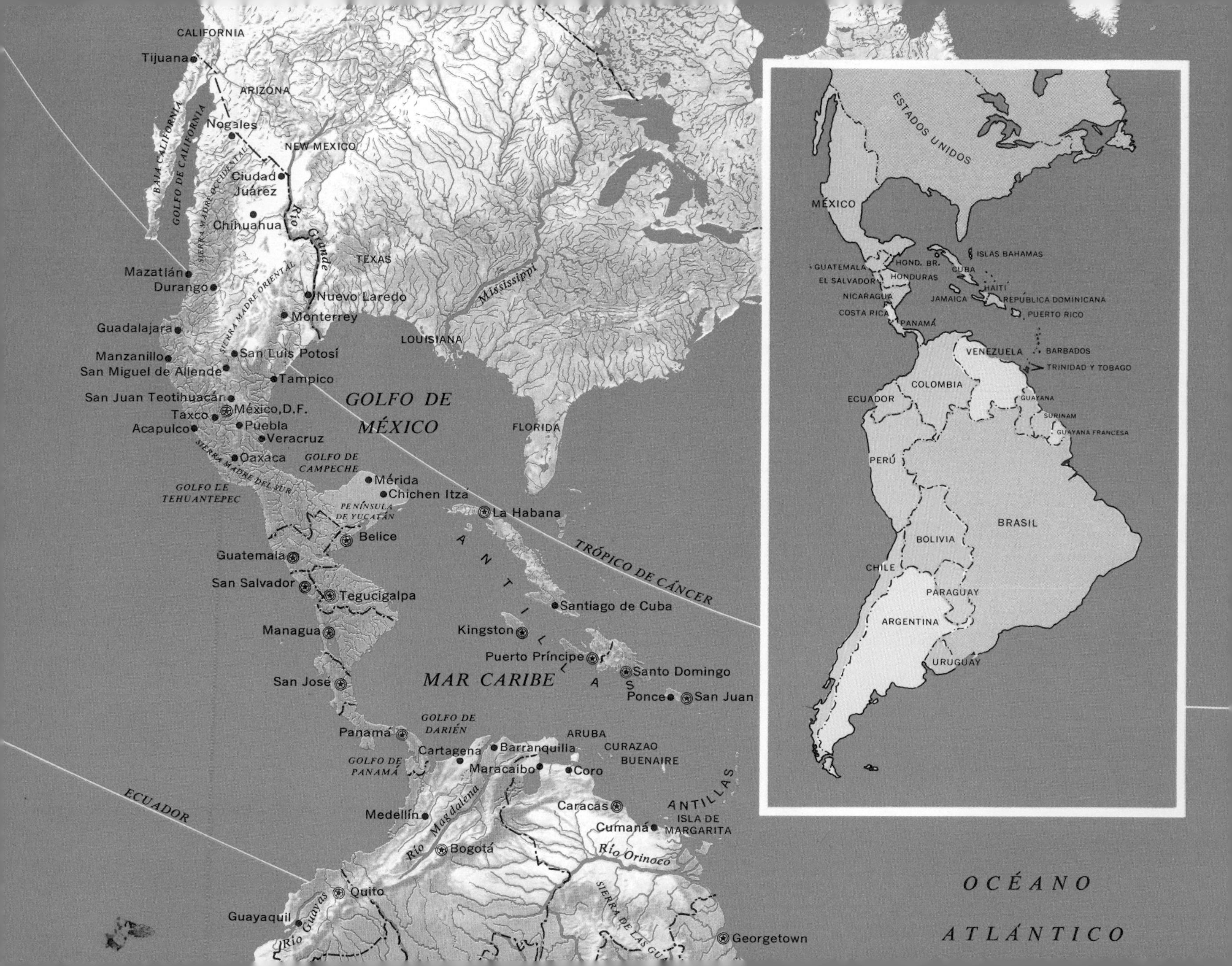

CALIFORNIA
Tijuana
ARIZONA
BAJA CALIFORNIA
GOLFO DE CALIFORNIA
Nogales
NEW MEXICO
SIERRA MADRE OCCIDENTAL
Ciudad Juárez
Chihuahua
Río Grande
TEXAS
Mazatlán
Durango
SIERRA MADRE ORIENTAL
Nuevo Laredo
Monterrey
Guadalajara
LOUISIANA
Mississippi
Manzanillo
San Luis Potosí
San Miguel de Allende
Tampico
San Juan Teotihuacán
México, D.F.
Taxco
Puebla
Acapulco
Veracruz
GOLFO DE MÉXICO
FLORIDA
Oaxaca
SIERRA MADRE DEL SUR
GOLFO DE CAMPECHE
GOLFO DE TEHUANTEPEC
Mérida
Chichen Itzá
PENÍNSULA DE YUCATÁN
La Habana
Belice
TRÓPICO DE CÁNCER
Guatemala
San Salvador
Tegucigalpa
Santiago de Cuba
ANTILLAS
Managua
Kingston
Puerto Príncipe
Santo Domingo
San José
MAR CARIBE
Ponce
San Juan
GOLFO DE DARIÉN
Panamá
ARUBA
CURAZAO
BUENAIRE
Cartagena
Barranquilla
GOLFO DE PANAMÁ
Maracaibo
Coro
ANTILLAS
ECUADOR
Caracas
ISLA DE MARGARITA
Medellín
Río Magdalena
Cumaná
Bogotá
Río Orinoco
SIERRA DE LAS GU
Quito
Río Guayas
Guayaquil
Georgetown
OCÉANO ATLÁNTICO

ESTADOS UNIDOS
MÉXICO
ISLAS BAHAMAS
GUATEMALA
HOND. BR.
CUBA
EL SALVADOR
HONDURAS
HAITÍ
NICARAGUA
JAMAICA
REPÚBLICA DOMINICANA
COSTA RICA
PUERTO RICO
PANAMÁ
BARBADOS
VENEZUELA
TRINIDAD Y TOBAGO
COLOMBIA
ECUADOR
GUAYANA
SURINAM
GUAYANA FRANCESA
PERÚ
BRASIL
BOLIVIA
CHILE
PARAGUAY
ARGENTINA
URUGUAY

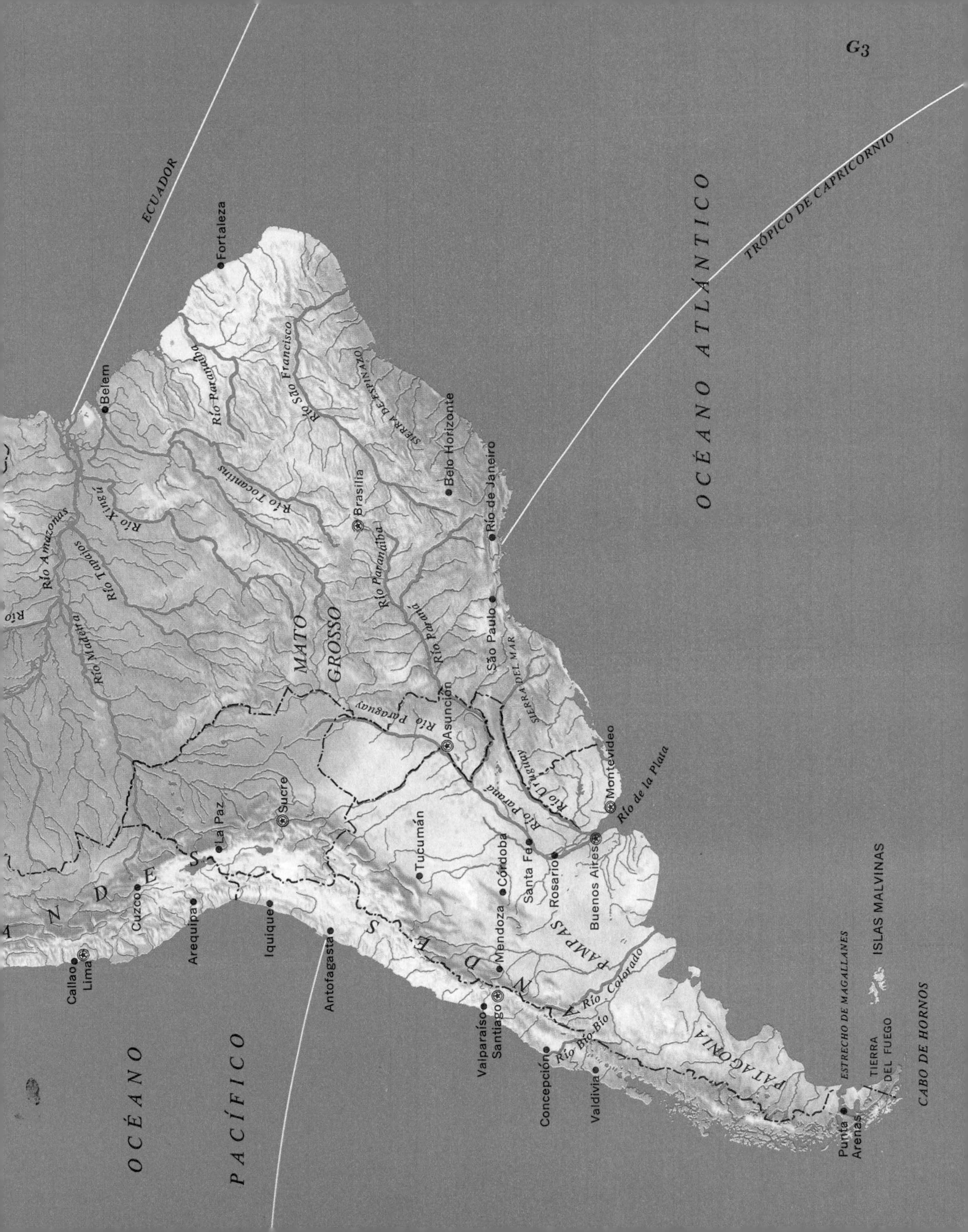

OCÉANO
PACÍFICO
ANDES
Callao
Lima
Cuzco
Arequipa
La Paz
Iquique
Sucre
Antofagasta
Tucumán
Asunción
Valparaíso
Santiago
Mendoza
Córdoba
Santa Fe
Concepción
Rosario
Valdivia
Buenos Aires
Montevideo
Río Bío-Bío
Río Colorado
PAMPAS
PATAGONIA
Punta Arenas
ESTRECHO DE MAGALLANES
TIERRA DEL FUEGO
ISLAS MALVINAS
CABO DE HORNOS
Río Amazonas
Río Madeira
Río Tapajos
Río Xingú
Belem
ECUADOR
Río Paranaíba
Fortaleza
Río Tocantins
MATO GROSSO
Río São Francisco
Brasilia
Río Paranaíba
SIERRA DE ESPINAZO
Río Paraguay
Río Paraná
Belo Horizonte
São Paulo
Río de Janeiro
SIERRA DEL MAR
Río Paraná
Río Uruguay
Río de la Plata
OCÉANO ATLÁNTICO
TRÓPICO DE CAPRICORNIO

MAR CANTÁBRICO
La Coruña
Gijón
Oviedo
Santander
Santiago
ASTURIAS
Guernica
Bilbao
San Sebastián
GALICIA
CORDILLERA CANTÁBRICA
León
PROVINCIAS VASCONGADAS
Roncesvalles
PIRINEOS
Vigo
Río Miño
Pamplona
NAVARRA
Burgos
Río
CASTILLA LA VIEJA
Valladolid
Oporto
Zamora
Río Duero
CORDILLERA
Zaragoza
Ebro
CATALUÑA
Salamanca
SIERRA DE LA GUADARRAMA
IBÉRICA
Barcelona
Tarragona
Ávila
Escorial
Madrid
CASTILLA LA NUEVA
Río Tajo
Toledo
Aranjuez
OCÉANO ATLÁNTICO
EXTREMADURA
VALENCIA
MENORCA
Lisboa
Mérida
Río
Valencia
MALLORCA
Palma
Badajoz
Río Guadiana
LA MANCHA
Júcar
ISLAS BALEARES
IBIZA
MURCIA
SIERRA MORENA
Río Segura
Alicante
Córdoba
Murcia
ANDALUCÍA
Río Guadalquivir
Sevilla
Cartagena
MAR MEDITERRÁNEO
Granada
Jerez de la Frontera
Ronda
SIERRA NEVADA
Cádiz
Málaga
Almería
Algeciras
Gibraltar
ESTRECHO DE GIBRALTAR
Argel
Tánger
Ceuta
Orán
Melilla
LANZAROTE
LA PALMA
Santa Cruz
TENERIFE
GOMERA
FUERTEVENTURA
Las Palmas
HIERRO
GRAN CANARIA
ISLAS CANARIAS
ÁFRICA
FRANCIA
ANDORRA
PORTUGAL
ESPAÑA
MARRUECOS
ARGELIA

The Land and the People

Difficulty in exploiting tropical lands has been an obstacle to social and economic development. Most of Latin America lies within the tropics.

Buenos Aires, one of Latin America's most cosmopolitan cities, is an important center of cultural and economic activity.

The Spanish-speaking peoples are varied in background. The magnificent pre-Columbian Indian civilizations were toppled by the Spanish conquistadors, but Indians still compose a large part of Latin America's population. The Spaniards settled throughout their new Empire, establishing important centers in Mexico and Peru. Large numbers of Africans were brought to work on plantations. Their descendants settled principally in the warm coastal areas and on the islands. People of Northern

The Andes are part of an immense chain which extends from Alaska to the tip of South America. The Andean plateaus and valleys include rich agricultural areas.

European origin have also settled throughout Latin America, particularly in the temperate areas. In Mexico and several Central and South American nations, people of mixed Indian and Spanish background make up a dominant part of the population.

Caracas, scene of immense urban construction and expansion projects.

Along the Peruvian coast the high Andes meet the sea.

Harvesting hay in one of Ecuador's fertile valleys.

The great Argentine plains, the Pampa, possess some of the world's richest soil. Argentina is a major producer of grain and meat.

The Home and the Family

A family enjoys a Sunday picnic in the Floating Gardens at Xochimilco, Mexico.

This upper-class living room combines modern and antique furnishings.

A housing project built by a textile workers' cooperative in Lima.

A group of cousins at a family gathering in Buenos Aires.

A rural family in Mexico.

Family activities in Spanish-speaking countries often include grandparents, uncles, aunts, cousins, in-laws, godparents, and more distant relatives. Family gatherings are an important part of social life in these countries.

A family relaxes at a café during the Sherry Festival in Jerez, Spain.

Education

University of Mexico: Medical School and Laboratory for Cosmic Rays

Education in Spanish-speaking countries has traditionally emphasized the humanities and preparation for the professions of law, medicine and engineering. In recent years, however, more importance has been placed on the general education of all of the people, and there has been a growing interest in the physical and social sciences as well as in vocational training.

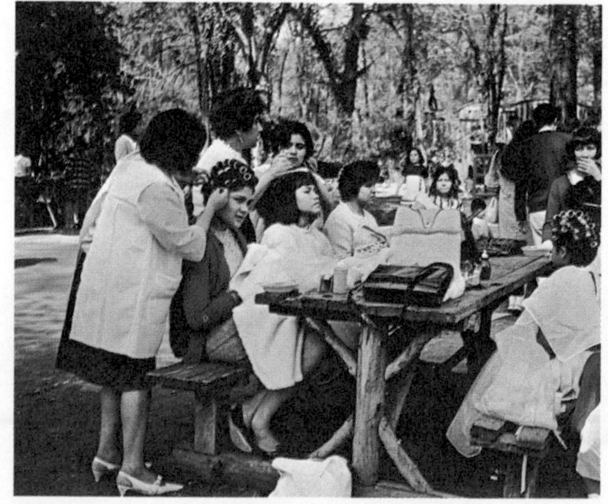

Girls learn to be beauticians in this open-air class in Mexico City.

A rural school in Guatemala. The need for more efficient farmers and a growing interest in mass education has prompted the establishment of rural schools in many Latin American countries.

The University of Salamanca, established in 1230, was for many centuries one of the principal seats of learning of the western world.

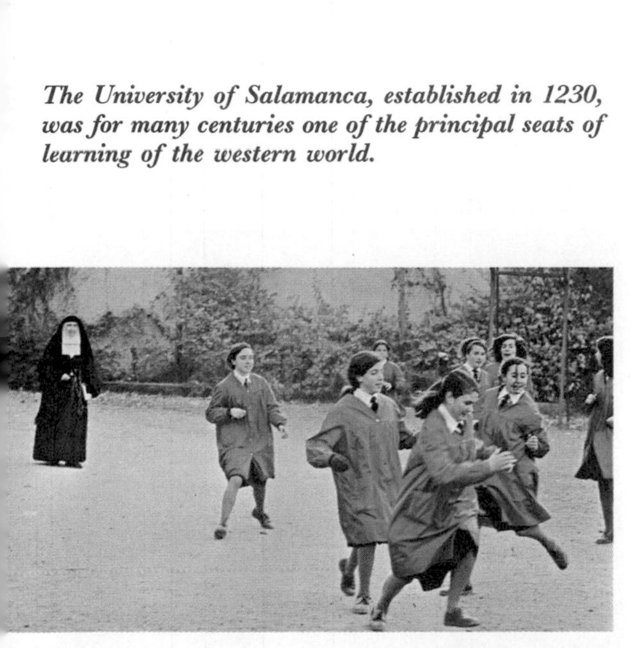

A Catholic school in Spain. Most private schools in Spain and in Latin America are run by the Church.

A modern classroom in Lima. Children in Spanish-speaking countries typically wear uniforms to school.

Age-old techniques compete with modern machinery in many phases of production.

Marketing produce in open-air stalls in Ecuador.

People at Work

A synthetic fiber plant in Colombia.

Agriculture remains by far the most important form of economic activity in Latin America and Spain. In some countries, mining and oil production are also important. Industry is growing rapidly. Mexico, Argentina, and Chile are self-sufficient in a large number of manufactured products, and other nations are making intensive efforts to develop both heavy and light industry.

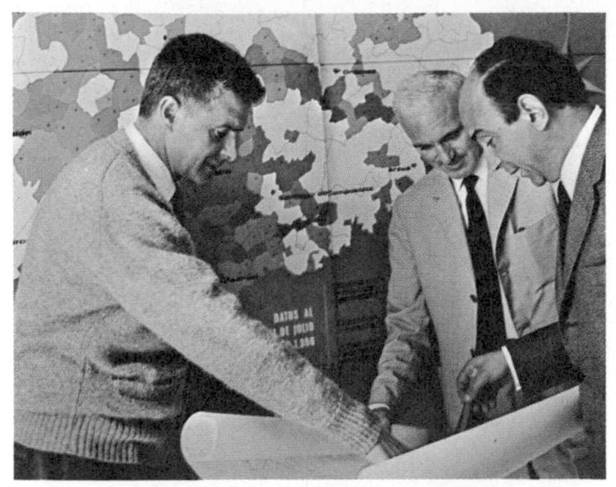

Architects and city planners discuss a project.

Girls sorting olives in the southwestern part of Spain. The olive industry is one of Spain's main sources of agricultural wealth.

Indian laborers picking coffee on a plantation in Guatemala. Coffee is grown extensively in Colombia and in Central America.

Mexico is one of the world's leading suppliers of silver. Here, a Mexican artisan makes silver ornaments.

An Indian festival in the Andes.

Boys playing soccer in Uruguay. Soccer is widely played by amateurs as well as professionals.

An opera crowd during intermission. Latin America has produced internationally famous celebrities in the field of classical music, including the pianists Claudio Arrau of Chile and Jesús María Sanromá of Puerto Rico, and the composer Alberto Ginastera of Argentina.

Leisure Time

Skiing is a popular sport in Chile. Here, some skiers relax in a ski lodge at Farellones.

Indian music and dances highlight this carnival at Copacabana, Bolivia.

Leisure activities reflect a variety of influences and ways of life in the Spanish-speaking world. Sophisticated European sports contrast with colorful festivals revealing a rich folk heritage. The arts are of increasing importance. Music, painting, and literature often combine European and native American elements.

A polo match in Buenos Aires. Polo has long been a favorite among Argentina's upper classes.

Religion

A golden altar dating from the mid-eighteenth century. The Colonial period produced some of Spanish America's most impressive religious art.

nodern church in San Salvador.

School girls with nuns in Spain. A very large percentage of the schools in Spain are run by the Church. Most schools in Latin America, however, are state-controlled.

he great majority of Spaniards and tin Americans are Catholic. Religion an important part of the daily life a large number of Spanish-speaking ople, and the Church plays a signifi- it role in politics and education in ain and many Latin American coun- es. Some Spanish-Americans are otestants, and both Buenos Aires and exico City have sizable Jewish popu- ions.

Indians attend mass in an Andean village near Cuzco, Peru.

owds stroll through the plaza after Mass in irgos, Spain.

45
CUIDADO CON EL PERRO

UNIT 8

BASIC DIALOG

A la hora de almuerzo

LA SEÑORA	¡Qué temprano viene el correo! ¿Qué hora es, don Chico?
EL CARTERO	Son las doce, según mi reloj. Aquí tiene.
LA SEÑORA	¿Sólo esto? ¿No hay cartas?
EL CARTERO	No, señora, eso es todo. Lo siento.
LA SEÑORA	Gracias. Con permiso[1], ya oigo a mi hijo.
LUISITO	¡Tengo mucha hambre! Mami, ¿conoces a Toni?
LA SEÑORA	Sí. ¡Hola, Toni! Y tú, ¿qué traes en esa bolsa?
LUISITO	Nada. Toni va a almorzar aquí.
LA SEÑORA	Bueno, ¿y qué tienes en la bolsa?
LUISITO	Una culebra. ¿Por qué pones esa cara, mami?

At Lunch Time

THE LADY	The mail is certainly early! (How early comes the mail!) What time is it, don Chico?
THE MAILMAN	It's twelve o'clock, according to my watch (clock). Here you are (you have).
THE LADY	Only this? Aren't there any letters?
THE MAILMAN	No, ma'am, that's all. I'm sorry. (It I regret.)
THE LADY	Thanks. Excuse me (with permission), I hear my son now.
LUISITO	I'm very hungry! (I have much hunger!) Mom, do you know Toni?
THE LADY	Yes. Hi, Toni! And you, what do you have (bring) in that bag?
LUISITO	Nothing. Toni's going to have lunch here.
THE LADY	All right, and what do you have in the bag?
LUISITO	A snake. Why are you making (putting) that face, mom?

[1] **Con permiso** is used in some situations where in English we would say *excuse me*—principally in leave-taking or in passing someone.

◀ ***A maid chats with the mailman. It is usual for families to have one or more servants.***

Supplement

¿Qué hora es? Es la una en punto.	What time is it? It's exactly one o'clock. (It's one on the dot.)
Es la una y diez.	It's one ten.
Es la una y cuarto.	It's a quarter past one.
Es la una y veinticinco.	It's one twenty-five.
Es la una y media.	It's half past one.
Son las dos menos cuarto.	It's a quarter to two.
Son las dos menos cinco.	It's five to two.
Es la hora del desayuno.	It's breakfast time.
Ya sale mi hijo.	My son is leaving (going out) now.

Tengo mucha sed.	I'm very thirsty. (I have much thirst.)
mucho frío	very cold (much cold)
mucho calor	very warm (much heat)
¿Qué hay de comer? Carne.	What's there to eat? Meat.
Huevos.	Eggs.
Ensalada.	Salad.
Papas fritas.	French fries. (potatoes fried)
Pan y mantequilla.	Bread and butter.
Helado.	Ice cream.
¿Qué hay de tomar? Leche.	What's there to drink (take)? Milk.
Café.	Coffee.
Agua fría.	Cold water.
Té caliente[2].	Hot tea.
Toni va a desayunar allí.	Toni is going to have breakfast there.
cenar	have dinner
¿Reconoces a Toni?	Do you recognize Toni?
Entiendes	understand
Prefieres	prefer

[2]**Caliente** is an adjective, while **calor** is a noun: **El café está muy caliente,** but **Tengo mucho calor.**

BASIC FORMS

Verbs

almorzar (ue)	*oír	*sentir
cenar	*poner	*tener
*conocer	*preferir	tomar
desayunar	*reconocer	*traer
*entender	*salir	*venir

Nouns

café *m.*	agua *f.*[3]
calor *m.*	carne *f.*
pan *m.*	hambre *f.*[3]
reloj *m.*	leche *f.*
té *m.*	sed *f.*

Vocabulary Exercises

1. QUESTIONS

1. ¿Viene el correo tarde o temprano?
2. ¿Cómo se llama el cartero?
3. ¿Qué hora es según el reloj del cartero?
4. ¿A qué hora empieza esta clase?
5. ¿Qué hora es según su reloj?
6. ¿A qué hora es el recreo?
7. ¿Tiene el cartero cartas para la señora?
8. ¿Quién viene después?

2. DIALOG RECALL

correo
una en punto
reloj
cartas
todo
siento
hijo

---

3. QUESTIONS

1. ¿Cómo se llama el hijo de la señora?
2. ¿Quién dice que tiene hambre?
3. ¿Tiene usted hambre ahora?
4. ¿Tiene sed?

(*continued*)

[3]Even though **agua** and **hambre** are feminine, the form of the singular definite article which is used with them is **el: el agua,** but **las aguas frías; el hambre,** but **mucha hambre.** The same is true of all feminine nouns whose first sound is stressed [a].

(*continued*)

5. ¿Cómo se llama el amigo de Luisito?
6. ¿Va a cenar Toni con Luisito?
7. A propósito, ¿a usted qué le gusta comer para el desayuno? ¿para el almuerzo? ¿para la cena?
8. ¿Qué le gusta tomar? ¿leche? ¿té? ¿café?
9. ¿A qué hora almuerza usted?
10. ¿A qué hora desayuna?
11. ¿Qué tiene Luisito en la bolsa?
12. ¿Está la señora contenta con la culebra?

4. FREE COMPLETION

1. Tengo mucha ______.
2. ¿Almorzamos en ______?
3. No me gusta tomar ______.
4. Todavía no es la hora de ______.
5. ¿En la bolsa? Sólo tengo una ______.

5. REJOINDERS

Aquí viene el correo.
Tengo mucha hambre.
¡Hola, Toni!

A market in Mexico City. Farmers from outlying areas bring their produce to the city to sell.

GRAMMAR

Stem Alternation: e-ie
e-*Class and* i-*Class Verbs*

PRESENTATION

Quiero unos discos.
Queremos unos discos.

¿**Prefieres** a Toni?
¿**Preferimos** a Toni?

Is the stem stressed or unstressed in each one of the verb forms? What is the vowel sound in the stem when stressed? How is the sound written? What is the vowel sound in the stem when unstressed? How is the sound written? Do **e**-class and **i**-class verbs with **e-ie** stem alternation follow the same pattern as **a**-class verbs like **pensar**?

GENERALIZATION

1. Some **e**-class and **i**-class verbs have the same alternation in their stems between unstressed e and stressed **ie** [ye] as **a**-class verbs like **pensar.**

Stressed Stem	*Unstressed Stem*
quiero	**querer**
quieres	**queremos**
quiere	
quieren	
prefiero	**preferir**
prefieres	**preferimos**
prefiere	
prefieren	

2. Other verbs like **querer** and **preferir** are **entender** and **sentir.**

STRUCTURE DRILLS

6. PATTERNED RESPONSE

¿Entiende eso?	Claro, debe entender eso.
¿Prefiere eso?	Claro, debe preferir eso.
¿Siente eso?	Claro, debe sentir eso.
¿Quiere eso?	Claro, debe querer eso.
¿Entiende eso?	Claro, debe entender eso.

7. PERSON-NUMBER SUBSTITUTION

1. No quieren almorzar aquí.	No quieren almorzar aquí.
(yo)	No quiero almorzar aquí.
(usted)	No quiere almorzar aquí.
(nosotros)	No queremos almorzar aquí.
(tú)	No quieres almorzar aquí.
(ella)	No quiere almorzar aquí.
(Susana y yo)	No queremos almorzar aquí.

2. Sólo entiende alemán.
(yo–tú–él–ustedes–nosotros–Juan y María)

3. Prefiero llegar temprano.
(nosotros–ellas–usted–él y yo–tú–Juan)

8. PAIRED SENTENCES

Quiere cenar ahora.	Quiere cenar ahora.
(nosotros)	Queremos cenar ahora.
(él)	Quiere cenar ahora.

¿Entiendes el problema?
(nosotros)
(tú)

Lo siento mucho.
(nosotros)
(yo)

Prefieren almorzar en el restaurante.
(nosotros)
(ellos)

9. SINGULAR → PLURAL

No quiero comer en ese restaurante. — No queremos comer en ese restaurante.
Prefiero almorzar aquí.
No entiendo a ese chico.
Lo siento mucho.
No quiero ir contigo.

10. FREE RESPONSE

¿Entiende usted francés?
¿Usted prefiere hablar inglés o español?
Y ustedes, ¿qué prefieren hablar?
¿Entiende usted español bien o un poco solamente?
¿Quieren ustedes almorzar ahora?
¿Qué prefiere usted comer para el desayuno, huevos fritos o carne?
¿Qué prefiere usted comer para la cena?
Mañana hay un examen. ¿Ustedes lo sienten o están contentos?
Cuando usted tiene calor, ¿qué prefiere tomar, té frío o caliente?

11. WRITING EXERCISE

Write the responses to Drills 7.2, 7.3, and 9.

allí *and* haber

GENERALIZATION

1. In English, *there* is used two ways: to indicate location, meaning *that place;* and—followed by a form of *be*—to indicate the presence or occurrence of something.

   John is there. (location)
   There has to be more food. (More food must be present.)

2. Spanish has separate equivalents for these two uses of *there.*

   a. If *there* indicates location, it is expressed by **allí.**

   Juan está allí.
   John is there.

   b. If *there* + *be* indicates presence, it is expressed by the irregular verb **haber.**

   Tiene que haber más comida.
   There has to be more food.

One present tense form of **haber, hay,** corresponds to both *there is* and *there are.*

Hay un reloj en la mesa.
There is a clock on the table.

¿No hay cartas?
Aren't there any letters?

Both **allí** and a form of **haber** may occur in the same sentence:

Hay culebras allí.

STRUCTURE DRILLS

12. PAIRED SENTENCES

Allí está el reloj.	Allí está el reloj.
(Over) there there is a clock.	Allí hay un reloj.
There is the clock.	Allí está el reloj.

El cartero está allí.
There is a mailman there.
The mailman is there.

Allí están las bolsas.
There are some bags there.
There are the bags.

¿Está el restaurante allí?
Is there a restaurant there?
Is the restaurant there?

13. DIRECTED DIALOG

Pregúntele a *tía Luisa* que hay de comer.	¿Qué hay de comer?
Tía Luisa, diga que hay huevos con papas fritas.	Hay huevos con papas fritas.
Diga que usted no quiere comer eso.	Yo no quiero comer eso.
Tía Luisa, diga que usted lo siente mucho.	Lo siento mucho.
Diga que usted prefiere carne con ensalada.	Prefiero carne con ensalada.
Tía Luisa, dígale que hay un restaurante muy bueno en la esquina.	Hay un restaurante muy bueno en la esquina.

14. WRITING EXERCISE

Write the responses to Drill 12.

Demonstrative Adjectives

PRESENTATION

¿Puedo ver este **periódico?**
¿Puedo ver estos **periódicos?**

Esta **blusa** es muy linda.
Estas **blusas** son muy lindas.

What word meaning *this* is used with masculine singular nouns? with masculine plural nouns? What word meaning *this* is used with feminine singular nouns? with feminine plural nouns?

Excepto ese **chico.**
Excepto esos **chicos.**

¿Qué traes en esa **bolsa?**
¿Qué traes en esas **bolsas?**

What word meaning *that* is used with masculine singular nouns? with masculine plural nouns? What word meaning *that* is used with feminine singular nouns? with feminine plural nouns?

GENERALIZATION

1. The English and Spanish demonstrative adjectives are shown in the following chart:

		Singular	*Plural*
this/these	MASCULINE	este (chico)	estos (chicos)
	FEMININE	esta (chica)	estas (chicas)
that/those	MASCULINE	ese (chico)	esos (chicos)
	FEMININE	esa (chica)	esas (chicas)

2. In Spanish, the demonstrative adjectives agree in gender and number with the noun they modify.

STRUCTURE DRILLS

15. ITEM SUBSTITUTION

1. No quiero comer esta carne. — No quiero comer esta carne.
   ______ helado. — No quiero comer este helado.
   ______ papas. — No quiero comer estas papas.
   ______ huevos. — No quiero comer estos huevos.
   ______ ensalada. — No quiero comer esta ensalada.
   ______ pan. — No quiero comer este pan.

2. ¿Adónde vas con ese libro?
   (cartas–comida–periódicos–diccionario–bolsa)

16. FREE COMPLETION

No queremos tomar este ______.
¡Qué bonitos son estos ______!
No me gusta esta ______.
¿Son inteligentes esos ______?
¿Quieres comer estas ______?

17. PATTERNED RESPONSE

¿Es nuevo ese reloj? — ¿Este reloj? No, no es nuevo.
¿Es francesa esa corbata?
¿Son caros esos libros?
¿Es bueno ese diccionario?
¿Son italianas esas camisas?
¿Está caliente ese café?
¿Está fría esa agua?

18. PROGRESSIVE SUBSTITUTION

Esa maestra es muy distraída.
Ese ______.
___ alumnos ______.
______ listas.
Esta ______.
___ chicos ______.
______ perezoso.
Estas ______.
___ señor ______.
______ antipáticos.

19. FREE SUBSTITUTION

¿Almuerza usted con ese chico?

20. WRITING EXERCISE

Write the responses to Drills 15.2, 17, and 18.

The Neuter Demonstratives esto *and* eso

GENERALIZATION

Masculine	*Feminine*	*Neuter*
este, estos	**esta, estas**	**esto**
ese, esos	**esa, esas**	**eso**

1. Masculine and feminine demonstrative adjectives modify nouns, and agree in gender and number with the nouns they modify. **Esto** and **eso** never modify a noun, and thus never show number or gender agreement. The word neuter is used simply to indicate that these demonstratives do not belong to any gender class.

   a. If a noun is present, a masculine or feminine demonstrative is used.

   No quiero comer este huevo.
   Esa cosa es buena.

   b. If no noun is present, a neuter demonstrative is used.

   No quiero comer esto.
   Eso es bueno.

2. Three situations commonly require the use of neuter demonstratives:

   a. When the speaker does not know what something is.

   ¿Qué es esto?

b. To identify a previously unidentified object.

Eso es un huevo.

c. To refer to situations, ideas, and actions which are not associated with any particular noun from which the demonstrative may receive gender.

Hay un examen mañana. No, eso no es verdad.

STRUCTURE DRILLS

21. ENGLISH CUE DRILLS

1. ¿Qué es eso? ¿Helado?
   What's that? Water?
   What's that? Tea?
   What's that? Milk?
   What's that? Bread and butter?
   What's that? Ice cream?

2. ¿Esto? Es café.
   This? It's meat.
   This? It's food.
   This? It's salad.
   This? It's tea.
   This? It's coffee.

22. PAIRED SENTENCES

Esto es difícil.
This exam is difficult.
This is difficult.

Esto es difícil.
Este examen es difícil.
Esto es difícil.

¿Qué es eso?
What's that thing?
What's that?

Sólo tengo esto.
I only have these letters.
I only have this.

23. FREE RESPONSE

¿Es esto un sombrero?
¿Qué es esto?
Y eso, ¿qué es? ¿un libro?
¿Es bueno ese libro?
¿Es nueva esa camisa? ¿y esos pantalones?
¿Quién es ese chico?
Y esas chicas, ¿quiénes son?
¿De qué color es esta blusa? ¿y esta falda?
¿y esos guantes? ¿y esas medias? ¿y esto?
¿Qué estudiamos en esta clase?
¿Estudiamos francés en esta clase?
¿De quién son estos libros?
¿Está en español o en inglés este periódico?
¿Cómo se llama esa chica?

24. WRITING EXERCISE

Write the responses to Drills 21.1, 21.2, and 22.

Verbs with Stem Irregularities: conocer, poner, salir

PRESENTATION

Conozco a Toni.
Conoces a Toni.
Conoce a Toni.
Conocemos a Toni.
Conocen a Toni.

Which form of **conocer** is irregular? What sound is added to the stem of the first person singular? How is the spelling affected by this change?

Ya **salgo.**
Ya **sales.**
Ya **sale** mi hijo.
Ya **salimos.**
Ya **salen** mis hijos.

Which form of **salir** is irregular? What sound is added to the stem of the first person singular?

GENERALIZATION

conocer, PRESENT TENSE		
	Singular	*Plural*
1	**conoz c – o**	**conoc e mos**
2	**conoc e s**	**conoc e n**
3	**conoc e –**	

1. Certain verbs add the sound [k] (spelled c) to the stem of the first person singular. The other forms are regular.

   The letter z in **conozco** is simply a spelling convention; the sound remains [s]. **Reconocer** follows the same pattern as **conocer.**

poner, PRESENT TENSE		
	Singular	*Plural*
1	**pon g – o**	**pon e mos**
2	**pon e s**	**pon e n**
3	**pon e –**	

salir, PRESENT TENSE		
	Singular	*Plural*
1	**sal g – o**	**sal i mos**
2	**sal e s**	**sal e n**
3	**sal e –**	

2. Certain verbs add the sound [g] to the stem of the first person singular. The other forms are regular.

STRUCTURE DRILLS

25. PERSON-NUMBER SUBSTITUTION

1. No conoce al Sr. López. — No conoce al Sr. López.
   (mi hermano y yo) — No conocemos al Sr. López.
   (usted) — No conoce al Sr. López.
   (yo) — No conozco al Sr. López.
   (Susana y él) — No conocen al Sr. López.
   (tú) — No conoces al Sr. López.

2. Pone las cartas aquí.
   (el cartero–yo–tú–los chicos–nosotros)

3. Salen temprano hoy.
   (Toni y yo–usted–yo–los alumnos–tú)

26. WRITING EXERCISE

Write the responses to Drills 25.2 and 25.3.

Verbs with Stem Irregularities: traer, oír

GENERALIZATION

1. **Traer** adds **ig** to the stem of the first person singular. The other forms are regular.

traer, PRESENT TENSE		
	Singular	*Plural*
1	**tra ig – o**	**tra e mos**
2	**tra e s**	**tra e n**
3	**tra e –**	

Traigo has two syllables: [tray-go].

2. **Oír** adds **ig** to the stem of the first person singular, and **y** to the stem of all the other forms, except the first person plural.

oír, PRESENT TENSE		
	Singular	*Plural*
1	**o ig – o**	**o í mos**
2	**o y e s**	**o y e n**
3	**o y e –**	

Oigo has two syllables: [oy-go].

STRUCTURE DRILLS

27. PERSON-NUMBER SUBSTITUTION

1. ¿Qué traen a la fiesta? — ¿Qué traen a la fiesta?
   (tú) — ¿Qué traes a la fiesta?
   (yo) — ¿Qué traigo a la fiesta?
   (él) — ¿Qué trae a la fiesta?
   (nosotros) — ¿Qué traemos a la fiesta?
   (Pedro y tú) — ¿Qué traen a la fiesta?

2. No oye el reloj.
   (yo–ustedes–el maestro–Susana y yo–tú)

28. PLURAL → SINGULAR

No conocemos Canadá. — No conozco Canadá.
¿Ponemos el correo aquí?
Salimos a las ocho y cuarto.
No oímos nada.
No reconocemos este lugar.
Traemos algo para Luisito.

29. SINGULAR → PLURAL

¿Dónde pongo el libro? — ¿Dónde ponemos el libro?
No reconozco esa cara.
Oigo al cartero.
Salgo ahora.
Traigo un regalo en esta bolsa.
No conozco a don Chico.

30. FREE RESPONSE

¿A qué hora sale usted para la escuela? ¿a las ocho y media?
¿Conoce usted a este chico? ¿Cómo se llama?
¿Qué trae usted a la escuela?
¿Qué traen ustedes a esta clase?
¿Qué pone el maestro en la mesa?
¿Reconocen ustedes este periódico? ¿Es un periódico en español o en inglés?
¿A qué hora salen ustedes de la escuela?
¿Sabe a qué hora salgo yo?
¿Conoce usted a la maestra de francés?

31. WRITING EXERCISE

Write the responses to Drills 27.2, 28 and 29.

Verbs with Stem Irregularities: tener, venir

GENERALIZATION

Tener and **venir** have two irregularities: they add g to the stem of the first person singular, and the stem vowel alternates between unstressed e and stressed ie, except in the irregular first person singular.

tener, PRESENT TENSE		
	Singular	*Plural*
1	ten g – o	ten e mos
2	tien e s	tien e n
3	tien e –	

venir, PRESENT TENSE		
	Singular	*Plural*
1	ven g – o	ven i mos
2	vien e s	vien e n
3	vien e –	

STRUCTURE DRILLS

32. PERSON-NUMBER SUBSTITUTION

1. Tienen mucho dinero. — Tienen mucho dinero.
   - (yo) — Tengo mucho dinero.
   - (tú) — Tienes mucho dinero.
   - (Juan y yo) — Tenemos mucho dinero.
   - (el maestro) — Tiene mucho dinero.
   - (María y ella) — Tienen mucho dinero.
2. Viene a las doce en punto.
   (ellos–Susana y yo–ella–ustedes–yo)

33. PATTERNED RESPONSE

¿Quiere Juan comer ahora? — Sí, tiene mucha hambre.
¿Quieres tú comer ahora?

(*continued*)

(continued)

¿Quieren los chicos comer ahora?
¿Quieren ustedes comer ahora?
¿Quiere don Chico comer ahora?

34. ENGLISH CUE DRILLS

1. Tenemos mucho calor.
   He's very thirsty.
   I'm very cold.
   They're very hungry.
   We're very warm.

2. Tengo que desayunar ahora.
   We have to have dinner now.
   They have to leave now.
   He has to have lunch now.
   You have to study now. (*tú*)
   I have to have breakfast now.

35. FREE RESPONSE

¿A qué hora vienen ustedes a la escuela?
¿Qué toma usted cuando tiene sed?
¿Tiene sed ahora?
¿Qué come usted cuando tiene hambre?
¿Cuáles días vienen los alumnos a la escuela?
¿Cuáles días no vienen?
¿Tiene usted frío ahora? ¿Tiene calor?

36. CHAIN DRILL

Pregúntele a *Juan* cuántos años tiene.
¿Cuántos años tienes?

Juan, dígale cuántos años tiene y pregúntele a *María* cuántos años tiene ella.
Tengo ______ años. Y tú, María, ¿cuántos años tienes?

María, dígale cuántos años tiene y pregúntele a *Camilo* cuántos años tiene él.
Tengo ______ años. Y tú, Camilo, ¿cuántos años tienes?

37. WRITING EXERCISE

Write the responses to Drills 32.2, 33, 34.1, and 34.2.

Writing

1. MULTIPLE ITEM SUBSTITUTION

MODEL Yo no entiendo a ese chico.
Mamá / leer / periódico
Mamá no lee ese periódico.

1. Toni vive en esa esquina.
   mis amigos y yo / almorzar / restaurante
2. Esos señores no hablan inglés.
   chica / entender / español
3. ¿Qué quiere usted, este periódico o esos libros?
   preferir / falda / vestido
4. ¿Quién es ese señor pelirrojo, el cartero?
   señora / trigueño / macstra
5. Juanito, ¿qué tienes en ese álbum?
   Sr. Castro / traer / bolsa
6. ¡Qué temprano llegan las maestras!
   tarde / venir / cartero
7. La señora no ve el periódico.
   yo / oír / maestro

2. DIALOG COMPLETION

Copy the following dialog, filling in each of the blank spaces with the appropriate form of one of the verbs listed below. You may use the same verb more than once.

poner	tener	querer	traer
entender	conocer	venir	oír

—¡Qué temprano ___1___ usted, don Chico!
—Yo siempre ___2___ a las once, señora.
—¿___3___ algo para nosotros? Con permiso, don Chico, ___4___ a mi hijo.
—¿Qué hay de comer, mami? Toni y yo ___5___ mucha hambre. Tú ___6___ a Toni, ¿verdad, mami?
—Claro, yo ___7___ a todos tus amigos. ¿Qué ___8___ comer ustedes?
—¡Helado con papas fritas! ¿Por qué ___9___ esa cara?
—¡Ay, caramba, yo no ___10___ a estos chicos!

RECOMBINATION MATERIAL

Dialogs

I

EL SEÑOR	Señorita, ¿sabe usted dónde está el Cine California?
LA SEÑORITA	No, lo siento. No tengo la menor idea.
EL SEÑOR	El cine donde dan películas americanas.
LA SEÑORITA	Ah sí, creo que está en la esquina del Parque Colón.
EL SEÑOR	Gracias, señorita.

QUESTIONS

1. ¿Qué quiere saber el señor?
2. ¿Sabe la señorita dónde está el Cine California?
3. ¿Qué dice ella?
4. ¿Cuáles películas dan en el Cine California?
5. ¿Dónde cree la señorita que está el cine?

II

TONI	¡Caramba! Ya son las once y media.
LUIS	¡Qué tarde! El partido empieza a la una.
TONI	¡Y todavía tenemos que almorzar!
LUIS	Yo no tengo hambre. ¿Y tú?
TONI	Tampoco.
LUIS	Mejor. Después comemos algo en el estadio.

QUESTIONS

1. ¿Qué hora es?
2. ¿Adónde van los dos chicos?
3. ¿A qué hora empieza el partido?
4. ¿Almuerzan Toni y Luis? ¿Por qué no?
5. Entonces, ¿cuándo comen? ¿Dónde?

III

EL HIJO	¿Qué tienes en esa bolsa, mami?
LA MADRE	Nada.
EL HIJO	¿Algo para la casa?
LA MADRE	No, nada.
EL HIJO	¿Un regalo para mí?
LA MADRE	Mmm, tal vez. . .
EL HIJO	¿Unos discos?
LA MADRE	No, una camisa nueva. Aquí tienes.

REJOINDERS

A ver si adivinas qué tengo en esta bolsa.

Narrative

Lunes: día feo

¿Qué oigo? ¿Es el radio*? Ah no, es el reloj de la catedral* . . . (¡TLONG!) . . . creo que es temprano todavía; a ver . . . (¡TLONG!) . . . (¡TLONG!) cinco . . . las cinco, qué bueno, es temprano todav . . . (¡TLONG!) (¡TLONG!) . . . ¡ay, caramba!
5 siete, ¡son las siete! ¡Imposible*! ¡Qué tarde! ¡Lunes! ¡Las siete de la mañana! ¡Escuela! ¡Examen de geografía*! ¡Qué horrible*! ¡Y no sé nada, ab-s-olu-ta-men-te* nada! ¡Examen con don Pedro, el maestro más estricto* del mundo! No, imposible, no puedo ir a la escuela hoy, estoy enfermo, tengo temperatura*. Yo sé que no sé
10 nada . . . a ver: ¿la capital* de Brasil*? Este . . . este . . . ¡Río de Janeiro! . . . No no no, no es Río de Janeiro, ahora tienen otra nueva, ¿cómo se llama? . . . no recuerdo. ¿Los productos* principales* de Colombia? No tengo la menor idea. No, no puedo ir a la escuela, tengo una temperatura muy alta . . . Ay, caramba, aquí
15 viene mamá.

—Buenos días, hijo . . . ¡Qué! Luis, ¿sabes qué hora es? Vas a llegar tarde a la escuela. ¡Vamos, apúrate!

—Mami . . . este . . .

—Ajá, ya sé, tienes temperatura. Todos los lunes estás en-
20 fermo. ¡No, señor! ¡Perezoso! ¡Apúrate! ¡Vamos!

—Pero mami . . .

—¡In-me-dia-ta-men-te*!

—Pero mami . . .
—¡NO! Tienes que ir a la escuela, ¿entiendes?
25 —Sí, mami.

(más tarde, en el comedor)

—¡Hmm, qué guapo estás con esos pantalones nuevos!
—. . . Mm . . .
—¿Quieres más café?
30 —Mm-mm.
—¿Mm-mm sí o mm-mm no?
—No.
—Hoy vienes a almorzar temprano, ¿no? ¿ah, Luisito? ¡Luisito! ¿En qué piensas?
35 —¿Mm? Mami, ¿tú sabes cómo se llaman todos los estados de los Estados Unidos?
—Claro, muy fácil: Nueva York, California . . . Tejas . . . este . . . Miami . . .

A cathedral dating from the Colonial period is a familiar sight in many Spanish American cities.

—Miami no es un estado.

40 —¡Arizona! . . . California . . . este . . . Nueva York . . . Arizona . . . este . . . Arizona . . .

—Hasta luego, mami.

QUESTIONS

1. ¿Qué día es, en la narración?
2. ¿Qué oye Luis, el radio?
3. ¿Qué cree Luis cuando oye el reloj de la catedral?
4. ¿Qué hora es?
5. ¿Qué pasa hoy en la escuela?
6. ¿Cómo se llama el maestro de geografía?
7. ¿Cómo es don Pedro?
8. ¿Por qué dice Luis que está enfermo?
9. ¿Sabe él cuál es la capital de Brasil?
10. ¿Tiene idea de cuáles son los productos principales de Colombia?
11. ¿Por qué no puede ir a la escuela, según él?
12. ¿Quién viene al dormitorio?
13. ¿Qué pasa todos los lunes, según la mamá?
14. ¿Dice la mamá que él tiene que ir a la escuela?
15. ¿Dónde desayunan, en la cocina o en el comedor?
16. ¿Por qué está Luis tan guapo hoy, según la mamá?
17. ¿Quiere él más café?
18. ¿Entiende la mamá cuando él contesta?
19. ¿Qué quiere saber el hijo?
20. ¿Sabe la mamá cómo se llaman todos los estados?
21. ¿Cómo es el lunes, un día bonito?

Conversation Stimulus

You and your friend have a geography test and neither one of you is prepared. What do you say to each other?

Start like this: ¡Caramba! Mañana ______________
Yo no ________________________
¿Tú sabes cuál es la capital de ____
________ ¿Cuáles son los productos principales de ________________
____

UNIT 9

BASIC DIALOG

Unas vacaciones[1] en Perú

SR. RAMOS A ver si sabes cuál es la capital de Perú.
HIJA ¡Lima! Aquí está en el mapa.
SR. RAMOS Creo que vamos a hacer un viaje allá[2]. ¿Qué te parece la idea?
HIJA Me encanta. ¿De veras? ¿Cuándo?
SR. RAMOS A fines de agosto, y volvemos en septiembre.

HIJA ¿Cómo es Lima, papi? ¿Es verdad que allá nunca llueve?
SR. RAMOS Sí, el clima es muy bueno; no hace ni frío ni calor.
HIJA ¡Mañana le cuento a todo el mundo!

A vacation in Peru

MR. RAMOS Let's see if you know (which is) the capital of Peru.
DAUGHTER Lima! Here it is on the map.
MR. RAMOS I think we're going to take (make) a trip there. What do you think of the idea? (How to you seems the idea?)
DAUGHTER I love it. (To me it delights.) Really? When?
MR. RAMOS Towards the end of August, and we'll come back in September.

DAUGHTER What's Lima like, dad? Is it true it never rains there?
MR. RAMOS Yes, the climate is very nice; it's neither cold nor hot. (It makes neither cold nor heat.)
DAUGHTER Tomorrow I'll tell everybody (all the world)!

---

[1] **Vacación** is normally used in the plural.

[2] **Allá** is used to refer to a more distant point than **allí,** and is more vague in reference.

◀ ***Crowds flock to this beach area near Lima, once reserved for the very wealthy.***

Supplement

¿Vas a pasar las vacaciones en España?

Are you going to spend your vacation in Spain?

A principios de enero.
febrero
marzo
abril
mayo
junio

At the beginning of January.
February
March
April
May
June

A mediados de julio.
agosto
septiembre
octubre
noviembre
diciembre

Around the middle of July.
August
September
October
November
December

Volvemos el primero[3] de septiembre.
dos
tres

We'll return on September first.
second
third

¿En qué mes estamos?

What month is this?

¿Qué fecha es hoy?

What's the date today?

Mañana le pregunto a todo el mundo.

Tomorrow I'll ask everyone.

Allá hace buen tiempo.
mal

The weather is nice there.
bad

Voy a viajar en tren.
barco
bicicleta
autobús
avión

I'm going to travel by train.
boat
bicycle
bus
plane

Tu mamá trabaja mucho.
duerme

Your mother works a lot.
sleeps

21	22	23	24	25	26
veintiuno,	veintidós,	veintitrés,	veinticuatro,	veinticinco,	veintiséis,

[3] Except for **primero,** the cardinal numbers are used for the date in Spanish.

27	28	29	30	31	32
veintisiete,	veintiocho,	veintinueve,	treinta,	treinta y uno,	treinta y dos,

40	50	60	70	80	90	100	101
cuarenta,	cincuenta,	sesenta,	setenta,	ochenta,	noventa,	cien,	ciento uno

BASIC FORMS

Verbs

contar (ue)	preguntar
*dormir	trabajar
*llover	viajar
parecer (zc)	*volver

Nouns

autobús *m.*	fin *m.*	viaje *m.*
avión *m.*	mapa *m.*	capital *f.*
calor *m.*	mes *m.*	vacaciones *f.pl.*
clima *m.*	tren *m.*	

Vocabulary Exercises

1. QUESTIONS

1. ¿Sabe la hija del Sr. Ramos cuál es la capital de Perú?
2. ¿Cuál es la capital de Perú?
3. Según el Sr. Ramos, ¿dónde van a pasar ellos las vacaciones?
4. ¿Está la hija contenta con la idea?
5. ¿Cuándo va la familia Ramos a Perú?
6. ¿Dónde quiere usted pasar sus vacaciones? ¿en España? ¿en Canadá?
7. ¿Cuándo empiezan las vacaciones aquí? ¿a principios de mayo?
8. ¿En qué mes estamos?
9. ¿Qué día es hoy? ¿lunes?
10. ¿Qué día es mañana?
11. ¿Qué fecha es hoy? ¿primero de mayo?
12. ¿En qué mes empiezan las clases?
13. ¿Cuántos meses hay en el año? ¿Cuáles son?

---

2. QUESTIONS

1. ¿Llueve mucho en Lima, según el Sr. Ramos?
2. ¿Hace mucho calor allá?
3. ¿Hace mucho calor aquí?
4. ¿Hace mucho frío hoy o hace buen tiempo?
5. ¿Cómo está el día hoy? ¿Hace mal tiempo?
6. ¿En qué meses hace frío aquí?
7. ¿A usted le gusta el frío?
8. ¿En qué meses hace calor?
9. ¿Hace buen tiempo ahora?
10. ¿Cuándo hace mal tiempo aquí?
11. Cuando usted viaja, ¿prefiere ir en tren o en avión?
12. Y usted, ¿prefiere viajar en carro o en tren?
13. ¿Trabaja usted? ¿Dónde?

3. FREE COMPLETION

1. ¿Es verdad que allá nunca ______?
2. Lima es ______.
3. Prefiero viajar en ______.
4. Hoy es el veinte de ______.
5. Allá nunca hace ______.

4. NUMBER DRILL

Say the following numbers:
22, 30, 44, 57, 63, 78, 95, 100

A family spends the afternoon boating in one of Lima's lovely parks.

GRAMMAR

Stem Alternation: o-ue
e-*Class and* i-*Class Verbs*

PRESENTATION

Vuelvo en septiembre.
Volvemos en septiembre.

Duerme mucho.
Dormimos mucho.

Is the stem stressed or unstressed in each verb form? What is the vowel sound in the stem when stressed? How is the sound written? What is the vowel sound in the stem when unstressed? How is the sound written?

GENERALIZATION

1. You have already learned that **o** alternates with **ue** [we] in the stems of certain **a**-class verbs. Several **e**-class and **i**-class verbs also have this **o-ue** stem alternation, **o** occurring when the stem is unstressed, **ue** occurring when the stem is stressed.

Stressed Stem	*Unstressed Stem*
vuelvo	**volver**
vuelves	**volvemos**
vuelve	
vuelven	
duermo	**dormir**
duermes	**dormimos**
duerme	
duermen	

2. The infinitives of **e**-class and **i**-class verbs you have learned so far which have this alternation are **llover, poder, volver,** and **dormir.**

STRUCTURE DRILLS

5. PATTERNED RESPONSE

No vuelvo ahora.	¿Cuándo vas a volver?
No duermo ahora.	¿Cuándo vas a dormir?
No puedo ahora.	¿Cuándo vas a poder?
No vuelvo ahora.	¿Cuándo vas a volver?

6. PERSON-NUMBER SUBSTITUTION

1. ¿Vuelve en mayo?	¿Vuelve en mayo?
(yo)	¿Vuelvo en mayo?
(nosotros)	¿Volvemos en mayo?
(tú)	¿Vuelves en mayo?
(ellos)	¿Vuelven en mayo?
(Ana y yo)	¿Volvemos en mayo?
(usted)	¿Vuelve en mayo?

2. No duermo mucho.
   (nosotros–yo–ustedes–mis hermanos y yo–tú–él)

7. PAIRED SENTENCES

¿Puedes ir al baile?	¿Puedes ir al baile?
(nosotros)	¿Podemos ir al baile?
(tú)	¿Puedes ir al baile?

Vuelven el primero de junio.
(nosotros)
(ellos)

Nunca duermo durante el día.
(nosotros)
(yo)

8. FREE RESPONSE

¿Llueve mucho en Lima, según el Sr. Ramos?
¿Cuándo llueve allá?

¿Cuándo va la familia Ramos a Perú? ¿Cuándo vuelve?
¿En qué meses llueve mucho aquí?
¿Llueve ahora?
¿A qué hora vuelven ustedes a casa?
Cuando usted sale con sus amigos los sábados, ¿vuelve a su casa tarde o temprano?
¿Duerme usted mucho?
¿Duerme mucho cuando está enfermo?
Ustedes nunca duermen en esta clase, ¿verdad?

9. WRITING EXERCISE

Write the responses to Drills 6.2 and 7.

ir + a + *Infinitive*

PRESENTATION

Voy a viajar en tren.
¿**Vas a pasar** las vacaciones en España?
Vamos a hacer un viaje allá.

What three parts make up the verb in each of these sentences?

GENERALIZATION

In English we often use a form of the verb *be* + *going to* + an infinitive when referring to an event that will take place in the future.

I am going to travel by train.

The equivalent construction in Spanish consists of a form of the verb **ir** + **a** + infinitive.

Voy a viajar en tren.

STRUCTURE DRILLS

10. PRESENT → ir + a + INFINITIVE

Damos una fiesta esta noche.	Vamos a dar una fiesta esta noche.
Compro las cosas ahora.	

(*continued*)

(*continued*)

Todo el mundo viene.
Empieza a las ocho y media.
Los chicos traen discos.
¿Cómo? ¿Llueve esta noche? ¡Imposible!
Damos una fiesta esta noche.

11. FREE RESPONSE

¿Qué va a hacer la familia Ramos durante las vacaciones?
¿Adónde van a ir el Sr. Ramos y su familia?
¿Cuándo van a empezar el viaje?
¿Cuándo van a volver?
¿Va a hacer un viaje usted durante las vacaciones?
¿Cómo va usted a viajar? ¿en carro?
¿Qué van a hacer ustedes después de la cena? ¿escuchar el radio? ¿estudiar?
¿Qué van a hacer ustedes mañana?

12. WRITING EXERCISE

Write the responses to Drill 10.

Indirect Object Pronouns

PRESENTATION

Mañana **me** cuentan las noticias.
Mañana **te** cuentan las noticias.
Mañana **le** cuentan las noticias.
Mañana **nos** cuentan las noticias.
Mañana **les** cuentan las noticias.

Which word is the indirect object pronoun in each of these sentences? What is the position of the indirect object pronoun in relation to the verb?

GENERALIZATION

1. The Spanish indirect object pronouns are given in the following chart:

	Singular	*Plural*
1	**me**	**nos**
2	**te**	**les**
3	**le**	

2. In English sentences, the indirect object pronoun often occurs before the direct object.

I'm writing him a letter.
He buys me a present.

It may also occur after the direct object, following the prepositions *to* and *for.*

I'm writing a letter to him.
He buys a present for me.

In Spanish, however, the indirect object pronoun occurs immediately before a verb with a person-number ending.

Le escribo una carta. { *I'm writing him a letter.* / *I'm writing a letter to him.* }

Me compra un regalo. { *He buys me a present.* / *He buys a present for me.* }

3. In Spanish, if there is an indirect object noun, there is normally an indirect object pronoun which repeats it. The indirect object noun is always preceded by **a.**

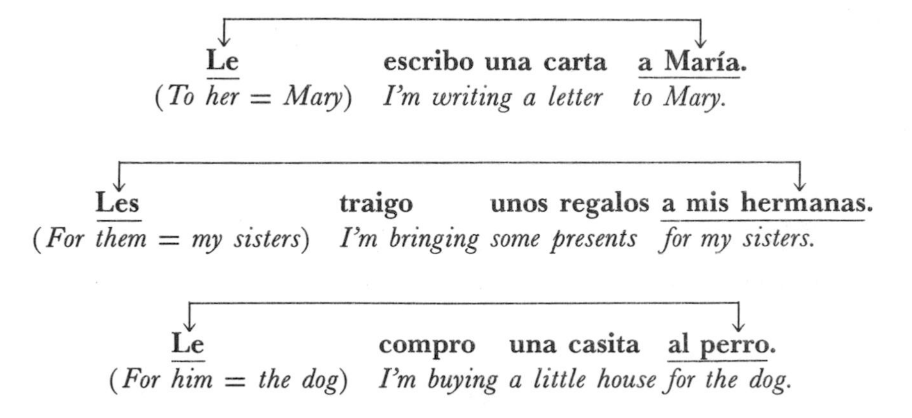

Le escribo una carta a María.
(To her = Mary) I'm writing a letter to Mary.
Les traigo unos regalos a mis hermanas.
(For them = my sisters) I'm bringing some presents for my sisters.
Le compro una casita al perro.
(For him = the dog) I'm buying a little house for the dog.

Thus, in Spanish sentences of this type, the indirect object is actually stated twice, once by the indirect object noun, and again by the indirect object pronoun before the verb.

4. Indirect object pronouns in Spanish are always unstressed. In order to emphasize an indirect object pronoun or to clarify the gender of **le(s)** or **nos,** a + a prepositional pronoun is used.

Le escribo.	*I'm writing to him.*
Le escribo a él.	*I'm writing to him (not her or you).*
Me escribe mucho.	*He writes to me a lot.*
A mí me escribe mucho.	*He writes to me (not us or her) a lot.*

STRUCTURE DRILLS

13. PERSON-NUMBER SUBSTITUTION

1. ¿Por qué no me contesta?	¿Por qué no me contesta?
(a él)	¿Por qué no le contesta?
(a ellos)	¿Por qué no les contesta?
(a nosotros)	¿Por qué no nos contesta?
(a mí)	¿Por qué no me contesta?
(a ti)	¿Por qué no te contesta?

2. Le dan un regalo.
   (a ti–a ellos–a nosotros–a ella–a mí)

3. ¿Qué les compra?
   (a él–a usted–a ti–a nosotros–a mí–a ustedes)

14. ENGLISH CUE DRILLS

1. Nos traen un regalo.	Nos traen un regalo.
They bring us a gift.	Nos traen un regalo.
They bring a gift for us.	Nos traen un regalo.
They bring a gift to us.	Nos traen un regalo.

2. Le escribo una carta.
   I'm writing him a letter.
   I'm writing a letter for him.
   I'm writing a letter to him.

15. PAIRED SENTENCES

Le hablo a él.	Le hablo a él.
I'm speaking to him.	Le hablo.
I'm speaking to him.	Le hablo a él.

Nunca me gritan a mí.
They never yell at me.
They never yell at me.

¿Por qué nos pregunta a nosotros?
Why is he asking us?
Why is he asking us?

16. CUED RESPONSE

1. ¿A quién le escribes?

(a mi mamá)	Le escribo a mi mamá.
(a Juana)	Le escribo a Juana.
(a Juana y a María)	Les escribo a Juana y a María.
(a ti)	Te escribo a ti.

2. ¿A quién le habla el maestro?
   (a Pepe y a Pedro–a mí–a Pepe y a mí–a ustedes)

17. DIRECTED DRILL

Dígale a *Lupe* que usted le trae un regalo.	Te traigo un regalo.
Dígales a *Lupe* y a *Rosa* que usted les trae un regalo.	Les traigo un regalo.
Diga que usted me habla a mí.	Le hablo a usted.
Diga que usted nos habla a *Marta* y a mí.	Les hablo a *Marta* y a usted.
Diga que *Pepe* le lee una carta a usted.	*Pepe* me lee una carta.
Díga que *Pepe* les lee una carta a *Luisa* y a usted.	*Pepe* nos lee una carta a *Luisa* y a mí.

18. PATTERNED RESPONSE

1.

¿Me compra unos discos?	Bueno, le compro dos.
¿Les compra unos discos a mis amigos?	Bueno, les compro dos.
¿Nos compra unos discos?	Bueno, les compro dos.
¿Le compra unos discos a Pedro?	Bueno, le compro dos.

2.

Le traigo algo a usted.	¿De veras? ¿Qué me trae?
Le traigo algo a Juan.	
Les traigo algo a ustedes.	
Les traigo algo a las gemelas.	

19. FREE RESPONSE

Cuando usted sale con sus amigos, ¿su padre le da dinero?
¿Qué le compra usted a su mamá para el Día de la Madre?
¿Su mamá le compra muchas cosas a usted?
¿Cuándo les escribe a sus amigos?
¿Ellos le escriben muchas cartas a usted?
¿Quién les habla en español a ustedes?

20. WRITING EXERCISE

Write the responses to Drills 13.2, 13.3, and 18.2.

More Indirect Object Constructions

GENERALIZATION

1. In Spanish, the indirect object is often used to indicate persons for whom a service (or disservice) is performed. The direct object in such sentences is normally preceded by the definite article in cases where English would require a possessive construction.

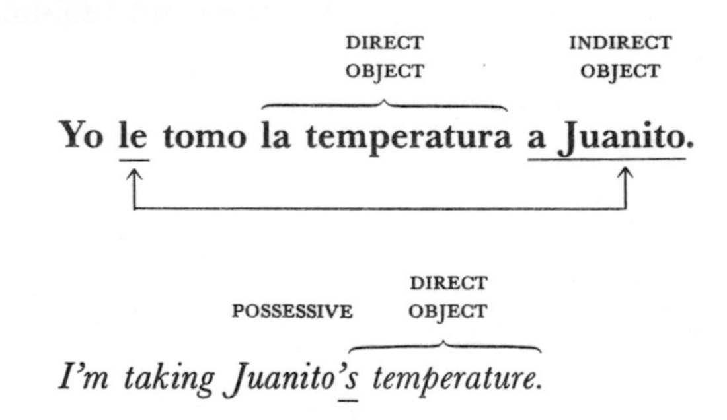

2. Paragraph 1 shows that indirect objects in Spanish are used to indicate persons or things involved in the action of the verb. The kinds of involvement expressed by indirect objects are more varied in Spanish than in English. In fact, with some verbs, such as **comprar,** an indirect object construction may have more than one English equivalent.

Le compro la bicicleta a Juan.

I'm buying the bicycle { *for John.* / *from John.* }

The construction **le . . . a Juan** indicates that **Juan** is involved in the purchase, but exactly in what way is understood only from the context of the conversation, not from the sentence itself.

STRUCTURE DRILLS

21. PATTERNED RESPONSE

¿Arregla mamá la casa?	No, yo le arreglo la casa a mamá.
¿Cierra la maestra las ventanas?	No, yo le cierro las ventanas a la maestra.
¿Compran los señores los boletos?	No, yo les compro los boletos a los señores.
¿Contesta papá el teléfono?	No, yo le contesto el teléfono a papá.
¿Hago yo el mapa?	No, yo le hago el mapa a usted.
¿Limpiamos nosotros el cuarto?	No, yo les limpio el cuarto a ustedes.

22. CUED RESPONSE

Le busco un regalo a mi hermano.	
¿Qué busco?	Busca un regalo.
¿A quién?	Le busca un regalo a su hermano.

Les limpio el carro a mis tíos.
¿Qué limpio?
¿A quién?

Le arreglo la sala a mi mamá.
¿Qué arreglo?
¿A quién?

23. ENGLISH CUE DRILLS

1.

Mi mamá me arregla el cuarto.	Mi mamá me arregla el cuarto.
She cleans my shoes.	Me limpia los zapatos.
She makes my dinner.	Me hace la cena.
She buys my shirts.	Me compra las camisas.
She takes my temperature when I'm sick.	Me toma la temperatura cuando estoy enfermo.
She puts my room in order.	Me arregla el cuarto.

2. Le compro una bicicleta a Juan.
I'm buying Juan a bicycle.
I'm buying a bicycle for Juan.
I'm buying a bicycle from Juan.

24. WRITING EXERCISE

Write the responses to Drills 22, 23.1, and 23.2.

Indirect Objects: Further Details

GENERALIZATION

1. The following verbs take only indirect objects when used with the meanings given:

encantar	**Le encanta la idea.** *She loves the idea.* (*The idea delights her.*)	**parecer**	**¿Qué te parece la idea?** *What do you think of the idea?* (*How does the idea seem to you?*)
gustar	**Le gusta viajar en barco.** *She likes to travel by boat.* (*To travel by boat pleases her.*)	**pasar**	**¿Qué les pasa?** *What's the matter with them?*

2. Reread the examples just given for **encantar, gustar,** and **parecer.** Two English equivalents are given: one is natural English and one is a literal translation. Note that when natural English is used, the roles of subject and object are the reverse of what they are in the Spanish examples. That is, the indirect objects in the Spanish sentences correspond to the subjects in the English sentences; conversely, the objects (of one kind or another) in the English sentences correspond to the subjects in the Spanish sentences. You must pay careful attention to subject-verb agreement in Spanish sentences of this type.

Singular Subject	*Plural Subject*
Le encanta la idea	**Le encantan las ideas.**
¿Qué te parece la idea?	**¿Qué te parecen las ideas?**
No me gusta ese chico.	**No me gustan esos chicos.**

STRUCTURE DRILLS

25. ITEM SUBSTITUTION

1. No me gustan esas chicas.	No me gustan esas chicas.
______________ ese carro.	No me gusta ese carro.
______________ esos mapas.	No me gustan esos mapas.
______________ esos colores.	No me gustan esos colores.
______________ esa bicicleta.	No me gusta esa bicicleta.

2. ¿Qué te parece la idea?
   (ese maestro–los alumnos–el partido–las gemelas–la nueva escuela)

26. PATTERNED RESPONSE

1. ¿A Juana le gusta el barco? — Claro, le encanta.
   ¿y a ti?
   ¿y a ustedes?
   ¿y a Elena y a Marta?
   ¿y a usted?
   ¿y a mí?

2. ¿Qué les parece la idea a los alumnos? — Les gusta mucho.
   ¿y a ti?
   ¿y a Susana?
   ¿y a usted?
   ¿y a ustedes?
   ¿y a Miguel y a Luis?

27. PROGRESSIVE SUBSTITUTION

A los señores les encanta la idea.
A nosotros ________________.
________________ gusta ________.
________________________ los zapatos.
A mí ____________________________.
________________ aprietan ________.
________________________ la corbata.
Al chico __________________________.

28. FREE RESPONSE

¿Le gusta más viajar en tren o en avión?
¿Qué le gusta hacer durante las vacaciones? ¿trabajar? ¿viajar?
A las chicas les encantan las culebras, ¿verdad?
¿Le aprietan los zapatos a usted ahora?
A los alumnos, ¿qué les parecen los exámenes? ¿Les gustan?
¿Cuál clase le gusta más a usted?
A ustedes les encanta la clase de español, ¿verdad?
Y la clase de geografía, ¿qué les parece? ¿y la clase de inglés?
A ver si adivinan cuál clase me gusta más a mí.

29. BASIC DIALOG VARIATION

Change the second part of the Basic Dialog to narrative form. *Start like this:* La hija del Sr. Ramos le pregunta a su papá cómo es Lima, y si . . .

30. WRITING EXERCISE

Write the responses to Drills 25.2, 26.1, and 27.

Writing

1. MULTIPLE ITEM SUBSTITUTION

MODEL Le doy un regalo a Juana.
escribir / carta / mis tíos
Les escribo una carta a mis tíos.

1. Mañana le cuento a todo el mundo.
   más tarde / preguntar / ellos
2. A los chicos les gusta el carro.
   a mí / encantar / discos
3. Ana no quiere viajar.
   tú y yo / poder / trabajar
4. Yo siempre leo en el avión.
   nosotros / dormir / tren
5. A ti te traen un regalo.
   a nosotros / dar / mapas
6. Le escribo una carta a mi tío.
   leer / libro / ellas
7. Juana llega en diciembre.
   las chicas / volver / junio
8. A ese señor le aprietan los zapatos.
   señoritas / encantar / baile
9. Me compran los discos a mí.
   limpiar / carro / mi padre
10. Le hago el desayuno a mi mamá.
    arreglar / cuarto / ustedes

2. PARAGRAPH REWRITE

Rewrite the following paragraph, changing the verbs to the form **ir** + **a** + infinitive.

¿Dónde pasan ustedes las vacaciones? ¿En Lima? ¿En Buenos Aires? Ricardo sale para España mañana y Susana va a Nueva York el 20 de enero y no vuelve hasta mediados de febrero. Pero yo tengo que pasar las vacaciones aquí. No puedo hacer un viaje este año porque no tengo bastante dinero. Pero le cuento una cosa: yo trabajo, y tal vez uno de estos días mi hermano y yo hacemos un viaje muy bonito. Y tú, Pedro, ¿qué haces durante las vacaciones?

RECOMBINATION MATERIAL

Dialogs

I

CONSUELO	¿Quieres ir al cine?
ALICIA	No, quiero dormir. Estoy muy cansada.
CONSUELO	Van a dar una película muy buena.
ALICIA	¿Cuál?
CONSUELO	Una película inglesa. No recuerdo cómo se llama.
ALICIA	No gracias. Prefiero dormir.
CONSUELO	¡Qué perezosa!

QUESTIONS

1. ¿Qué quiere hacer Consuelo?
2. Y Alicia, ¿qué quiere hacer ella?
3. ¿Por qué quiere dormir Alicia?
4. Según Consuelo, ¿cómo es la película que van a dar?
5. ¿Cuál película van a dar?
6. ¿Recuerda Consuelo cómo se llama?
7. ¿Qué prefiere hacer Alicia, ir al cine o dormir?
8. ¿Qué le dice Consuelo?

REJOINDERS

¿Quieres ir al cine?

II

EL HIJO	Papi, este . . . ¿Puedo comprar un carro?
EL PADRE	¡¡UN CARRO!! ¡Tú quieres comprar un carro!
EL HIJO	Sí, este . . . un carro viejo . . . pequeño . . . barato . . .
EL PADRE	¿Para qué necesitas un carro? Ya tienes una bicicleta muy bonita.
EL HIJO	Pero . . . papi . . .

QUESTIONS

1. ¿Qué quiere comprar el hijo?
2. ¿Qué le contesta el padre? ¿Le parece buena la idea a él?
3. ¿Quiere el chico un carro nuevo y caro?
4. ¿Por qué no necesita un carro, según el padre?
5. ¿Qué le dice el hijo al padre?

III

CARLOS	¿Sabes dónde vamos a pasar las vacaciones?
CLARA	¿Dónde?
CARLOS	A ver si adivinas.

Relics of great Indian civilizations—such as these clay figures from Veracruz—abound in Mexico.

CLARA Pero no tengo la menor idea . . . a ver . . . ¿en España? ¿en Nueva York?
CARLOS No, en Perú.
CLARA ¿De veras? ¡Qué bien!
CARLOS Sí, vamos a fines de junio y no volvemos hasta septiembre.

REJOINDERS

A ver si adivinas dónde vamos a pasar las vacaciones.

Narrative

Jeem, Beel, y Beector

I

Durante los meses de junio, julio, y agosto, los alumnos de las escuelas norteamericanas pasan sus vacaciones de diferentes* maneras*. Unos viajan y van de Tejas a Vermont, de Nueva York a California, o simplemente* de una Carolina a la otra. Muchos otros juegan, trabajan, o estudian durante sus vacaciones. Unos prefieren no hacer absolutamente nada, y si en sus casas les permiten* hacer eso, eso es exactamente* lo que hacen: no hacen nada. Pero ésta es la excepción*. Estos chicos perezosos son casos* extremos* y no son muchos.

En el otro extremo encontramos a unos pocos a quienes les gusta hacer mucho, muchísimo. Son activos*, ambiciosos*, con mucha energía*, y les encanta todo lo que es aventura*, especialmente* las aventuras de viajes a lugares muy distantes*. Éste es el caso de Jeem, Beel, y Beector.

Estos tres chicos, de quince, dieciséis, y diecisiete años respectivamente*, van a hacer un viaje en jeep* y en barco a México*[4] y Centroamérica* este año. Y después de consultar* muchos mapas y muchos libros, éste es el plan* de viaje que ellos tienen:

Salen de Washington el día 25 de junio y calculan* llegar a Laredo, Tejas, cinco días más tarde. El jueves salen de Laredo,

[4] **México** is frequently written **Méjico.** Both spellings are correct.

pasan el Río Grande y entran* a México por Nuevo Laredo, donde pasan la noche, para luego continuar* su viaje hasta llegar al Distrito Federal, la capital, que también se llama México, D.F.

En México van a pasar unos diez días, más o menos, porque 25 quieren visitar* muchos lugares. Quieren ver, por ejemplo*, las famosas* pirámides* de San Juan Teotihuacán, los museos* que tienen las reliquias* de las grandes civilizaciones* indias* de México, los puertos* de Acapulco en el Pacífico* y Veracruz en el Atlántico*. Y muchas cosas más.

QUESTIONS

1. ¿Cómo se llaman los tres chicos en la narración?
2. ¿Durante cuáles meses están de vacaciones los alumnos norteamericanos?
3. ¿Cómo pasan sus vacaciones ellos?
4. ¿Qué hacen los chicos activos?
5. ¿Qué hacen los chicos perezosos?
6. ¿Qué les gusta hacer a esos chicos que son especialmente activos y ambiciosos?
7. ¿Cuáles aventuras les gustan más?
8. ¿Cuántos años tienen Jeem, Beel, y Beector respectivamente?
9. ¿Qué van a hacer durante los meses de junio, julio, y agosto estos tres chicos?
10. ¿Cómo van a viajar, en avión?
11. ¿Dónde y cuándo van a empezar su viaje?
12. ¿Adónde van primero?
13. ¿Cuándo salen de Laredo?
14. ¿Por dónde entran a México?
15. ¿Hasta dónde van a continuar su viaje después de salir de Nuevo Laredo?
16. ¿Por qué van a pasar tantos días en la capital?
17. ¿Qué quieren visitar en México?
18. ¿Cómo se llaman las grandes pirámides?
19. ¿Qué hay en los museos de México?

II

30 A mediados de julio Jeem, Beel, y Beector salen de México y continúan su viaje. Pasan por las seis pequeñas pero interesantes y pintorescas* repúblicas* de Centroamérica hasta llegar a Panamá, la capital de la república de Panamá.

En Panamá, según el plan de viaje, los chicos van a poner el 35 jeep en un barco de carga*. Panamá (la capital) está en la costa* del Pacífico y el barco tiene que pasar por el Canal* de Panamá para llegar a la costa del Atlántico. Los chicos también van a pasar el canal en barco, pero sentados en el jeep; de esta manera van a continuar el viaje por barco hasta Nueva Orleáns. No es 40 la manera ideal* de viajar, pero es barata.

Finalmente,* continúan en jeep hasta Washington, con la intención* de llegar allá a mediados de agosto.

Jeem, Beel, y Beector están muy contentos con respecto* a su proyecto*. Ya tienen los pasaportes* y las visas*, y tienen también
45 el permiso de sus padres, que es la cosa principal*. Necesitan dinero para comprar un jeep usado*, para la gasolina*, para la comida, y para los hoteles*.

Beel y Beector trabajan los sábados en un supermercado* y Jeem tiene una ruta* de periódicos. Ya tienen cien dólares*
50 economizados*, pero necesitan mucho más porque sólo el jeep, que van a comprar en un lugar de carros usados que se llama "Juan el Honesto", cuesta ciento noventa y nueve. Es un jeep del año '47 pero, según el Sr. Honesto, está en perfecta* condición*. Ellos creen que antes del quince de junio van a poder comprar el
55 jeep, y van a estar totalmente* preparados* para empezar el viaje.

QUESTIONS

1. ¿Cuándo salen los tres chicos de México?
2. ¿Por cuáles repúblicas van a pasar?
3. ¿Qué van a hacer los chicos en Panamá?
4. ¿Dónde está Panamá (la capital)?
5. ¿Por dónde tiene que pasar el barco para llegar a la costa del Atlántico?
6. ¿Cómo van a pasar el canal los chicos?
7. ¿Adónde van a ir luego? ¿Cómo?
8. ¿Cuándo calculan llegar a Washington?
9. ¿Ya tienen sus pasaportes y sus visas?
10. ¿Tienen el permiso de sus padres para hacer el viaje?
11. ¿Para qué necesitan dinero?
12. ¿Dónde trabajan Beel y Beector? ¿y Jeem?
13. ¿Cuánto dinero tienen economizado ya?
14. ¿Ya tienen bastante para comprar el jeep?
15. ¿Van a comprar un carro nuevo?
16. ¿En qué condición está el jeep, según el Sr. Honesto?

Conversation Stimulus

¿Puede usted contar el proyecto de Jeem, Beel, y Beector?
¿Puede indicar* en un mapa la ruta de los tres chicos?

SP

UNIT 10

BASIC DIALOG

Mal servicio telefónico

CLIENTE Tres veces he llamado y sigue ocupada la línea. ¡Ah, por fin! ¿Aló?
SECRETARIA Salón de Belleza Venus, a sus órdenes.
CLIENTE ¿No es el veinte-trece-cero cero? ¿Librería Campos?
SECRETARIA No, está equivocado. Habla con el veinte-doce-cero cero.

CLIENTE ¡Quinta vez! ¿Aló? ¿Está el Sr. Campos, por favor?
EMPLEADO Acaba de salir. ¿Desea dejar algún recado?
CLIENTE ¿Usted sabe si ya han recibido la segunda edición de . . .
EMPLEADO Yo no sé nada. Ya todos han salido a almorzar.
CLIENTE ¡Qué mala suerte! ¿Usted sabe el número de la ca . . . ¿aló? . . . Mmm . . . colgó.

Bad Telephone Service

CUSTOMER I've called three times and the line's still (continues) busy. Ah, at last! Hello?
SECRETARY Venus Beauty Salon, at your service (orders).
CUSTOMER Isn't this 20-13-00? Campos Bookstore?
SECRETARY No, you have the wrong number (you're mistaken). This is 20-12-00.

CUSTOMER Fifth time! Hello? Is Mr. Campos there, please?
CLERK He has just left. Do you wish to leave a (some) message?
CUSTOMER Do you know if they've received the second edition of . . .
CLERK I don't know anything. They've all gone out to lunch already.
CUSTOMER What (bad) luck! Do you know their home numb . . . hello? . . . Mmm . . . He hung up.

◀ ***Students leaf through books at an open-air bookstore in Spain.***

Supplement

Tres veces he marcado el número.	I've dialed the number three times.
¿La Zapatería Campos?	Campos Shoe Store?
Peluquería	Barber Shop, Beauty Shop
Oficina	Office
Está preocupado.	He's worried.
enojado	angry
mojado	wet
asustado	frightened
aburrido	bored
Está resfriado.	He has a cold.

Ésta es la primera vez.	This is the first time.
segunda	second
tercera	third
cuarta	fourth
quinta	fifth
sexta	sixth
séptima	seventh
octava	eighth
novena	ninth
décima	tenth
Habla con el zapatero.	You're speaking with the shoemaker.
peluquero	barber, hairdresser
camarero	waiter
médico	doctor
dentista	dentist
jefe	boss
la criada	maid
Todos han salido a bailar.	They've all gone out to dance.
cantar	sing
nadar	swim
¿Sabe usted la dirección de la casa?	Do you know the home address?

BASIC FORMS

Verbs

aburrir	dejar	nadar
acabar	enojar	ocupar
asustar	equivocar	preocupar
bailar	marcar	recibir
cantar	mojar	resfriar
colgar (ue)		

Nouns

cliente[1] *m.*	salón *m.*	orden *f.*
dentista *m.*	dirección *f.*	suerte *f.*
jefe[2] *m.*	edición *f.*	vez *f.*

Vocabulary Exercises

1. QUESTIONS

1. ¿Cuántas veces marca el número el cliente antes de hablar con la secretaria?
2. ¿Por qué no contestan?
3. ¿Contestan por fin?
4. ¿Qué dice la secretaria cuando contesta el teléfono?
5. ¿Con cuál número quiere hablar el cliente?
6. ¿Es ése el número del salón de belleza?
7. ¿Cuál es el número de teléfono del Salón Venus?
8. ¿Cómo es el servicio telefónico, bueno o malo?
9. ¿Cuál es el número de teléfono de su casa?
10. ¿Sabe usted el número de teléfono de la oficina de su padre?
11. ¿Lc gusta a usted ir a la peluquería?
12. ¿Cuántas veces va al mes?

---

[1] **Cliente** has a special feminine form: **clienta.**

[2] **Jefe** has a special feminine form: **jefa.**

2. QUESTIONS

1. ¿A quién llama el cliente?
2. ¿Quién contesta la quinta vez que llama?
3. ¿Está el Sr. Campos?
4. ¿Dónde trabaja el Sr. Campos, en una oficina?
5. ¿Dónde trabaja su padre, en una oficina o en otro lugar?
6. ¿Cuál es la dirección de su casa?
7. ¿Deja un recado el cliente?
8. ¿Qué desea saber el cliente?
9. ¿Sabe el empleado si tienen el libro que el cliente quiere?
10. ¿Qué le quiere preguntar el cliente?
11. ¿Le contesta el empleado?
12. ¿Qué hace el empleado?
13. ¿Cómo se llama un señor que arregla zapatos? ¿y el lugar donde uno compra zapatos?
14. ¿Cómo se llama un señor que arregla pelo?
15. Y un peluquero, ¿dónde trabaja?
16. ¿Dónde trabaja un camarero?
17. ¿A usted le gusta bailar? ¿Baila bien?
18. ¿Sabe usted cantar? ¿Cuáles canciones sabe?

In areas where many people do not have private phones, one can place a call from a small shop.

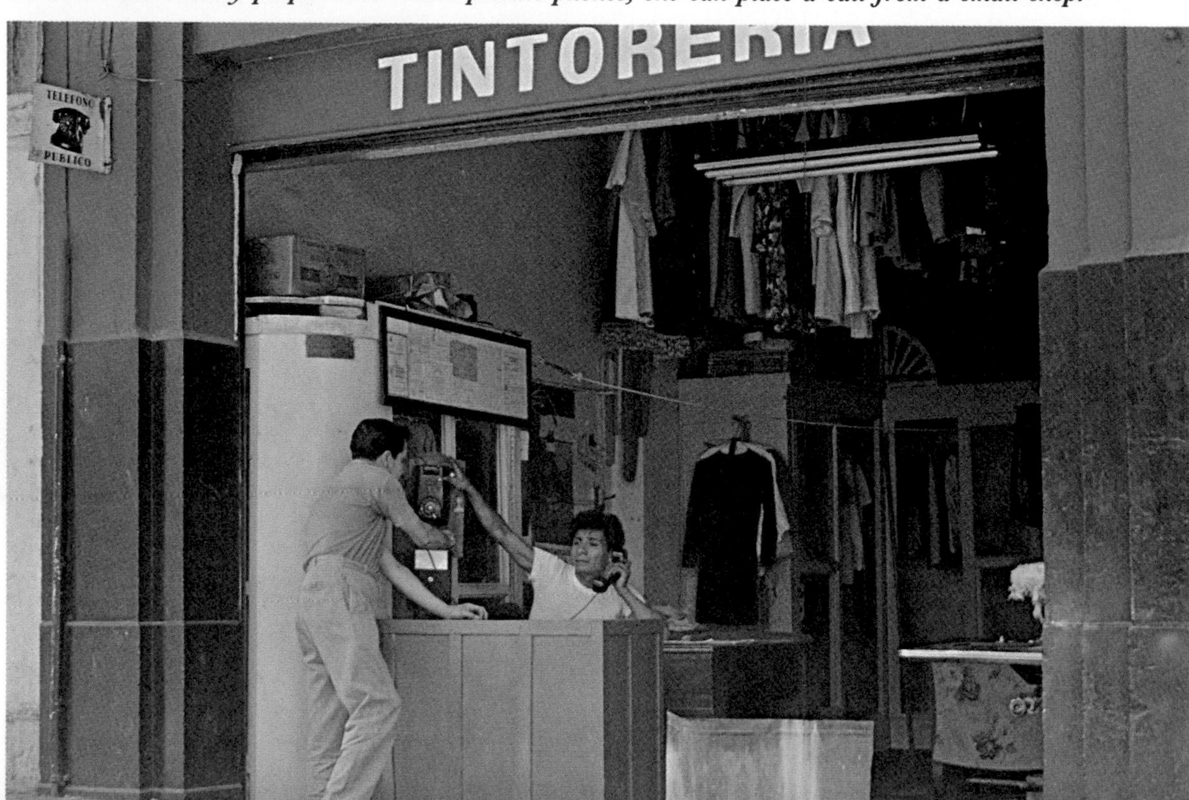

3. SYNONYMS

Repeat each of the following sentences, replacing the underlined words with a word or expression that has the same meaning.

La señora está en el salón de belleza.
La línea todavía está ocupada.
Finalmente contestan.
¿Quiere dejar un recado?
Es un señor que arregla zapatos.

4. PATTERNED RESPONSE

¡Tres veces han llamado! — Sí, y ésta es la cuarta vez.
¡Dos veces han llamado!
¡Cinco veces han llamado!
¡Cuatro veces han llamado!
¡Seis veces han llamado!
¡Nueve veces han llamado!

5. BASIC DIALOG VARIATION

Change the second part of the Basic Dialog to narrative form. *Start like this:*
El cliente le pregunta al empleado si está el Sr. Campos.

GRAMMAR

The Present Perfect

PRESENTATION

Tres veces **he llamado.**
Ya **he comido.**
Han recibido la segunda edición.
Todos **han salido** a almorzar.

Which two parts make up the verb in each of these sentences? Which ending is added to the stem + theme vowel of the second verb form? What is the theme vowel for the **-do** form of **e-** and **i-**class verbs?

GENERALIZATION

1. The present perfect is a compound tense in both Spanish and English. It consists of two parts: an auxiliary verb (**haber** in Spanish, *have* in English), and a form of the main verb called a past participle (**llamado** / *called*).

   He llamado tres veces.
   I have called three times.

2. For all but a few irregular verbs, the past participle is formed by adding **-do** to the stem + theme vowel. The theme vowel is **i** for both **e-** and **i-**class verbs.

	Stem	*Theme vowel*	*Ending*
a-class	**llam**	**a**	**do**
e-class	**com**	**i**	**do**
i-class	**recib**	**i**	**do**

3. Only the auxiliary **haber** changes form to show agreement with the subject.

   he
   has
   ha } **llamado, comido, recibido**
   hemos
   han

4. The present perfect in English and Spanish correspond closely in both form and meaning. There is one exception: the auxiliary **haber** and the main verb are not usually separated in Spanish, although they frequently are in English.

   Ya he llamado tres veces.
   I've already called three times.

   ¿Ya han salido ustedes a almorzar?
   Have you already gone out to lunch?

5. The auxiliary verb **haber** must not be confused with the verb **tener.**

   He comido. *I have eaten.*
   Tengo dinero. *I have money.*

STRUCTURE DRILLS

6. PERSON-NUMBER SUBSTITUTION

1. No han almorzado todavía.
   - (usted)
   - (mi compañero y yo)
   - (la secretaria)
   - (yo)
   - (tú)
   - (los camareros)

No han almorzado todavía.
No ha almorzado todavía.
No hemos almorzado todavía.
No ha almorzado todavía.
No he almorzado todavía.
No has almorzado todavía.
No han almorzado todavía.

2. Ya ha recibido la carta.
   (yo–los señores–tú–mi padre y yo–ustedes)

7. ITEM SUBSTITUTION

1. Todo el mundo ha bailado.
   - (venir)
   - (ir)
   - (trabajar)
   - (comer)

Todo el mundo ha bailado.
Todo el mundo ha venido.
Todo el mundo ha ido.
Todo el mundo ha trabajado.
Todo el mundo ha comido.

2. No han llegado todavía.
   (salir–empezar–leer–almorzar–cantar–entrar)

8. PRESENT → PRESENT PERFECT

El cliente deja un recado.
¿Nunca comes en ese restaurante?
Todo el mundo sale.
¿Cuelga el teléfono la secretaria?
Pasan horas en el salón de belleza.
El camarero trae el café.
Recibo muchas ediciones.
La línea está ocupada.

El cliente ha dejado un recado.

9. WRITING EXERCISE

Write the responses to Drills 6.2, 7.2, and 8.

10. PATTERNED RESPONSE

Ustedes van a estudiar ahora, ¿verdad? — No, señor, ya hemos estudiado.
Usted va a marcar el número ahora, ¿verdad?
Los alumnos van a cantar ahora, ¿verdad?
El jefe va a ir al banco ahora, ¿verdad?
La criada va a limpiar el cuarto ahora, ¿verdad?

11. FREE RESPONSE

¿Ha estado usted en México? ¿en Puerto Rico?
¿Ha viajado mucho?
¿Adónde ha ido?
¿Ha visitado muchos lugares interesantes?
¿Cuántas veces ha ido usted a nadar este año?
¿Cuántas veces ha tenido que venir su mamá a la escuela?
¿Ya han almorzado ustedes? ¿A qué hora almuerzan?

acabar de + *Infinitive*

GENERALIZATION

The English construction (*he*) *has just* + past participle is not expressed by the present perfect in Spanish, but by the special construction **acabar de** + infinitive. (*He*) *just* + past tense is expressed by the same special construction.

STRUCTURE DRILL

12. ENGLISH CUE DRILL

Acaba de llamar.
I've just come.
He just hung up.
She just dialed.
We've just had breakfast.
They've just begun.
They just began.
He just called.

13. WRITING EXERCISE

Write the responses to Drill 12.

Past Participles as Adjectives

PRESENTATION

El cliente está **equivocado.**
Los alumnos están **aburridos.**
Las chicas están **asustadas.**
La línea sigue **ocupada.**

Does the past participle show number and gender agreement with the noun it modifies in these sentences? Does it then function as a verb or as an adjective?

GENERALIZATION

1. In both Spanish and English, past participles are used not only in the present perfect tense but also as adjectives.

El banco está cerrado.	*The bank is closed.*
El chico está equivocado.	*The boy is mistaken.*
Un alumno aburrido no pone atención.	*A bored student doesn't pay attention.*

2. Past participles do not change form to agree with the subject when they are part of the verb.

El chico ha comido.
Las chicas han comido.

Past participles used as adjectives do, however, agree in number and gender with the noun they modify, just like other adjectives.

El banco está cerrado.
Los bancos están cerrados.

La puerta está cerrada.
Las puertas están cerradas.

STRUCTURE DRILLS

14. ITEM SUBSTITUTION

1. Los alumnos están equivocados. — Los alumnos están equivocados.
   La secretaria ______. — La secretaria está equivocada.
   El empleado ______. — El empleado está equivocado.
   Los médicos ______. — Los médicos están equivocados.
   Las chicas ______. — Las chicas están equivocadas.

2. El jefe sigue resfriado.
   (los señores–la secretaria–las dos empleadas–el alumno)

15. TRANSFORMATION DRILL

Han arreglado la sala. — La sala está arreglada.
Han cerrado los bancos.
Han mojado las ventanas.
Han asustado al empleado.
Han cerrado la zapatería.

16. PROGRESSIVE SUBSTITUTION

La línea sigue ocupada.
__ señor ______.
______ parece ______.
______ preocupados.
__ maestra ______.
______ sale ______.
______ asustadas.
__ chico ______.

17. WRITING EXERCISE

Write the responses to Drills 14.2, 15, and 16.

18. FREE RESPONSE

¿Dónde está *Pedro*? ¿Está resfriado hoy?
¿Y *Susana*? ¿Sigue resfriada ella?
¿Están ustedes cansados ahora?
¿Por qué? ¿Han estudiado mucho?
Pero ustedes nunca están aburridos en esta clase, ¿verdad?

¿Estudia bien un alumno cansado?
¿Parezco yo preocupado? ¿parezco cansado?
¿Están ustedes sentados ahora?

Adjective Position

GENERALIZATION

1. In Unit 7 you learned that the usual position of descriptive adjectives within a noun phrase is after the noun.

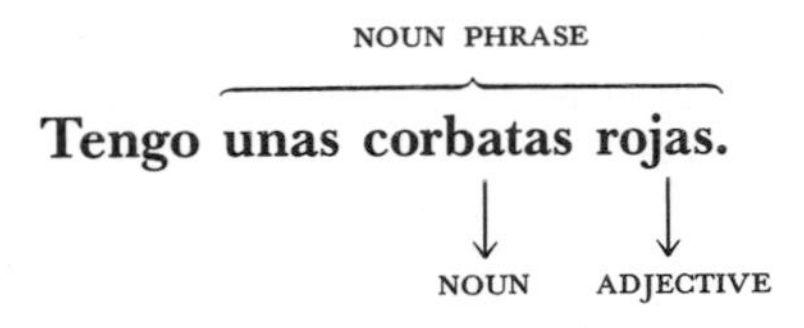

2. There is another class of adjectives called limiting adjectives. The usual position of limiting adjectives is before the noun they modify. The underlined adjectives in the following examples are limiting adjectives.

Tengo tres corbatas rojas.
Hay muchas corbatas en esa tienda.
¡Tiene tanto dinero!

Limiting adjectives include:

a. cardinal and ordinal numbers: **uno, dos, . . . ; primero, segundo, . . .**

b. quantifiers (adjectives which indicate quantity): **mucho, poco, tanto, bastante, alguno, ninguno, . . .**

c. the possessive adjectives **mi, tu, su, . . .**

3. Some adjectives occur freely either before or after the noun they modify.

Es una maestra buena.
Es una buena maestra.

Es una película mala.
Es una mala película.

Es un baile nuevo.
Es un nuevo baile.

4. Some adjectives drop the final **o** before a masculine singular noun.

algún chico	*but*	**algunos chicos, alguna chica, algunas chicas**
buen chico	*but*	**buenos chicos, buena chica, buenas chicas**
mal chico	*but*	**malos chicos, mala chica, malas chicas**
primer chico	*but*	**primeros chicos, primera chica, primeras chicas**
tercer chico	*but*	**tercera chica**
ningún chico	*but*	**ninguna chica**

5. **Grande** has a shortened form which is used before any singular noun.

gran señor	*but*	**grandes señores**
gran señora	*but*	**grandes señoras**

Gran(de) means *great* when used before a noun, *large* or *big* when used after a noun.

un gran señor	*a great gentleman*
un señor grande	*a large (tall) gentleman*

STRUCTURE DRILLS

19. DOUBLE ITEM SUBSTITUTION

Tengo poco dinero.	Tengo poco dinero.
________ amigos.	Tengo pocos amigos.
_____ muchas ____.	Tengo muchas amigas.
________ primos.	Tengo muchos primos.
_____ un ______.	Tengo un primo.
________ hermana.	Tengo una hermana.
_____ tres ______.	Tengo tres hermanas.

20. EXPANSION DRILL

Hay médicos aquí.	Hay médicos aquí.
(algunos)	Hay algunos médicos aquí.
(franceses)	Hay algunos médicos franceses aquí.

Hay dentistas también.
(italianos)
(tres)

Es la chica que ha venido.
(primera)
(bonita)

He comprado camisas.
(dos)
(rojas)

Hay restaurantes en Lima.
(caros)
(muchos)

Es el cliente que ha llamado.
(cuarto)
(americano)

21. FREE RESPONSE

¿Conoce usted a algunos alumnos españoles? ¿a cuántos?
¿Tiene usted muchos compañeros simpáticos?
¿Hay muchas o pocas chicas bonitas en esta clase?
¿Cuántas? ¿Bastantes?
Y chicos guapos, ¿hay muchos?
Si hacemos una fiesta ahora, ¿le parece una mala idea, una buena idea, o una gran idea?

22. PAIRED SUBSTITUTIONS

Es una buena maestra. ⊗
__________ dentista.

Es una buena maestra.
Es un buen dentista.

¿Tienes algunas ideas?
¿__________ problema?
Es la primera vez que viene.
__________ día ________.
¡Qué mal servicio!
¡________ suerte!
Es la tercera cosa que he comprado hoy.
__________ libro ________________.
Estudia con un gran médico.
________________ maestros.
No ha dejado ningún recado.
________________ cosa.

23. FREE SUBSTITUTION

Hay <u>muchas</u> <u>cosas</u> <u>bonitas</u> aquí.

24. WRITING EXERCISE

Write the responses to Drills 20 and 22.

conocer *and* saber

GENERALIZATION

1. Two verbs must be distinguished in Spanish which correspond to two meanings of *know:* **conocer** and **saber.**

2. **Conocer** means *know* in the sense of *be acquainted with personally, know about from first hand experience.* Such knowledge cannot be communicated from one person to another. Thus, the objects of **conocer** are typically nouns referring to people one has met and places one has been to.

   Mami, ¿conoces a Toni?
   Enrique conoce Perú porque ha estado allí.

3. **Saber** means know in the sense of *possess factual information* or *know how to.* Such knowledge can be communicated from one person to another. **Saber,** unlike **conocer,** can be followed by an infinitive.

   Mamá sabe dónde vive Toni.
   ¿Sabes cuál es la capital de Perú?
   Patricio no sabe bailar.

STRUCTURE DRILLS

25. PAIRED SENTENCES

No conocen España.
They don't know Spanish.
They don't know Spain.

No conocen España.
No saben español.
No conocen España.

Sé cuál es la capital de Colombia.
I know Colombia.
I know what the capital of Colombia is.

No sabe llegar al centro.
She doesn't know the downtown area.
She doesn't know how to get downtown.

¿Sabes escribir "Susana"?
Do you know Susana?
Do you know how to write "Susana"?

26. PATTERNED RESPONSE

¿Ella? ¿al Sr. Fernández?	Sí, ella conoce al Sr. Fernández.
¿Juan? ¿leer francés?	
¿Usted? ¿Buenos Aires?	
¿Las chicas? ¿a todo el mundo?	
¿El perro? ¿cerrar la puerta?	

27. WRITING EXERCISE

Write the responses to Drill 26.

Writing

1. MULTIPLE ITEM SUBSTITUTION

MODEL Ha leído la carta.
(yo) / empezar / examen
He empezado el examen.

1. He visitado muchos lugares interesantes.
(nosotros) / recibir / cartas

2. ¿Has conocido a algunos señores importantes?
(ellos) / dejar / recado

3. Hemos comprado unos guantes lindísimos.
(ella) / cantar / canciones

4. Ese señor es el primer cliente americano que ha venido.
señoras / maestras / llamar

5. Ha estudiado con un gran maestro italiano.
(yo) / trabajar / médicos

6. Es la quinta vez que Juan ha llamado.
libro / chicos / leer

7. ¿Usted conoce España?
la criada / español

(*continued*)

(continued)

8. El empleado no ha arreglado la tienda.
   camareros / limpiar / mesas
9. La secretaria está enojada con el jefe.
   jefe / secretaria
10. La chica francesa está encantada con la idea.
   peluqueros / regalo

2. PARAGRAPH COMPLETION

Copy the following paragraphs, filling in each of the blank spaces with the correct form of one of the verbs listed below.

economizar	leer	recibir	usar
empezar	tener	dar	consultar
preparar	ir	comprar	preocupar

Ya estamos totalmente __1__ para empezar el viaje. Hemos __2__ un jeep, y papá nos ha __3__ cien dólares para gasolina. Mi mamá está muy __4__ porque piensa que no vamos a tener bastante dinero, pero hemos __5__ durante todo el año y yo creo que sí, que vamos a tener bastante.

Hemos __6__ a la biblioteca dos o tres veces y hemos __7__ muchos mapas y libros. Yo ya he __8__ tres libros de viajes.

Las vacaciones no han __9__ todavía y he __10__ que estudiar mucho para los exámenes en estos días, pero acabo de __11__ mi pasaporte en el correo ¡y casi no puedo pensar en otra cosa que el viaje!

RECOMBINATION MATERIAL

Dialogs

I

PEDRO Este . . . ¿Cómo te llamas?
ANITA Anita.
PEDRO Este . . . este . . . . ¿Quieres bailar conmigo, Anita?
ANITA No gracias, me aprietan mucho los zapatos.
PEDRO Bueno, ¿quieres tomar algo, entonces?

ANITA No, no tengo sed.
PEDRO Pero, este . . . ¿Me das tu dirección?
ANITA ¡Caramba! ¡Qué chico!

REJOINDERS

¿Quieres bailar conmigo?

II

EL SEÑOR Señorita, ¿me puede dar el quince-dieciséis-treinta y cuatro, por favor?
LA SEÑORITA ¿Quince-diecisiete-treinta y cuatro?
EL SEÑOR No, señorita, dieciséis.
LA SEÑORITA ¿Dieciséis-diecisiete-treinta y cuatro?
EL SEÑOR . . . QUINCE-DIECISÉIS-TREINTA Y CUATRO.
LA SEÑORITA Sí señor . . . . lo siento señor, la línea está ocupada. . .

CONVERSATION STIMULUS

You are trying to make a telephone call but the operator can't get the number right.

III

EL CLIENTE Señorita, me trae dos huevos fritos, por favor.
LA CAMARERA Lo siento, señor, no hay huevos.
EL CLIENTE Bueno, carne con ensalada, entonces.
LA CAMARERA Imposible. No hay más ensalada.
EL CLIENTE ¡El servicio en este restaurante es horrible!
LA CAMARERA Lo siento mucho, señor. ¿Quiere carne con papas fritas, mejor?
EL CLIENTE Bueno, y un poco de agua, por favor.
LA CAMARERA Sí señor.
EL CLIENTE ¡¡Señorita!! Me ha mojado la camisa, la corbata, y los pantalones también. ¡Voy a hablar con su jefe inmediatamente! ¡¡¡IN-ME-DIA-TA-MEN-TE!!!

QUESTIONS

1. ¿Qué quiere comer el cliente?
2. ¿Qué le dice la camarera?
3. ¿Qué quiere el cliente entonces?
4. ¿Le trae carne con ensalada la camarera?

(*continued*)

(*continued*)

5. ¿Por qué no?
6. ¿Qué dice el cliente del servicio?
7. ¿Qué le quiere traer la camarera?
8. ¿Quiere él carne con papas fritas?
9. ¿Qué más quiere?
10. ¿Le trae agua la camarera?
11. ¿Está contento el cliente?
12. ¿Por qué no? ¿Qué le hace la camarera?
13. ¿Con quién quiere hablar el cliente?
14. ¿Cuándo? ¿Más tarde?

Narrative

El teléfono

Ese aparato* feo y de color negro, de figura* poco artística*, frío de personalidad*, ese instrumento* que un señor con uniforme* de la Compañía* Nacional* de Electricidad* colgó en una pared° de la cocina de mi casa, ése es nuestro° indispensable* y
5 sincero* amigo, el teléfono.

pared *f: wall*
nuestro: *our*

Si de todos los aparatos eléctricos* que la técnica* moderna ha creado*, alguien me dice que solamente uno puedo tener en mi casa, y me ordena* eliminar* todos los otros, yo inmediatamente selecciono* el teléfono y elimino el refrigerador*, el
10 radio, y todos los otros que tenemos en la casa, inclusive* la televisión* en colores que es tan bonita.

Yo no puedo vivir sin el teléfono. Y si puedo, no quiero. Yo he estado acostumbrado* toda mi vida° a tener ese intermediario*, ese contacto* inmediato* con mis compañeros de escuela,
15 con mi novia, con el médico, con el mercado, con el cine, con la persona* que nos informa* si va a llover o va a hacer frío o calor, con la señorita que nos dice qué hora es. Y ese intermediario es mi amigo, nuestro teléfono.

vida: *life*

¿Pero quién soy yo? Yo soy yo, pero puede ser mi madre quien
20 escribe esto, o mi padre, o uno de mis hermanos o la criada* Concepción, o la tía que vive con nosotros; porque todos tenemos ese gran afecto* por el teléfono, un afecto más grande que el que le tenemos al perro y a los otros animales* domésticos* de mi casa.

Especialmente* mi tía y mi "simpática" hermanita de catorce
25 años; ellas son las mejores amigas del teléfono, ellas monopolizan* sus servicios por dos y tres horas todos los días°. Pero todos

todos los días: *every day*

nosotros también debemos confesar* que somos adictos*, unos más y otros menos, que todos sufrimos* de "telefonitis*" crónica* y que a todos nos parece que este hábito* es un buen hábito.

30 Mi padre también sufre de "telefonitis", pero él casi no tiene oportunidad* de usar el teléfono. No es que no quiere, es que no puede. Cada° vez que quiere usar* el teléfono, está ocupado por alguien; o es mamá que habla con mi abuela, o mi hermana que escucha un disco nuevo que una de sus amigas acaba de comprar, 35 o mi tía que llama a otra tía, o la criada que conversa* con su novio, el zapatero. Entonces, y esto ocurre* frecuentemente*, mi papá* pierde° la paciencia* y furioso* comienza* a gritar:

cada: *each*

perder (ie): *lose*

—¡¡POR QUÉ SÓLO YO, EL JEFE DE LA CASA, NO PUEDO USAR EL TELÉFONO NUNCA!! ¡¡QUIERO SABER 40 QUIÉN ES EL JEFE EN ESTA CASA!! (Silencio*, nadie° contesta.)

nadie: *no one*

—¡Si quiero llamar de mi casa a la oficina, el teléfono está ocupado! ¡Si quiero llamar de la oficina a mi casa, la línea está ocupada! (Nadie dice nada.)

45 —¡Caramba! —grita papá repetidas* veces en protesta*, pero el silencio continúa. Finalmente, después de tanta protesta, reaccionan* mamá y mi tía.

—Shh, Mauricio, por favor. ¡Cómo gritas, no estamos sordas!

Ése es el teléfono de la casa, nuestro bueno y estimado amigo, 50 siempre° ocupado.

siempre: *always*

QUESTIONS

1. ¿Cómo es el teléfono del narrador*?
2. ¿Quién colgó el teléfono en su casa?
3. ¿Dónde colgó el teléfono?
4. ¿Cuáles aparatos eléctricos modernos menciona* el autor?
5. ¿Dice el autor que puede vivir sin el teléfono?
6. ¿Quiere vivir sin él?
7. ¿A quiénes está acostumbrado a llamar?
8. ¿Quiénes más usan el teléfono en la casa del narrador?
9. ¿Quién es Concepción?
10. ¿Qué prefiere el narrador, el teléfono o sus animales domésticos?
11. ¿Cuáles son las personas que más monopolizan el teléfono?
12. ¿El narrador realmente* cree que su hermana es simpática?
13. ¿De qué sufre toda la familia?
14. ¿A la familia le parece su "telefonitis" un buen o un mal hábito?
15. ¿Sufre el padre de "telefonitis" también?
16. ¿Por qué no tiene oportunidad de usar el teléfono?
17. ¿Por quiénes está ocupado casi siempre el aparato?
18. ¿Con quién habla la mamá?

(*continued*)

(*continued*)

19. ¿Qué hace la hermana por teléfono?
20. ¿A quién llama la tía?
21. ¿Con quién conversa la criada?
22. ¿Qué ocurre cuando el padre quiere usar el teléfono y no puede?
23. ¿Qué grita él?
24. ¿Qué dice la familia cuando él empieza a gritar?
25. ¿Quiénes reaccionan por fin?
26. ¿Qué dicen ellas?

Conversation Stimulus

Usted habla de algo muy interesante con un amigo, pero su papá quiere usar el teléfono.

Start like this: José, te tengo que contar algo muy importante: ________
¿TODAVÍA ESTÁS ______?
Sí papi, ________________
Necesito ________________
____

LETTER ↔ SOUND CORRESPONDENCES

READING: i, y, u AFTER ANOTHER VOWEL

When the letters **i**, **y**, or **u** follow another vowel, the two vowel sounds together are pronounced as one syllable.

FAMILIAR WORDS baile, traigo, seis, veinte, treinta, oigo, hoy, soy, estoy, muy, Luis, Luisa, restaurante, reunión

UNFAMILIAR WORDS caigo, Zoila, peine, auto, causa, Mauro, Europa

READING: í = [í]; ú = [ú]

The letters **í** (**i** with a written accent) and **ú** (**u** with a written accent) after another vowel are a separate, stressed syllable.

FAMILIAR WORDS distraído, traído, leído, oído, Raúl

UNFAMILIAR WORDS caído, país, aún, baúl

PAIRS

traigo	caigo	oigo	ley	rey	aunque
traído	caído	oído	leído	reído	aún

WRITING

Spelling Note: Whenever **i** or **u** follows any other vowel and is pronounced as a separate stressed syllable, it must be written with an accent mark.

WRITING: SPELLING CHANGES IN THE PLURAL

z → c

In words in which the final consonant is **z,** the **z** changes to **c** before the plural ending **es.** This change is just a convention. It is not needed to retain the sound [s].

vez   veces

SENTENCES

1. Luis, ¿cuántas veces has leído este libro? ¡Seis!
2. ¿Qué te han traído? Veinte pesos.
3. Yo no oigo nada. ¿Tú has oído algo?

WRITING

Copy the above sentences and be prepared to write them from dictation.

UNIT 11

BASIC DIALOG

Un dictado

MAESTRA	¿Están listos? ¿Dónde está Eugenio?
GARCÍA[1]	Acaba de salir. Anda tomando agua.
MAESTRA	¡Qué barbaridad! Ni siquiera pide permiso. Bien, ¿listos?
SALGADO	¡Pst, García! ¿Me prestas tu pluma? Esta cosa no sirve.
GARCÍA	¿Mi pluma? ¿Estás loco? ¿Y con qué escribo yo?
MAESTRA	¡Sh, silencio! ". . . No es el indio ni el español . . . coma . . ."
SALGADO	No tan rápido, por favor. ¿Puede repetir la frase?
MAESTRA	Usted no está poniendo atención, ¡eso es lo que pasa!
SALGADO	Es que García está molestando.
GARCÍA	¡YO! ¡Qué mentira! ¡Yo no estoy haciendo nada!

A Dictation

TEACHER	Are you ready? Where's Eugenio?
GARCÍA	He just left. He's out drinking water.
TEACHER	That's awful! He doesn't even ask permission. All right, ready?
SALGADO	Pst, García! Will you lend me your pen? This thing's no good (doesn't serve).
GARCÍA	My pen? Are you crazy? And what'll I write with?
TEACHER	Shh, quiet! ". . . It's neither the Indian nor the Spaniard . . . comma . . ."
SALGADO	Not so fast, please. Can you repeat the sentence?
TEACHER	You're not paying (putting) attention, that's what's the matter!
SALGADO	It's that García's fooling around (bothering).
GARCÍA	ME! What a lie! I'm not doing anything!

[1] Boys and men are often addressed by their last name in Spanish-speaking countries.

◀ ***Most Catholic schools—and many public schools, too—are not co-educational.***

Supplement

Es un trabajo muy difícil.	It's a very difficult job (work).
una tarea	assignment
una lección	lesson
¿Me prestas tu cuaderno?	Will you lend me your notebook?
tus apuntes	your notes
Este papel no sirve.	This paper's no good.
lápiz	pencil
pupitre[2]	desk
escritorio	desk

No es el español . . . punto.	It's not the Spaniard . . . period.
dos puntos	colon
punto y coma	semicolon
signo de interrogación	question mark
signo de exclamación	exclamation mark
No tan despacio.	Not so slowly.
pronto	soon
¿Puede repetir la palabra?	Can you repeat the word?
el párrafo	the paragraph

BASIC FORMS

Verbs

andar	prestar
molestar	*repetir
*pedir	*servir

Nouns

apunte *m.*	atención *f.*	frase *f.*
lápiz *m.*	barbaridad *f.*	interrogación *f.*
papel *m.*	exclamación *f.*	lección *f.*
pupitre *m.*		

---

[2] **Pupitre** refers to a small desk used by students in a classroom. Otherwise, the equivalent of *desk* is **escritorio.**

Vocabulary Exercises

1. QUESTIONS

1. ¿Qué les pregunta la maestra a los alumnos?
2. ¿Están los alumnos listos para el dictado?
3. ¿Está Eugenio en su lugar?
4. ¿Dónde anda?
5. ¿Por qué está enojada la maestra?
6. ¿Qué le pide Salgado a García?
7. ¿García le quiere prestar su pluma?
8. ¿Por qué no? ¿No tiene otra?
9. ¿Hay muchos dictados en esta clase?
10. ¿Hay un dictado todos los días?
11. ¿Tienen ustedes mucha tarea?
12. ¿Dónde está su pupitre? Y mi escritorio, ¿dónde está?
13. ¿Tiene usted un lápiz? ¿y una pluma? ¿y un cuaderno?

2. DIALOG RECALL

listos
anda
ni siquiera
prestas
loco
cuaderno
lápiz
escritorio

---

3. QUESTIONS

1. ¿Cómo empieza el dictado?
2. ¿Cómo habla la maestra, según Salgado, rápido o despacio?
3. ¿Qué le pregunta Salgado a la maestra?
4. ¿Qué le contesta ella?
5. ¿Por qué no entiende Salgado, según la maestra?
6. ¿Y según Salgado?
7. ¿Qué dice García?
8. Usted siempre pone atención en clase, ¿verdad?
9. ¿Pierde la paciencia el maestro cuando ustedes no ponen atención?

4. WORD REPLACEMENT

Repeat each of the following sentences, replacing the underlined words with any other appropriate word.

1. Es un dictado muy fácil. — Es una lección muy fácil.
2. Nunca tomamos café.
3. Necesito una pluma para el dictado.
4. La maestra repite la palabra.
5. ¡No tan pronto!

5. PUNCTUATION DRILL

Read the following sentences aloud, including the punctuation marks.

¿Estás loco?
¡Shh, silencio!
No tan rápido, por favor.
Anda tomando agua; siempre toma agua.
Éste es el problema: nadie está poniendo atención.
¡Qué mentira! ¿Qué estoy haciendo yo?

GRAMMAR

Stem Alternation: **e-i**
i-*Class Verbs*

PRESENTATION

Ni siquiera **pido** permiso.
Ni siquiera **pide** permiso.
Ni siquiera **pedimos** permiso.

Which vowel occurs in the stem of the verb forms in the first two sentences? in the third? Which vowel occurs in the stem when there is a stressed **i** in the next syllable? Which vowel occurs otherwise?

GENERALIZATION

1. Some **i**-class verbs have a type of stem alternation not found in **a**-class and **e**-class verbs: the last stem vowel is **e** if a stressed **i** occurs in the next syllable; otherwise the last stem vowel is **i**.

No stressed **i** *in next syllable*	*Stressed* **i** *in next syllable*
pido	**pedir**
pides	**pedimos**
pide	
piden	

2. Other verbs which show **e-i** alternation are **seguir,**[3] **repetir,** and **servir.**

STRUCTURE DRILLS

6. PERSON-NUMBER SUBSTITUTION

1. No pide permiso.
   - (yo)
   - (tú)
   - (Ana y yo)
   - (ustedes)
   - (ella)

No pide permiso.
No pido permiso.
No pides permiso.
No pedimos permiso.
No piden permiso.
No pide permiso.

2. Repito el número.
   (usted–nosotros–Susana y él–yo–tú)

7. PAIRED SENTENCES

Sirvo el té ahora.
(nosotros)
(yo)

Sirvo el té ahora.
Servimos el té ahora.
Sirvo el té ahora.

(*continued*)

[3] The first person singular of **seguir** is **sigo.** The **u** which occurs in the other present tense forms is not required in order to retain the sound [g̸] in the first person singular. See page 65.

(*continued*)

Sigue ocupado.
(nosotros)
(él)

Repiten el párrafo.
(nosotros)
(ellos)

Le pido un lápiz.
(nosotros)
(yo)

¿Cuándo sirven la cena?
(nosotros)
(ellos)

Sigo enojado.
(nosotros)
(yo)

8. WRITING EXERCISE

Write the responses to Drills 6.2 and 7.

The Irregular Verb decir

GENERALIZATION

Decir is like other **i**-class verbs with **e-i** stem alternation, except that the first person singular is **digo.**

No stressed **i** *in next syllable*	*Stressed* **i** *in next syllable*
digo	**decir**
dices	**decimos**
dice	
dicen	

STRUCTURE DRILLS

9. PERSON-NUMBER SUBSTITUTION

Siempre dice la verdad.	Siempre dice la verdad.
(nosotros)	Siempre decimos la verdad.
(yo)	Siempre digo la verdad.
(ustedes)	Siempre dicen la verdad.
(Juan)	Siempre dice la verdad.
(mis amigos y yo)	Siempre decimos la verdad.
(tú)	Siempre dices la verdad.

10. SINGULAR → PLURAL

Nunca pido permiso.	Nunca pedimos permiso.
Repito el párrafo.	
Digo la verdad.	
Sigo ocupado.	
¿Sirvo la cena ahora?	

11. PLURAL → SINGULAR

No pedimos nada.	No pido nada.
Repetimos la lección.	
No decimos eso.	
Seguimos resfriados.	
¿Servimos té o café?	

12. FREE RESPONSE

¿Piden permiso ustedes cuando salen de la clase?
¿Pide usted permiso cuando sale de la casa? ¿a quién? ¿a su padre?
¿A qué hora sirven la cena en su casa?
¿Quién sirve la cena, usted o su mamá, o ustedes dos?
¿Dice usted siempre la verdad? ¿casi siempre?
¿Sirve la pluma de Salgado?
¿Sirve esta pluma? ¿y estos lápices?
¿Para qué sirve un lápiz?

13. WRITING EXERCISE

Write the responses to Drills 10 and 11.

The Present Progressive

PRESENTATION

Anda tomando agua.
García **está molestando.**

Which two parts make up the verb in each of these sentences? What is the theme vowel of the verbs which constitute the second part? What ending is added to the stem + theme vowel?

Usted no **está poniendo** atención.
Yo no **estoy haciendo** nada.
¿**Está escribiendo** una carta?

Which two parts make up the verb in each of these sentences? To which verb classes do the verbs which constitute the second part belong? What is the theme vowel of **e**-class and **i**-class verbs when the **-ndo** ending is attached?

GENERALIZATION

1. Like the present perfect, the present progressive is a compound tense in both English and Spanish. It consists of an auxiliary verb (**estar** in Spanish, *be* in English) followed by a form of the main verb called the present participle (**poniendo** / *paying*).

   Usted no está poniendo atención.
   You aren't paying attention.

2. In Spanish the present participle is formed by attaching the ending **-ndo** to the stem + theme vowel. In the present participle of **e**-class and **i**-class verbs, the theme vowel is **-ie** [ye].

	Stem	*Theme Vowel*	*Ending*
a-class	**llam**	**a**	**ndo**
e-class	**com**	**ie**	**ndo**
i-class	**recib**	**ie**	**ndo**

In **e**-class and **i**-class verbs whose stem ends in a vowel, and in the verb **ir,** the **ie** of the present participle is spelled **ye.**

leer	→	**leyendo**
creer	→	**creyendo**
ir	→	**yendo**

In the small group of **i**-class verbs with **e-i** stem alternation, the vowel which occurs in the stem of the present participle is **i,** since there is no stressed **i** in the next syllable.

decir	→	**diciendo**
pedir	→	**pidiendo**
repetir	→	**repitiendo**
seguir	→	**siguiendo**
servir	→	**sirviendo**

3. In the present progressive only **estar**—never the present participle—changes form to show agreement with the subject.

El chico está molestando.
Los chicos están molestando.
Nosotros estamos molestando.

4. In Spanish, the present progressive is used only to refer to events going on at the moment of speaking. In English, the present progressive may be used to indicate future events; in such cases Spanish normally requires the simple present.

Juan sale mañana.
John is leaving tomorrow.

In English, the simple present may be used to refer to events which occur repeatedly, but which may not be going on at the moment of speaking: *John eats a lot* (usually, although he may be sleeping right now); but only the present progressive—never the simple present —is used for on-going events: *John is eating right now.* Spanish speakers, however, use the simple present both for events which occur repeatedly and for on-going events.

Juan come ahora.
Juan está comiendo ahora.

What is the difference between these two sentences? The first one simply names the activity. The second not only names the activity, but also emphasizes the fact that it is in progress at the moment of speaking.

5. Several verbs besides **estar** may occur as auxiliaries before a present participle. So far you have learned **seguir** and **andar.**

(*continued*)

(*continued*)

a. Literally, **seguir** means *continue, follow.* When used as an auxiliary in the present progressive, the usual English equivalents are *keep on ...ing, still be ...ing.*

> **García sigue molestando.**
> *García keeps on fooling around.*
>
> **Los alumnos siguen poniendo atención.**
> *The students are still paying attention.*

b. The literal meaning of **andar** is *walk, go.* When used as an auxiliary in the present progressive, the usual English equivalents are *be out ...ing* or *go around ...ing.*

> **Anda tomando agua.**
> *He's out drinking water.*
>
> **¿Por qué andas diciendo eso?**
> *Why do you go around saying that?*

STRUCTURE DRILLS

14. INFINITIVE → PRESENT PARTICIPLE

1. García está molestando.	García está molestando.
(nadar)	García está nadando.
(salir)	García está saliendo.
(comer)	García está comiendo.
(leer)	García está leyendo.
(pensar)	García está pensando.
(perder)	García está perdiendo.
(gritar)	García está gritando.

2. ¿Siguen trabajando en México?
   (vivir, estudiar, viajar)

3. ¿Qué andan diciendo?
   (repetir, seguir, pedir)

15. PRESENT → PRESENT PROGRESSIVE

La maestra hace un dictado.	La maestra está haciendo un dictado.
Los alumnos no ponen atención.	
Un chico sale.	
Otro chico habla con su amigo.	

Nadie escucha a la maestra.
La maestra les grita.
Todos los alumnos escriben el dictado.

16. WRITING EXERCISE

Write the responses to Drills 14.2, 14.3, and 15.

More about Negation

PRESENTATION

Nada le gusta.
Nadie pone atención.
Ninguno de los dos es mayor.
Allá **nunca** llueve.
Eugenio **tampoco** pide permiso.
Ni el indio **ni** el español están aquí.

Which is the negative word in each of these sentences? What is its position in relation to the verb?

No le gusta **nada.**
No pone atención **nadie.**
No es mayor **ninguno** de los dos.
Allá **no** llueve **nunca.**
Eugenio **no** pide permiso **tampoco.**
No están aquí **ni** el indio **ni** el español.

Which is the negative word in each of these sentences, aside from **no?** What is its position in relation to the verb? Which word precedes the verb when these negative words follow it?

GENERALIZATION

1. In Unit 2 you learned that in the simplest cases Spanish sentences are made negative by the insertion of **no** before the verb form which has a person-number ending.

Juan <u>no</u> estudia mucho.

2. There are other negative words in Spanish in addition to **no.** Each Spanish word in the left-hand box of the following chart has a negative counterpart, shown on the right.

algo	*something*	**nada**	*nothing*
alguien	*someone, somebody*	**nadie**	*no one, nobody*
alguno	*some* (particular one)	**ninguno**	*none, no*
algunas veces	*sometimes*	**nunca**	*never*
también	*also, too*	**tampoco**	*either, neither*
o	*or*	**ni**	*nor*

a. Like **uno, ninguno** and **alguno** have no final **o** before a masculine singular noun: **ningún chico,** but **ninguna chica, ninguno de los chicos** (*none of the boys*), and **ninguna de las chicas** (*none of the girls*). **Ninguno** does not normally occur in the plural.

b. There is no one-word Spanish equivalent for *sometimes;* literally, **algunas veces** means *some times.*

c. Both **o** and **ni** may be used in pairs, meaning *either . . . or* and *neither . . . nor:* **o el español o el indio,** *either the Spaniard or the Indian;* **ni el español ni el indio,** *neither the Spaniard nor the Indian.*

d. The equivalent for *not even* is **ni siquiera.**

Ni siquiera estudia.
He doesn't even study.

3. Sentences using any of these negative words may occur in two forms, both with the same meaning.

Negative + Verb	*No + Verb + Negative*	
Nada le gusta.	**No le gusta nada.**	*Nothing pleases him.*
Nadie va a ir.	**No va a ir nadie.**	*Nobody is going to go.*
Ninguno de los chicos estudia.	**No estudia ninguno de los chicos.**	*None of the boys study.*
Yo nunca voy.	**Yo no voy nunca.**	*I never go.*
Tampoco estudia	**No estudia tampoco.**	*He doesn't study either.*
Ni Juan ni Pedro van.	**No van ni Juan ni Pedro.**	*Neither John nor Peter is going.*

4. If a negative word appears after the verb, **no** or another negative word must appear before the verb. In Spanish, negation is marked at every opportunity.

Yo no le doy nada a nadie nunca.
I never give anybody anything.

STRUCTURE DRILLS

17. AFFIRMATIVE → NEGATIVE

¿Entiende alguien la lección?	¿No entiende nadie la lección?
Estudio con ellos algunas veces.	
¿Hay algo en el escritorio?	
Quiero ir o con Pedro o con Juan.	
La maestra habla con algunos de los alumnos.	
¿Tú estudias español también?	

18. no + NEGATIVE WORD → NEGATIVE WORD

No está listo nadie.	Nadie está listo.
No es español ninguno de los dos.	
No me prestas nunca tus apuntes.	
No le gusta nada a García.	
No hace la tarea nadie.	
No quiero estudiar tampoco.	
No sirven ni el lápiz ni la pluma.	

19. NEGATIVE WORD → no + NEGATIVE WORD

Nunca tomo café.	No tomo café nunca.
Tampoco quiero agua.	
Nada le gusta.	
Nadie está poniendo atención.	
Ninguno entiende.	
Ni el español ni el francés hablan inglés.	

20. NEGATIVE RESPONSE DRILL

Give a negative answer to each of the following questions.

A usted le encantan los exámenes, ¿verdad?
¿Los exámenes de geografía y los dictados de español?
También le gustan mucho las tareas difíciles, ¿verdad?

(*continued*)

(*continued*)

Y algunas veces estudia con los otros alumnos, ¿no?
¿Practica usted con alguien para los dictados?
¿La maestra algunas veces habla muy despacio durante los dictados?
Y usted entiende todo, ¿verdad?
¿Hace usted las lecciones con algunos de sus amigos?
¿Trae usted algo a la clase de español?

21. ENGLISH CUE DRILL

¡Qué perezoso! Ni siquiera ha estudiado.
He hasn't even begun the assignment.
He hasn't even thought about the lesson.
He hasn't even looked for his notes.
Is he lazy! He hasn't even studied.

22. CHAIN DRILL

¿Está usted listo para el dictado?
Sí, ¿y tú, *Roberto*?
Yo también, ¿y tú, *Elena*?
Yo, no ¿y tú, *Camilo*?
Yo tampoco.

¿Va usted a las carreras hoy?
Sí, ¿y tú, *Lupita*?
etc. . . .

¿Sabe usted nadar?

23. WRITING EXERCISE

Write the responses to Drills 17, 18, and 19.

Possessive Adjectives

PRESENTATION

Mi pluma y mi cuaderno.
Mis plumas y mis cuadernos.

Does **mi** show gender agreement? Does it show number agreement?

¿Me prestas **tu pluma** y **tu libro**?
¿Me prestas **tus plumas** y **tus libros**?

Does **tu** show gender agreement? Does it show number agreement?

Es **su tía** y **su tío.**
Son **sus tías** y **sus tíos.**

Does **su** show gender agreement? Does it show number agreement?

Es **nuestro abuelo** y **nuestra tía.**
Son **nuestros abuelos** y **nuestras tías.**

Does **nuestro** show gender agreement? Does it show number agreement?

GENERALIZATION

1	**mi, mis**	**nuestro, nuestros** **nuestra, nuestras**
2	**tu, tus**	
3	**su, sus**	

1. All possessive adjectives show number agreement. Only **nuestro / nuestra** show gender agreement. The possessive adjectives agree with what is possessed, not with the possessor. This is just another instance of grammatical agreement: *our book* must be **nuestro libro** even if the possessors are female, and *our house* must be **nuestra casa** even if the possessors are male.

2. When it is not clear from context which of the possible meanings of **su(s)** is the one intended, **su(s)** can be replaced by the appropriate form of the definite article before the noun, and **de + ustedes, él, ella, ellos,** or **ellas** after the noun.

Éste es su cuaderno. → **Éste es el cuaderno de él.**
Éstos son sus apuntes. → **Éstos son los apuntes de ella.**
¿Cuál es su casa? → **¿Cuál es la casa de ellos?**

Students from the University of Puerto Rico at a freshman party.

3. The possessive adjectives **mi** and **tu** do not have a written accent (as distinct from the pronouns **mí** and **tú**).

4. Unlike English, Spanish often uses the definite article rather than a possessive adjective when it is obvious who the possessor is. Typical instances are with parts of the body and articles of clothing.

Me aprietan mucho los zapatos.
My shoes are too tight.

Tengo algo en el ojo.
I have something in my eye.

Ella tiene el pelo rubio.
She has blond hair. (Her hair is blond.)

STRUCTURE DRILLS

24. ITEM SUBSTITUTION

1. No encuentro mi pluma.
   ______ lápiz.
   ______ cosas.
   ______ apuntes.

No encuentro mi pluma.
No encuentro mi lápiz.
No encuentro mis cosas.
No encuentro mis apuntes.

2. ¿Estás buscando tu cuaderno?
(tarea–boletos–cartas)

3. Viene con sus hijas.
(hijo–amigos–amiga)

4. ¿Conoces a nuestro padre?
(primas–abuelos–tía)

25. de CONSTRUCTION → POSSESSIVE ADJECTIVE

Es la bicicleta de García.	Es su bicicleta.
Son los libros de ella.	
Son las cosas de ustedes.	
Es la casa de los gemelos González.	
Son las lecciones de Camilo y Miguel.	

26. PERSON-NUMBER SUBSTITUTION

1. Tú y tu familia siempre llegan tarde.	Tú y tu familia siempre llegan tarde.
Juan __________.	Juan y su familia siempre llegan tarde.
Las gemelas __________.	Las gemelas y su familia siempre llegan tarde.
Usted __________.	Usted y su familia siempre llegan tarde.
Ustedes __________.	Ustedes y su familia siempre llegan tarde.

2. Tú no arreglas tu cuarto.
(mis hermanos y yo–Eva–ustedes–yo–nosotros)

27. PATTERNED RESPONSE

¿Me prestas tu pluma?	¿Mi pluma? Sí, claro.
¿Puedo ver el álbum de ustedes?	¿Nuestro álbum? Sí, claro.
¿Conoce usted a los abuelos de Juan?	
¿Sabe usted nuestra dirección?	
¿Ha recibido usted mi carta?	
¿Me da usted su número de teléfono?	

28. FREE RESPONSE

¿Cómo es su madre? ¿alta? ¿bonita?
¿De qué color tiene los ojos ella?
¿Y el pelo?
Y su padre ¿cómo es él? ¿guapo? ¿inteligente?

(*continued*)

(*continued*)

¿Cómo es la casa de ustedes? ¿grande? ¿pequeña?
¿De qué color es?
¿Cuántos cuartos hay en la casa de ustedes?
¿De qué color es su cocina? ¿y su baño?
¿Cómo es usted? ¿alto? ¿bajo?
¿De qué color tiene los ojos?
¿De qué color tengo los ojos yo? ¿y el pelo?
¿Dónde está mi escritorio? ¿y su pupitre?

29. WRITING EXERCISE

Write the responses to Drills 25, 26.2, and 27.

Writing

1. MULTIPLE ITEM SUBSTITUTION

MODELS Ana va a decir algo.
los chicos / estar / nada
Los chicos no están diciendo nada.

Papá habla con alguien.
yo / estudiar / nadie
Yo no estudio con nadie.

1. Mi hermano va a hacer algo ahora.
amigos / estar / nada
2. Juan me presta algunas veces sus apuntes.
esos chicos / nunca / tarea
3. Nuestra maestra va a consultar con alguien.
jefe / estar / nadie
4. La secretaria lee el párrafo.
alumnos / repetir / frase
5. ¿Le pides algo a los señores?
decir / nada / a nosotros
6. Este lápiz sirve también.
estos / tampoco
7. El médico parece o francés o alemán.
empleada / ni / ni

8. Mi prima va a comprar algo.
   Blanca y yo / estar / nada

9. Yo sigo estudiando los apuntes.
   él / andar / mapa

10. La maestra repite la frase muy despacio.
    yo / decir / palabras / rápido

2. DIALOG REWRITE

Rewrite the following dialog, changing the verbs to the present progressive.

MAMÁ Yo te hablo y tú no me pones atención.
PAPÁ Es que leo el periódico.
MAMÁ Pero yo te digo algo importante.
PAPÁ Pero yo leo algo importante. Bien, bien . . . a próposito, ¿qué hace Carlitos ahora?
MAMÁ Escucha el radio.
PAPÁ ¿Y Luisito?
MAMÁ Juega con sus amigos.
PAPÁ ¿Cómo? ¿Y no estudian?
MAMÁ ¡Ay, caramba! ¡Yo te hablo y tú no me pones atención!

A class in Guatemala. Subjects related to farming are part of the curriculum in many rural schools.

RECOMBINATION MATERIAL

Dialogs

I

PADRE ¿Estás lista? Ya salgo para la oficina.
HIJA Sí, casi. A ver, ¿dónde está mi cuaderno?
PADRE Apúrate si quieres ir en carro.
HIJA Sí, papi. ¡Qué barbaridad! Ahora no encuentro mi abrigo.
PADRE ¡Caramba! ¡No vamos a salir nunca!

QUESTIONS

1. ¿Adónde va el padre?
2. ¿Está listo para salir, o todavía no?
3. ¿Cómo va, en autobús?
4. ¿Está lista para salir la hija?
5. ¿Qué busca ella?
6. ¿Qué dice el padre?

II

CHUCHO ¡Ay! ¡Tanto trabajo que tenemos!
QUIQUE Es verdad. Yo creo que esos maestros nunca han sido alumnos.
CHUCHO Tengo un dictado en inglés mañana y también un examen de geografía.
QUIQUE ¡Qué barbaridad! Yo tengo un examen de español.
CHUCHO Y yo no sé absolutamente nada. Es imposible saber tantas cosas.

QUESTIONS

1. ¿Están contentos los dos chicos?
2. ¿Por qué no?
3. ¿Qué dicen de los maestros?
4. ¿Es verdad lo que dicen?
5. ¿En cuál clase tiene un dictado Chucho?
6. ¿En cuál clase tiene un examen?

7. ¿Qué va a pasar mañana en la clase de español de Quique?
8. ¿Está Chucho listo para los exámenes?
9. ¿Qué dice él?

III

MARINA ¿Qué vas a pedir? ¿Un helado?
ELENA No, yo estoy muy gorda. Sólo voy a tomar un café.
MARINA ¿Estás loca? ¿No tienes hambre?
ELENA No chica. No quiero nada. Estoy gordísima.
MARINA No me parece. Estás muy delgada.
ELENA Bueno. Voy a pedir un heladito también.

QUESTIONS

1. ¿Dónde están las dos chicas?
2. ¿Por qué no quiere Elena pedir un helado?
3. ¿Qué quiere tomar ella?
4. ¿Qué le dice Marina?
5. ¿Qué contesta Elena?
6. ¿Está Elena gorda, según Marina?
7. ¿Qué va a pedir Elena por fin?

IV

LUIS Juan, ¿me prestas un lápiz?
JUAN No tengo.
LUIS Tu pluma, entonces, por favor.
JUAN Bueno, ¿no tienes pluma tú?
LUIS Yo no encuentro nada en este cuarto . . . y un papel, por favor, Juanito . . .
JUAN ¡Pero acabas de comprar papel!
LUIS Estoy buscando, pero no encuentro.
JUAN ¿¿¿Has buscado en tu escritorio???
LUIS Ah . . .

REJOINDERS

¿Me prestas tu lápiz?

Narrative

América y los americanos

"¡Todos los habitantes* de este Hemisferio* somos americanos, no sólo la población* de los Estados Unidos! ¡Porque América es Canadá, es Argentina, es todo el Hemisferio Occidental*!"

Ésta es la eterna* protesta de unos pocos extremistas*, quienes 5 no están contentos porque los americanos han monopolizado esta palabra y han limitado* su aplicación* a la nacionalidad* de los Estados Unidos. Es una protesta sin mucha importancia*. Técnicamente* es verdad que todos nosotros somos americanos, pero la realidad de las cosas es que cuando hablamos 10 de "nacionalidad americana" o de "productos americanos", sabemos muy bien que esa nacionalidad y esos productos no corresponden* a ningún otro país° del Hemisferio sino a los Estados Unidos. Es simplemente una conveniencia*, un término* que ha sido adaptado* por los Estados Unidos y aceptado* en todo el 15 mundo, inclusive en el resto de América.

país *m: country*

Es fácil, si queremos, encontrar la explicación* de cómo esto ha ocurrido. Las palabras que denominan* la nacionalidad de un país son siempre derivaciones* del nombre° principal. Así, guatemalteco* está derivado* de Guatemala, mexicano* de México, 20 cubano* de Cuba, colombiano* de Colombia, puertorriqueño* de Puerto Rico, japonés* de Japón*, ruso de Rusia*, chino* de China, y cien más. Todas son derivaciones fáciles. Pero, de Estados Unidos, ¿qué palabra vamos a derivar? ¡Estadounidense, nada menos! Sí, es-ta-dou-ni-den-se, seis sílabas*, y de difícil y horrible 25 pronunciación.* Y si esto ocurre en español, ¿qué derivación pueden producir* los americanos con su "United States"? (¿United Statian?) Una catástrofe* completa.*

nombre *m: name*

Pero ellos, siempre tan prácticos*, han encontrado dos soluciones* al problema: primera, usar solamente las iniciales* U.S. 30 Pero como ellos deben saber que el uso* de iniciales para hablar de nacionalidades no es muy satisfactorio* en otras lenguas°, nuestros primos del norte han encontrado otra solución: ¡otro nombre para Estados Unidos! Con fácil derivación para la nacionalidad, naturalmente*: "America → American", excelente*. 35 Y nosotros, por nuestra parte, que somos de una de esas lenguas

lengua: *language (tongue)*

donde no podemos hablar con iniciales, y sin poder decir fácilmente "estadounidense", hemos aceptado con absoluta satisfacción* la adaptación* de la palabra "americano" a la nacionalidad de los Estados Unidos.

40 Esta teoría* puede no ser cierta°, pero si no hay otra, a mí me parece aceptable*.

cierto-a: *correct*

QUESTIONS

1. ¿Qué dicen los extremistas con respecto a la palabra "americano?"
2. ¿Limitan la aplicación de esta palabra a los habitantes de los Estados Unidos?
3. Según el autor de este artículo*, ¿tiene mucha importancia la protesta de los extremistas?
4. ¿Son americanos todos los habitantes de este Hemisferio, técnicamente?
5. En realidad, ¿a los habitantes de cuál país corresponde la palabra "americano"?
6. Los nombres de las nacionalidades, ¿de cuál palabra son derivados?
7. ¿Cuál es la nacionalidad de un habitante de Guatemala?
8. ¿Y de un habitante de Colombia? ¿y uno de Cuba? ¿uno de Puerto Rico? ¿y uno de Japón?
9. ¿Qué nacionalidad podemos derivar de la palabra Estados Unidos?
10. ¿Es fácil pronunciar esta palabra?
11. ¿Han encontrado una solución al problema los americanos?
12. ¿Cuál cs la primera solución?
13. ¿Es satisfactoria en otras lenguas esta solución?
14. ¿Cuál es la otra solución?
15. ¿Aceptan esta solución las personas que hablan español?

Rejoinders

1. ¿Dónde está García?
2. Esta pluma no sirve.
3. ¡Todos los habitantes de este Hemisferio somos americanos!

Doral
GRAN BARATA

UNIT 12

BASIC DIALOG

La técnica de la mujer

INÉS	¡Viera usted qué liquidación de ropa tienen allí! ¿Vamos?
PEPITA	Mi marido me mata si le hablo de ir de compras.
INÉS	Tan exagerada. Estoy segura que la deja.
PEPITA	Quién sabe. En todo caso, yo la llamo.
MARIDO	¡No! Una y mil veces ¡NO!
PEPITA	Pero Lorenzo, una amiga mía dice que . . .
MARIDO	Esas amigas tuyas no saben lo que cuesta el dinero. ¡NO!
PEPITA	Está bien. Ya sé que tú no me quieres . . .
MARIDO	¡Pepita, mi amor! ¿Vas a llorar? ¡Claro que puedes ir!
PEPITA	¿De veras? Qué bueno eres. Te prometo no gastar mucho.

Woman's Technique

INÉS	You should see what a clothing sale they're having there! Shall we go?
PEPITA	My husband will kill me if I talk to him about going shopping.
INÉS	Don't exaggerate. (So exaggerated.) I'm sure he'll let you.
PEPITA	I don't know. (Who knows.) In any case, I'll call you.
HUSBAND	No! (One and) a thousand times NO!
PEPITA	But Lorenzo, a friend of mine says that . . .
HUSBAND	Those friends of yours don't know the value of a dollar (what money costs). NO!
PEPITA	All right. I (already) know you don't love me . . .
HUSBAND	Pepita, darling (my love)! Are you going to cry? Of course you can go!
PEPITA	Really? You're so sweet. (How good you are.) I promise you not to spend much.

◀ ***Women window-shop in an elegant section of Mexico City.***

Supplement

Tienen una liquidación de trajes.	They're having a sale on suits.
trajes de baño	bathing suits
sacos sport	sport coats (jackets)
swéaters[1]	sweaters
¡Qué gangas tienen en ese almacén!	What bargains they have in that department store!
Abren a las nueve de la mañana.	They open at nine o'clock in the morning.
¡Mi esposa[2] me mata!	My wife will kill me!
¡Mis padres me matan!	My parents will kill me!
De todos modos, yo la llamo.	Anyway, I'll call you.
Además	Besides
Por consiguiente	Therefore

Un pariente mío dice que . . .	A relative of mine says that . . .
sobrino	nephew
nieto	grandson
cuñado	brother-in-law
Esos amigos tuyos no ganan nada.	Those friends of yours don't earn anything.
venden	sell
Nosotros nunca ganamos.	We never win.
Es una amiga suya.	She's a friend of yours.
nuestra	ours

[1] **Swéater,** being a foreign word, has an irregular plural. It is formed by adding **s** where one would normally expect **es.**

[2] **Esposa** has a masculine form: **esposo. Marido,** however, has no feminine form.

BASIC FORMS

Verbs

abrir	matar
ganar	prometer
gastar	vender
llorar	

Nouns

almacén *m.*	traje *m.*
amor *m.*	traje de baño *m.*
pariente *m.f.*	liquidación *f.*
swéater *m.*	mujer *f.*

Vocabulary Exercises

1. QUESTIONS

1. ¿De qué hablan las dos señoras?
2. ¿Quiere Inés ir de compras?
3. ¿Quiere Pepita ir con ella?
4. ¿A usted le gusta ir de compras?
5. ¿Prefiere ir con su mamá o con un amigo?
6. ¿Le gustan las gangas?
7. ¿Le gustan las liquidaciones? ¿Por qué?
8. ¿Tiene usted mucha ropa?
9. ¿Qué necesita usted comprar, un traje de baño?
10. ¿Necesita usted comprar un saco sport? ¿un swéater?
11. ¿Prefiere usted comprar en un almacén grande o en una tienda pequeña?
12. ¿Cuál almacén prefiere usted?
13. ¿A qué hora abren los almacenes?
14. Según Pepita, ¿va a estar enojado su marido si ella va de compras?
15. ¿Cómo es Pepita, según Inés?
16. ¿Cree Inés que el marido de Pepita la deja ir?
17. ¿Qué va a hacer Pepita, en todo caso?

2. FREE COMPLETION

1. ¡Viera usted qué liquidación de ______!
2. Me encanta ir a ______.
3. Usted es tan ______.
4. ¿A qué hora abren los ______?

---

3. QUESTIONS

1. ¿Cómo se llama el marido de Pepita?
2. ¿Está enojado él?
3. ¿Qué dice Lorenzo de las amigas de Pepita?
4. ¿Creen sus padres que usted no sabe lo que cuesta el dinero?
5. Cuando usted quiere ir de compras, ¿le pide dinero a su padre?
6. ¿Gasta usted mucho dinero?
7. ¿Trabaja usted? ¿Gana mucho? ¿Trabaja en un almacén?
8. ¿Qué dice Pepita cuando Lorenzo empieza a hablar de sus amigas?
9. ¿Qué cree Lorenzo que Pepita va a hacer?
10. ¿Usted llora mucho cuando sus padres le gritan?
11. ¿Qué le dice Lorenzo a su esposa? ¿Sigue enojado él?
12. ¿Está Pepita contenta ahora? ¿Qué le dice a su marido?
13. ¿Qué le promete Pepita a Lorenzo?
14. ¿Son todos los maridos como Lorenzo?
15. Y las mujeres, ¿son todas como Pepita?

4. SYNONYMS

¡Esa <u>señora</u> es tan exagerada!
¡Mi <u>esposo</u> me mata!
Voy con <u>mi padre y mi madre</u>.
Juan es <u>el marido de mi hermana</u>.
Luisa es <u>la hija de mi hermana</u>.

5. ANTONYMS

<u>Compran</u> muchas cosas.
Siempre <u>perdemos</u>.
La ropa es muy <u>cara</u> en ese almacén.
¿Por qué no <u>cierras</u> las ventanas?
¡Es <u>verdad</u>!

GRAMMAR

Direct Object Pronouns

PRESENTATION

Digo **el número.**
Lo digo.

Llamo a **la chica americana.**
La llamo.

Which direct object pronoun can replace a masculine singular noun phrase? a feminine singular noun phrase?

No encuentro a **los señores.**
No **los** encuentro.

No encuentro **las cosas.**
No **las** encuentro.

Which direct object pronoun can replace a masculine plural noun phrase? a feminine plural noun phrase?

Tú no **me** quieres.
Claro que **te** quiero.
Él no **nos** quiere.

Are the direct object pronouns **me, te,** and **nos** the same as the corresponding indirect object pronouns?

GENERALIZATION

	Singular	*Plural*
1	**me**	**nos**
2	**te**	**los, las**
3	**lo, la**	

1. The direct object pronouns **me, te,** and **nos** have the same form as the corresponding indirect object pronouns; the third person forms are the same as the corresponding forms of the definite article, except for **lo.**

2. Direct object pronouns, unlike indirect object pronouns, show gender agreement in the third person. As usual, the masculine plural form is used for groups of mixed gender.

   Los llamo mañana.
   I'll call you (men and women) tomorrow.

3. Direct object pronouns make no distinction between persons and things. **Lo** can replace both **al chico** and **el libro** in the following sentences:

   Veo al chico. > **Lo veo.**
   Veo el libro. > **Lo veo.**

4. Direct object pronouns, like indirect object pronouns, precede a verb with a person-number ending.

   Yo no los llamo.
   Yo no los he llamado.

5. Like indirect object pronouns, direct object pronouns in Spanish are always unstressed. The same device is used to emphasize them as for indirect object pronouns: in addition to the unstressed pronoun before the verb, a + a prepositional pronoun are placed after the verb.

   Lo llamo a él.
   I call him.

   Me quiere ver a mí.
   He wants to see me.

STRUCTURE DRILLS

6. NOUN → PRONOUN

1. No veo el mapa.	No lo veo.
No veo al empleado.	No lo veo.
No veo la televisión.	No la veo.
No veo a la mujer.	No la veo.
No veo los lápices.	No los veo.
No veo a los camareros.	No los veo.
No veo las cosas.	No las veo.
No veo a las criadas.	No las veo.
2. Vendemos los discos.	Los vendemos.
¿Llamas a las chicas americanas?	
¡Siempre molestas a la maestra!	

¿Han leído el periódico?
¿Ya cierran la librería?
¿Has encontrado los apuntes?
¿Conocen ustedes al Sr. Quezada?
No sé el nombre.

7. DIRECTED ADDRESS

Address the following statements to the persons indicated by the cue.

1. Lo voy a visitar mañana.	Lo voy a visitar mañana.
(a su compañero)	Te voy a visitar mañana.
(a dos de sus amigos)	Los voy a visitar mañana.
(al dentista)	Lo voy a visitar mañana.
(a mí)	Lo (*or* la) voy a visitar mañana.
(a Juan y a María)	Los voy a visitar mañana.

2. ¡Tres veces lo he llamado!
(al médico)
(a su prima)
(a mí)
(a la Sra. Delgado y a mí)
(a la maestra de geografía)

8. PATTERNED RESPONSE

¿Te dejan tomar café?	Sí, claro que me dejan.
¿Los dejan a ustedes ir al cine?	
¿Me dejan gritar?	
¿Dejan a Pepita ir de compras?	
¿Lo dejan gastar mucho dinero a usted?	
¿Nos dejan ir a la liquidación?	
¿Te dejan trabajar?	

9. PAIRED SENTENCES

Lo llamo.	Lo llamo.
I'll call you.	Lo llamo a usted.
I'll call you.	Lo llamo.

No la encuentran.
They can't find her.
They can't find her.

(*continued*)

(*continued*)

Nos busca.
He's looking for us.
He's looking for us.

No los conozco.
I don't know them.
I don't know them.

10. WRITING EXERCISE

Write the responses to Drills 6.2, 7.2, and 8.

Direct vs. Indirect Objects

GENERALIZATION

1. Whether a Spanish verb takes a direct or an indirect object is not always predictable from the corresponding English verb.

   Lo dejo ir.
   I let him go.

   Le permito ir.
   I permit him to go.

   You must learn the kinds of objects a Spanish verb may take as you learn the verb.

2. Most Spanish verbs may take both direct and indirect objects. Verbs that have to do with some form of communication are typical: the person communicated with is an indirect object; the message communicated is a direct object.

I answer	*the letter.*	**Contesto la carta.**	**La contesto.**
	the teacher.	**Le contesto al maestro.**	**Le contesto.**
I'm writing	*the letter.*	**Escribo la carta.**	**La escribo.**
	my uncle.	**Le escribo a mi tío.**	**Le escribo.**

Llamar, though it seems like a verb of communication, takes a direct object for the person called.

I'm calling	*the number.*	**Llamo el número.**	**Lo llamo.**
	John.	**Llamo a Juan.**	**Lo llamo.**

STRUCTURE DRILLS

11. INDIRECT VS. DIRECT OBJECT

	1ST STUDENT	2ND STUDENT
1. Busco al médico.	Busco al médico.	Lo busco.
(escribo)	Le escribo al médico.	Le escribo.
(llamo)	Llamo al médico.	Lo llamo.
(hablo)	Le hablo al médico.	Le hablo.

2. ¿Conoces a María?
   (traes)
   (gritas)
   (contestas)

3. No ve a los chiquitos.
   (grita)
   (lee)
   (reconoce)

12. CUED DIALOG

1.	(la tarea)	1ST STUDENT	¿Escribes la tarea?
		2ND STUDENT	No, la escribo después.
	(al Sr. López)	1ST STUDENT	¿Le escribes al Sr. López?
		2ND STUDENT	No, le escribo después.
	(las cartas)		
	(a las gemelas)		
2.	(al maestro)	1ST STUDENT	¿Le contestas al maestro?
		2ND STUDENT	Sí, le contesto.
	(el teléfono)		
	(a los señores)		
	(las cartas)		

13. FREE RESPONSE

¿Conoce usted a este chico? ¿y a esta chica?
¿Sabe el nombre de esta chica?
¿Sabe su dirección?
¿Yo los dejo a ustedes hablar en clase?
¿Los dejo hablar inglés?
¿Cuál lengua hablan ustedes en clase?
¿Cuándo va a traer usted a su mamá aquí?

(*continued*)

(*continued*)

¿Trae usted a sus amigos a la clase de español?
¿Sus amigos lo llaman a usted todas las noches?
¿Lo visitan frecuentemente?
¿Ve usted a sus amigos todos los días? ¿Dónde?

14. WRITING EXERCISE

Write the responses to Drills 11.2, 11.3, and 12.2.

The Infinitive as the Object of a Preposition

PRESENTATION

Me mata si le hablo **de ir** de compras.
Nunca viene **sin llamar.**
¿Siempre pides permiso **antes de salir**?

Which form of the verb follows the preposition?

Stores featuring a great variety of wares attact crowds during Sunday market in Madrid.

GENERALIZATION

1. Like the gerund of English verbs (the form that ends in *-ing*), the infinitive of Spanish verbs often functions as a noun.

   Ver para creer.
   Seeing is believing.

2. One common use of the infinitive functioning as a noun is as the object of a preposition.

   Me mata si le hablo de ir de compras.
   He'll kill me if I talk to him about going shopping.

STRUCTURE DRILLS

15. DOUBLE ITEM SUBSTITUTION

Nunca salgo antes de estudiar.
________________ cenar.
________ después de ___.
________________ comer.
________ sin ________.
________________ almorzar.
________ para ________.

16. ENGLISH CUE DRILLS

1. ¿Qué haces después de cenar?
   What do you do after studying?
   What do you do after you practice?
   What do you do after going shopping?
   What do you do after you win a game?
   What do you do after losing a game?
   What do you do after you have dinner?

   ¿Qué haces después de cenar?
   ¿Qué haces después de estudiar?
   ¿Qué haces después de practicar?
   ¿Qué haces después de ir de compras?
   ¿Qué haces después de ganar un partido?
   ¿Qué haces después de perder un partido?
   ¿Qué haces después de cenar?

2. ¡Qué clase! ¡Todos estamos cansados de trabajar!
   Ana's tired of reading.
   Pedro's tired of writing.
   The twins are tired of speaking Spanish.
   I'm tired of repeating sentences.
   You're tired of studying. (*ustedes*)
   What a class! We're all tired of working!

17. FREE RESPONSE

¿Está usted cansado de estudiar ahora?
¿Qué va a hacer después de salir de la escuela esta tarde?
¿Va a ir al almacén antes de volver a casa?
¿Para qué? ¿Para comprar algo?
¿Le gusta ir al almacén sin poder gastar mucho?
Y usted, ¿adónde va a ir antes de volver a casa?
¿Hace sus lecciones antes o después de cenar?
¿Qué hace usted después de estudiar? ¿Llama a sus amigos?

18. WRITING EXERCISE

Write the responses to Drills 15 and 16.2.

Possessive Adjectives: Long Forms

PRESENTATION

Una amiga **mía** dice eso.
Esas amigas **tuyas** no saben nada.
¿Es un amigo **suyo**?
Son unos amigos **nuestros.**

Which is the word that expresses possession in each of these sentences? What is its position in relation to the noun? Does it agree in number and gender with the noun it modifies?

GENERALIZATION

1	**mío, míos** **mía, mías**	**nuestro, nuestros** **nuestra, nuestras**
2	**tuyo, tuyos** **tuya, tuyas**	
3	**suyo, suyos** **suya, suyas**	

1. The long form possessive adjectives agree in number and gender with the noun they modify.

Esa amiga mía es simpática.
Esos amigos tuyos son antipáticos.

2. Long form possessive adjectives are used in these situations:

a. After **ser** and **parecer.**

¿Son tuyos estos guantes?
Are these gloves yours?

Sí, parecen míos.
Yes, they look like mine.

b. After a noun, to express *of mine, of yours, of ours,* etc.

Una amiga mía dice que . . .
A friend of mine says that . . .

Esas amigas tuyas . . .
Those friends of yours . . .

Son unos primos nuestros.
They're some cousins of ours.

c. After a noun, to emphasize that one possessor rather than another is referred to.

mi casa	*my house*
la casa mía	*my house*
tus ideas	*your ideas*
las ideas tuyas	*your ideas*

3. **Suyo,** like **su,** can refer to any third person possessor. When it is not clear from the context which one is intended, **suyo** may be replaced by **de** + the appropriate prepositional object pronoun.

Estos periódicos no son {suyos. / de él.}

¿Son {suyas / de ustedes} estas cosas?

El libro es {suyo. / de ella.}

La casa es {suya. / de ellos.}

STRUCTURE DRILLS

19. ITEM SUBSTITUTION

1. Ese lápiz no es mío.	Ese lápiz no es mío.
Esa pluma ______.	Esa pluma no es mía.
Esos apuntes ______.	Esos apuntes no son míos.
Esas cosas ______.	Esas cosas no son mías.

2. ¿Es tuyo el saco?
   (la bicicleta–los pesos–las fotos)

3. Esos amigos suyos nunca estudian.
   (ese sobrino–esa hija–esas compañeras)

4. Es un tío nuestro.
   (unos parientes–una sobrina–unas primas)

20. PERSON-NUMBER SUBSTITUTION

1. Este carro es mío.	Este carro es mío.
(de usted)	Este carro es suyo.
(de Luis)	Este carro es suyo.
(de mis amigos)	Este carro es suyo.

2. ¿Es tuya esta casa?
   (de ustedes–del nuevo médico–de las gemelas)

3. Estos libros no son nuestros.
   (de los alumnos–de usted–de mi sobrina)

21. PATTERNED RESPONSE

¿Es una prima de Juan?	Sí, es una prima suya.
¿Son unas amigas de las gemelas?	
¿Es su sobrino?	
¿Es un nieto de la señora?	
¿Son unos compañeros de ustedes?	
¿Son mis alumnos?	
¿Es nuestro pariente?	

22. FREE RESPONSE

¿Es de usted este cuaderno?
Y este lápiz, ¿también es suyo?

¿Y esta cosa? ¿y estas dos plumas?
¿Es mío este periódico? ¿y estos libros?
¿Son de *Juan* estos papeles?
Y estos apuntes, ¿de quién son?
¿Es de ustedes este mapa? ¿y esas fotos, también son suyas?
¿Es de *Luisa* este swéater? ¿y estos guantes también?
Juan, ¿es de su padre este saco? ¿y esta corbata?
Susana, ¿es *Cristina* una amiga suya?
¿Esos dos chicos son amigos suyos? ¿y esas dos chicas?
¿Son ustedes alumnos míos? ¿Son alumnos de la *Sra. Delgado?*

23. WRITING EXERCISE

Write the responses to Drills 19.2, 19.3, 19.4, and 21.

Generic Use of the Definite Article

GENERALIZATION

Generic means "referring to a class of things as a whole, rather than to any particular member of the class." The underlined nouns in the following examples are used in a generic sense:

Cars are expensive.
Women talk a lot.
Geography is easy.

In the Spanish equivalents of sentences like the above, the subject noun used in a generic sense is preceded by the definite article.

Los carros son caros.
Las mujeres hablan mucho.
La geografía es fácil.

STRUCTURE DRILLS

24. ENGLISH CUE DRILLS

1. La geografía es difícil.	La geografía es difícil.
Spanish is easy.	El español es fácil.
English is boring.	El inglés es aburrido.
Geography is difficult.	La geografía es difícil.

(*continued*)

(*continued*)

2. Los maestros trabajan mucho.
   Students study a lot.
   Women spend a lot.
   Girls talk a lot.
   Boys fool around a lot.
   Teachers work a lot.

25. PATTERNED RESPONSE

Aquí venden carros.	Los carros son muy caros.
Aquí venden gasolina.	
Aquí venden bicicletas.	
Aquí venden ropa.	
Aquí venden trajes de baño.	
Aquí venden café.	

26. WRITING EXERCISE

Write the responses to Drills 24.2 and 25.

Friends spend long hours discussing politics and local news in a café.

Writing

1. MULTIPLE ITEM SUBSTITUTION

MODEL ¿A la chica americana? La llamo ahora.
maestro / (nosotros) / buscar
¿Al maestro americano? Lo buscamos ahora.

1. ¿Ese libro? No lo he leído.
canción / (nosotros) / escuchar
2. ¿A su sobrino? No lo conocemos.
cuñada / (yo) / ver
3. ¿La casa? No la venden.
guantes / (ella) / encontrar
4. ¿La librería? La arregla el empleado.
cuartos / limpiar / criada
5. Esas amigas tuyas no estudian nunca.
parientes / trabajar
6. De todos modos, yo te llamo a ti.
en todo caso / tú / a mí
7. Esas amigas suyas no me gustan a mí.
compañeros / a ellas
8. Estamos cansados de estudiar.
(ella) / llorar
9. ¿Vas a la tienda después de hacer tu trabajo?
(ellos) / museo / escribir / lecciones
10. Los chicos nunca vienen sin llamar.
mi hermana y yo / salir / pedir permiso

2. DIALOG COMPLETION

Copy the following dialog, filling in each blank with the correct object pronoun.

INÉS Aló, ¿está Pepita?
LORENZO Sí, __1__ voy a llamar.
INÉS ¿Aló? Pepita, ¿quiere usted ir a esa liquidación conmigo?
PEPITA No sé. Mi marido __2__ mata si __3__ digo que voy a otra liquidación.

(*continued*)

(*continued*)

INÉS ¿Por qué?
PEPITA Siempre __4__ prometo no gastar mucho, pero . . .
INÉS Sí, yo sé. Primero __5__ grita un poco, pero después __6__ dice que __7__ quiere y __8__ deja ir.
PEPITA No, usted no __9__ conoce. De todos modos, __10__ llamo más tarde.

RECOMBINATION MATERIAL

Dialogs

I

PEPITA ¡Qué ganga! Sólo cuatro veinticinco por este swéater.
INÉS ¡Un regalo! ¿Lo compra? Es muy bonito.
PEPITA No sé. Mi marido me mata. . .
INÉS Pero Pepita, va perfecto con la falda que acaba de comprar.
PEPITA Sí, es de exactamente ese color.
INÉS ¡Y sólo cuesta cuatro vienticinco!
PEPITA Bueno, lo compro, ¡pero ahora tengo que comprar unos zapatos para el swéater y la falda!

QUESTIONS

1. ¿Cuánto cuesta el swéater que Pepita quiere comprar?
2. ¿Está barato, según Inés?
3. ¿Lo encuentra bonito ella?
4. Según Pepita, ¿qué le hace su marido si ella compra el swéater?
5. ¿Es exagerada ella?
6. ¿Por qué lo debe comprar, según Inés?
7. ¿Qué dice Pepita?
8. ¿Qué hace Pepita, por fin?
9. ¿Qué más va a tener que comprar ella?

REJOINDER

¡Sólo quince noventa y cinco por este saco!

II

PEDRO ¡Qué graciosa esta foto! ¿Dónde es la fiesta?
ÁNGEL En la casa de unos parientes míos.
PEDRO Ésta es tu prima, ¿no es cierto?
ÁNGEL No, mi cuñada, esposa de Antonio, mi hermano mayor.
PEDRO Y estos chiquitos, ¿son hijos de ella?
ÁNGEL Sí, mis sobrinitos, Toño y Chucho. Son gemelos.

QUESTIONS

1. ¿De qué es la foto?
2. ¿Dónde es la fiesta?
3. ¿Quién es la señora que Pedro ve en la foto?
4. ¿Cómo se llama el marido de esa señora?
5. ¿Es Antonio el primo de Ángel?
6. ¿Cómo se llaman los hijos de Antonio y su esposa?

III

ARTURO ¡Vieras los carros usados que venden allí!
MIGUEL ¿De veras? ¿Tu padre te va a comprar un carro?
ARTURO No, lo voy a comprar yo. He estado economizando.
MIGUEL ¿Sí? Tú debes ganar mucho.
ARTURO No tanto. Tengo una ruta de periódicos.
MIGUEL ¡Qué suerte!

QUESTIONS

1. ¿De qué hablan los dos chicos?
2. ¿Quiere Arturo comprar un carro nuevo o uno usado?
3. ¿El padre de Arturo le va a comprar el carro?
4. ¿Qué ha estado haciendo Arturo?
5. ¿Por qué puede economizar tanto dinero Arturo, según Miguel?
6. ¿Gana Arturo mucho dinero en realidad?
7. ¿En qué trabaja él?
8. ¿Tiene un trabajo difícil?
9. ¿Cree Miguel que Arturo tiene suerte?

REJOINDER

Voy a comprar un carro nuevo.

Narrative

El Nuevo Mundo

Si miramos° un mapa del Hemisferio Occidental, podemos observar* que el Nuevo Mundo tiene la forma* de dos triángulos* unidos por una delgada faja° de tierra°. El triángulo superior* contiene* tres grandes países: Canadá, Estados Unidos, y México, y llamamos esta parte del continente "Norteamérica"*. Por esta razón también les decimos "norteamericanos"* a los americanos. Sin embargo°, nadie les aplica* este término a los habitantes de Canadá y México, que por su posición* geográfica* también son norteamericanos. La nacionalidad de cada una de estas dos repúblicas es una palabra tan claramente derivada del nombre del país—canadiense* y mexicano—que para no hacer confusión* preferimos reservar* "norteamericanos" para los habitantes de los Estados Unidos.

La delgada faja de tierra que une* los dos triángulos consiste en seis pequeñas repúblicas llamadas, de norte* a sur*: Guatemala, Honduras, El Salvador, Nicaragua, Costa Rica y Panamá. Lógicamente*, llamamos esta región* Centroamérica, y a sus habitantes, centroamericanos*.

Al sur, está el segundo triángulo: Suramérica*. En esa enorme* extensión* de territorio* encontramos diez naciones* latinas[3]*, unas de gran tamaño°, otras de tamaño mediano* y otras más pequeñas. Son Venezuela, Colombia, Ecuador, Perú, Chile, Bolivia, Paraguay, Argentina, Uruguay, y Brasil.

Éstas son todas las naciones del continente, pero no son todas las repúblicas del Hemisferio. Debemos incluir* también Cuba, la República Dominicana, Haití, Jamaica, y el territorio de Puerto Rico, estado libre° asociado* a los Estados Unidos, situadas* todas en el mar° Caribe[4].

Finalmente debemos mencionar dos clasificaciones* más de nuestra América, que no son clasificaciones geográficas sino lingüísticas*: Hispanoamérica* y Latinoamérica*. Hispano-

mirar: *look at*
faja: *strip*
tierra: *land*
sin embargo: *nevertheless*
tamaño: *size*
libre: *free*
mar *m: sea*

---

[3] Plus the territory of the Guianas (French, British, and Dutch). The independent country of Guyana was formerly British Guiana. Dutch Guiana is officially Surinam, an autonomous overseas territory of the Kingdom of the Netherlands.

[4] Two more islands that have recently become independent nations are Trinidad-Tobago and Barbados.

américa incluye solamente los países de lengua española. Latinoamérica comprende* todos los países donde la lengua oficial* es una de las tres lenguas romances* habladas en el Nuevo Mundo:
35 español, portugués*, y francés.

Norteamericanos, hispanoamericanos*, centroamericanos, americanos, suramericanos*, latinoamericanos*: éstos son los habitantes del Hemisferio Occidental, el Nuevo Mundo, América.

QUESTIONS

1. ¿Qué forma tiene el Nuevo Mundo?
2. ¿Cuáles países contiene el triángulo superior?
3. ¿Cómo se llama este gran triángulo?
4. ¿Cuál otro nombre usamos para hablar de los "americanos"?
5. ¿Son norteamericanos los mexicanos y los canadienses por su posición geográfica?
6. ¿Les decimos normalmente "norteamericanos" a los habitantes de México y de Canadá?
7. ¿Por qué no?
8. ¿Cómo se llama la delgada faja de tierra que une Norteamérica y Suramérica?
9. ¿De cuáles países consiste Centroamérica?
10. ¿Cómo se llaman los habitantes de Centroamérica?
11. ¿Cuántas naciones latinas hay en Suramérica?
12. ¿Recuerda usted cuáles son?
13. ¿Son todas de gran tamaño?
14. ¿Cuáles son las repúblicas que no hemos mencionado todavía?
15. ¿Es Puerto Rico una nación completamente independiente? ¿Qué es?
16. ¿Cuáles dos clasificaciones linguísticas menciona el autor?
17. ¿Cuáles países incluye la clasificación "Hispanoamérica"?
18. ¿Cuáles países están comprendidos en la clasificación "Latinoamérica"?
19. ¿Cuáles son las tres lenguas romances habladas en Latinoamérica?

Conversation Stimulus

Usted va a hacer un viaje por Latinoamérica. ¿Cuáles países prefiere visitar? ¿Cuál ruta va a seguir? ¿A cuál país va primero? ¿A cuáles países va después? ¿Con quiénes va a viajar? ¿Cómo va a viajar? ¿Cuándo empieza su viaje? ¿Cuándo vuelve? ¿Cuáles son las cosas principales que usted quiere ver en cada país?

UNIT 13

BASIC DIALOG

Las quince primaveras[1]

BÁRBARA ¿Ya te vas? ¿Por qué no te quedas un rato más?
CECILIA No, si no me acuesto temprano, no me levanto mañana.
BÁRBARA ¿Tú estás invitada a la fiesta de Ana? Yo, no, fíjate.
CECILIA Yo tampoco. Tal vez no ha hecho la lista todavía.

BÁRBARA Tu cumpleaños es muy pronto también, ¿no?
CECILIA Sí, pero yo no voy a hacer una fiesta muy grande.
BÁRBARA ¿A quiénes piensas invitar?
CECILIA A unos veinte muchachos y a unas diez amigas.
BÁRBARA Me parece muy bien. El doble de hombres.
CECILIA Sí, ¡porque siempre se presenta la mitad!

Sweet Sixteen (The Fifteen Springs)

BÁRBARA Are you going already? Why don't you stay a while longer?
CECILIA No, if I don't go to bed early, I won't get up tomorrow.
BÁRBARA Are you invited to Ana's party? I'm not, just imagine.
CECILIA Neither am I. Maybe she hasn't made the list yet.

BÁRBARA Your birthday's very soon too, isn't it?
CECILIA Yes, but I'm not going to have a very big party.
BÁRBARA Who do you intend to invite?
CECILIA About (some) twenty boys and about ten girl friends.
BÁRBARA That seems fine to me. Twice as many (the double) men.
CECILIA Yes, because half always show up (present themselves)!

[1] It is the custom in some Spanish-speaking countries for girls to celebrate their fifteenth birthday **(las quince primaveras)** in much the same way girls celebrate their "sweet sixteen" in many parts of the United States.

◀ ***A Mexican girl celebrates her fifteenth birthday at a party as elegant as a debutante ball.***

Supplement

¿Te aburres mucho?	Do you get very bored?
¿Te asustas mucho?	Do you get very frightened?
¿Te cansas mucho?	Do you get very tired?
¿Te enojas mucho?	Do you get very angry?
¿Te preocupas mucho?	Do you get very worried?
¿Por qué no te sientas ahora?	Why don't you sit down now?
te vistes	get dressed
te bañas	bathe
Si no me duermo ahora, no me despierto mañana.	If I don't go to sleep now, I won't wake up tomorrow.
¿Me puedo lavar las manos?	May I wash my hands?
No ha escrito la lista.	She hasn't written the list.
dicho	said
visto	seen
abierto	opened
¿Dónde ha puesto la lista?	Where has she put the list?
¿Han vuelto solos?	Have they come back by themselves (alone)?

Ella cumple quince en el verano.	She'll be (fulfill) fifteen in the summer.
el otoño	the autumn
el invierno	the winter
¿En qué estación estamos?	What season is this?
¿Cuándo es tu aniversario?	When is your anniversary?
santo[2]	saint's day
¿Me quito el abrigo?	Shall I take off my coat?
Me pongo	put on

[2] In many Spanish-speaking countries it is the custom for a person to celebrate the day of the saint for which he was named, instead of, or as well as, his own birthday. In certain areas women celebrate only their saint's day while men celebrate only their birthday.

BASIC FORMS

Verbs

*aburrirse	*dormirse (ue)	*ponerse
*acostarse (ue)	*enojarse	*preocuparse
*asustarse	*fijarse	*presentarse
*bañarse	invitar	*quedarse
*cansarse	*irse	*quitarse
cumplir	*lavarse	*sentarse (ie)
*despertarse (ie)	*levantarse	*vestirse (i)

Nouns

cumpleaños *m.*	mano *f.*
doble *m.*	mitad *f.*
hombre *m.*	

Vocabulary Exercises

1. QUESTIONS

1. ¿Está Bárbara invitada a la fiesta de Ana?
2. Y Cecilia, ¿está invitada ella?
3. ¿Por qué no están invitadas, según Cecilia?
4. ¿A usted le gusta dar fiestas?
5. ¿Cuándo va a dar una?
6. ¿A quiénes va a invitar?
7. ¿Va a invitar al maestro de español?
8. ¿A usted le gusta invitar a sus amigos a la casa?
9. ¿Le gusta bailar? ¿Cuáles bailes le gustan más?
10. ¿Le gusta hablar por teléfono?

2. FREE COMPLETION

1. Siempre me acuesto muy ______.
2. ¿Por qué no te sientas en el ______?
3. Los domingos me levanto a las ______.
4. No he escrito la ______.
5. Me voy a lavar ______.

---

3. QUESTIONS

1. ¿Va a ser pronto el cumpleaños de Cecilia?
2. ¿Va a hacer una fiesta de cumpleaños ella?
3. ¿A cuántos muchachos piensa invitar? ¿A cuántas muchachas?
4. ¿Qué le parece la idea a Bárbara? ¿Por qué le parece bien?
5. ¿Cuándo es su cumpleaños?
6. ¿Cuántos años va a cumplir?
7. ¿Piensa dar una fiesta?
8. ¿Va a invitar a más muchachos o a más muchachas? ¿Por qué?
9. ¿Sabe usted cuándo es su santo?
10. ¿Sabe cuándo es el aniversario de sus padres? ¿Cuándo es?
11. ¿En qué estación estamos?
12. ¿Cuál estación prefiere usted? ¿Por qué?
13. ¿Cuántas estaciones hay en un año? ¿Cuáles son?
14. ¿En cuál estación hace calor? ¿En cuál estación hace frío?

4. ANTONYMS

Me acuesto temprano.
Voy a hacer una fiesta grande.
Me quito los guantes.
Me acuesto tarde.
El almacén está cerrado.

GRAMMAR

Irregular Past Participles

GENERALIZATION

Some verbs have an irregular past participle. The most common irregular past participles are these:

abierto	**(abrir)**	**puesto**	**(poner)**
dicho	**(decir)**	**visto**	**(ver)**
escrito	**(escribir)**	**vuelto**	**(volver)**
hecho	**(hacer)**		

STRUCTURE DRILLS

5. PERSON-NUMBER SUBSTITUTION

1. No he abierto la puerta.
   (nosotros)
   (ellos)
   (tú)
   (él)

No he abierto la puerta.
No hemos abierto la puerta.
No han abierto la puerta.
No has abierto la puerta.
No ha abierto la puerta.

2. ¿Has visto al jefe?
   (ella–ustedes–usted y yo–tú)

6. ITEM SUBSTITUTION

1. No he visto la lista.
   (escribir)
   (hacer)
   (decir)
   (ver)

No he visto la lista.
No he escrito la lista.
No he hecho la lista.
No he dicho la lista.
No he visto la lista.

2. ¿Qué has puesto en la cocina?
   (ver–hacer–decir–poner)

7. PRESENT → PRESENT PERFECT

¿Ya vuelven los muchachos?
¿Qué haces?
¿Abres las cartas?
No vuelve todavía.
Yo no digo nada.
¿La lista? No la hago todavía.
¿El correo? Lo pongo en su escritorio.
¿Él? Nunca nos escribe.

¿Ya han vuelto los muchachos?

8. DOUBLE ITEM SUBSTITUTION

1. He escrito la lista.
   Voy a ________.
   ______ escribiendo _____.
   ______ hacer ________.
   He ________________.
   Estoy ______________.

He escrito la lista.
Voy a escribir la lista.
Estoy escribiendo la lista.
Voy a hacer la lista.
He hecho la lista.
Estoy haciendo la lista.

(*continued*)

(*continued*)

2. No hemos dicho nada. ⊛
   ___ vamos a ________.
   ___ estamos ________.
   ________ visto __________.
   ___ vamos a ______________.

9. FREE RESPONSE

¿Ya ha hecho usted toda su tarea para mañana?
¿Ha escrito la lección de español?
¿Ya la ha puesto en mi escritorio?
¿Este libro está escrito en inglés o en español?
¿Qué han tenido que leer ustedes para hoy?
¿Ya ha vuelto su padre del trabajo? ¿A qué hora vuelve él?
¿Está abierta la puerta? ¿Están abiertas todas las ventanas?
¿Alguno de ustedes ha visto al maestro de geografía hoy?

10. WRITING EXERCISE

Write the responses to Drills 6.2, 7, 8.2.

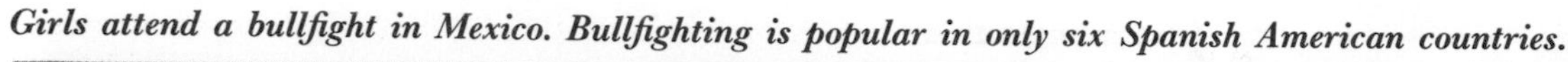

Girls attend a bullfight in Mexico. Bullfighting is popular in only six Spanish American countries.

Reflexive Pronouns

PRESENTATION

Sólo yo **me presento.**
Sólo tú **te presentas.**
Sólo él **se presenta.**
Sólo nosotros **nos presentamos.**
Sólo ellos **se presentan.**

Which word means *myself? yourself* (familiar)? *himself? ourselves? themselves?* What is the position of these words in relation to the verb?

GENERALIZATION

1. Reflexive pronouns are object pronouns which are the same in reference as the subject. In English they end in *self* or *selves.*

   John cut himself.

   We saw ourselves in the mirror.

2. These are the reflexive pronouns in Spanish:

	Singular	*Plural*
1	**me**	**nos**
2	**te**	
3	**se**	

Me, te, and **nos** have the same form as the corresponding direct and indirect object pronouns. The third person pronoun **se** is invariable; it does not change to show either number or gender agreement.

3. The reflexive pronouns occupy the same position in sentences as the direct and indirect object pronouns.

No se reconoce en la foto.
She doesn't recognize herself in the picture.

Nunca se han visto en televisión.
They've never seen themselves on television.

STRUCTURE DRILLS

11. PERSON-NUMBER SUBSTITUTION

1. No se presenta.
   - (yo)
   - (los muchachos)
   - (nosotros)
   - (Ana)
   - (usted)
   - (tú)
   - (ella)
   - (ellas)

No se presenta.
No me presento.
No se presentan.
No nos presentamos.
No se presenta.
No se presenta.
No te presentas.
No se presenta.
No se presentan.

2. Me veo en la foto.
   (usted–Cecilia y Carlos–yo–tú–Hernán y yo)

12. PAIRED SENTENCES

¿Nunca se ha visto en televisión?
Hasn't he ever seen him on television?
Hasn't he ever seen himself on television?

¿Nunca se ha visto en televisión?
¿Nunca lo ha visto en televisión?
¿Nunca se ha visto en televisión?

No se reconocen en esa foto.
They don't recognize them in that picture.
They don't recognize themselves in that picture.

13. WRITING EXERCISE

Write the responses to Drills 11.2 and 12.

Reflexive Pronouns with Service-Disservice Verbs

GENERALIZATION

You learned in Unit 9 that the person or thing for whom a service or a disservice is performed is usually expressed as an indirect object in Spanish. When someone performs a service (or disservice) for himself, the appropriate reflexive pronoun is used. Note the use of the definite article—not a possessive—with the direct object.

Juan se lava las manos.
John is washing his hands.

Yo me quito los guantes.
I'm taking off my gloves.

STRUCTURE DRILLS

14. PERSON-NUMBER SUBSTITUTION

1. Me lavo las manos.
   (tú)
   (nosotros)
   (él)
   (los chicos)
   (yo)

Me lavo las manos.
Te lavas las manos.
Nos lavamos las manos.
Se lava las manos.
Se lavan las manos.
Me lavo las manos.

2. ¿Cómo? ¿Te compras un carro nuevo?
   (usted–la maestra–ustedes–yo–tú)

15. PAIRED SENTENCES

Me quito los zapatos.
I take off their shoes.
I take off my shoes.

Me quito los zapatos.
Les quito los zapatos.
Me quito los zapatos.

Me pongo los guantes.
I put his gloves on (him).
I put my gloves on.

Se compra un carro.
He buys them a car.
He buys himself a car.

(*continued*)

(*continued*)

¿Te haces un vestido?
Are you making her a dress?
Are you making yourself a dress?

16. PATTERNED RESPONSE

¿Su mamá les pone la ropa a los chiquitos?	No, ellos se ponen la ropa solos.
¿El peluquero le lava el pelo a usted?	
¿Usted le limpia los zapatos a su hermanito?	
¿La criada le hace la comida a su mamá?	
¿Usted les quita los guantes a los gemelitos?	

17. FREE RESPONSE

¿Qué se pone usted para ir a una fiesta? ¿y para venir a la escuela?
¿Qué se pone cuando hace frío?
¿Se quitan ustedes el abrigo cuando llegan a la escuela? ¿y los guantes? ¿y los zapatos?
¿Su mamá le hace la ropa a usted?
¿Cuándo se lava el pelo usted?
¿Quién le lava el pelo? ¿su mamá? ¿la peluquera?
¿Usted se limpia los zapatos todos los días?
¿Su papá se compra un carro nuevo cada año?
¿Le va a comprar uno a usted este año?

18. WRITING EXERCISE

Write the responses to Drills 14.2, 15, and 16.

More about Reflexive Pronouns

GENERALIZATION

1. Some Spanish verbs, like **lavar, sentar,** and **preocupar,** always have a direct object. If the direct object is not the same in reference as the subject, the pattern of the Spanish sentence is like that of the English equivalent.

Juan está lavando las paredes.
John is washing the walls.

Rosa sienta a su tía.
Rose is seating her aunt.

Yo preocupo a mi mamá.
I worry my mother.

If, however, the direct object is the same in reference as the subject, a reflexive direct object pronoun is used in the Spanish sentence, while the English equivalent may show no object at all (*I worry*), use *get* + an adjective (*I get worried*), or use some word like *up* or *down* (*She sits down*).

Juan se está lavando.
John is washing (up).

Rosa se sienta.
Rose sits (down).

Yo me preocupo.
I worry (get worried).

2. Other verbs like **lavar, sentar,** and **preocupar** which you have learned are these:

	Used with a Direct Object	*Used with a Reflexive Direct Object*
aburrir	*bore* (someone)	*get bored*
acostar	*put* (someone) *to bed*	*go to bed*
asustar	*scare, frighten* (someone)	*get scared, frightened*
bañar	*bathe* (someone)	*bathe, take a bath*
cansar	*tire* (someone)	*tire, get tired*
despertar	*wake* (someone) *up*	*wake up*
enojar	*make* (someone) *angry*	*get angry*
levantar	*lift, raise* (something)	*rise*
	get (someone) *up, out of bed*	*get up, out of bed*
llamar	*call* (someone)	*be named*
mojar	*wet* (someone, something)	*get wet*
presentar	*present* (someone, something)	*show up*
vestir	*dress* (someone)	*dress, get dressed*

3. The following verbs are always reflexive with the meanings given:

quedarse	*stay*
resfriarse	*catch a cold*
equivocarse	*be mistaken, make a mistake*

4. **Dormir** means *sleep;* **dormirse** means *fall asleep.*

Todos duermen.
They're all sleeping.

Juan se duerme inmediatamente.
Juan falls asleep immediately.

5. *Go* has two Spanish equivalents: **ir** and **irse. Ir** is used when the destination is expressed or at least clearly understood.

¿Vas a la fiesta? No, no voy.

Irse is used when the destination is not mentioned, or when it is mentioned but the emphasis is on the departure rather than the destination. In addition to *go,* common English equivalents for **irse** are *leave* and *go away.*

¿Ya te vas?
Are you going (leaving) already?

Me voy a México mañana.
I'm leaving for Mexico tomorrow.

STRUCTURE DRILLS

19. PERSON-NUMBER SUBSTITUTION

1. ¿Te sientas aquí?	¿Te sientas aquí?
(nosotros)	¿Nos sentamos aquí?
(yo)	¿Me siento aquí?
(ustedes)	¿Se sientan aquí?
(su cuñado)	¿Se sienta aquí?
(tú)	¿Te sientas aquí?

2. Nunca se aburren en esta clase.
(nosotros–yo–mis compañeros y yo–los alumnos–el maestro–tú)

3. Me quedo un rato más.
(nosotros–ustedes–Bárbara–tú–los muchachos–mi mamá y yo)

20. PATTERNED RESPONSE

¿Ya te vas?	No, me voy a las cinco.
¿Ya se van los muchachos?	No, se van a las cinco.
¿Ya se van ustedes?	No, nos vamos a las cinco.

¿Ya se va la señora? — No, se va a las cinco.
¿Ya te vas? — No, me voy a las cinco.

21. PAIRED SENTENCES

Estoy muy cansado. — Estoy muy cansado.
I get very tired. — Me canso mucho.
I am very tired. — Estoy muy cansado.

¿Ya estás vestido?
Are you getting dressed already?
Are you dressed already?

¿Por qué están enojados?
Why are they getting angry?
Why are they angry?

22. ADJECTIVE → REFLEXIVE CONSTRUCTION

Los muchachos están aburridos. — Los muchachos se aburren.
La maestra está enojada.
Yo estoy preocupado.
Mis amigos y yo estamos cansados.
El jefe está equivocado.
Las chicas están asustadas.
Los chicos están resfriados.

23. WRITING EXERCISE

Write the responses to Drills 19.2 and 22.

24. PROGRESSIVE SUBSTITUTION

Los alumnos se aburren mucho.
Yo ______________________.
__________ nos __________.
____________ cansas ______.
Él _______________________.
__________ te ____________.
____________ preocupamos __.

25. FREE SUBSTITUTION

La maestra nunca se enoja.

26. DIRECTED DIALOG

Pregúntele a *Juana* a qué hora se levanta.
Juana, contéstele.

Juana, ¿a qué hora te levantas?

Pregúntele a *Pepe* a qué hora se acuesta.
Pepe, contéstele.

Pregúnteles a *Elena* y a *Susana* hasta qué hora se quedan aquí.
Elena, contéstele.

Pregúnteme a mí si yo me enojo mucho.

27. BASIC DIALOG VARIATION

Say the first part of the Basic Dialog again, this time making it a conversation between two ladies who address each other as **usted.** Omit the expression **fíjate.**

28. TÚ → USTED

Te llamas Juan.	Se llama Juan.
Te reconozco.	Lo (*or* la) reconozco.
Te hablo mañana.	Le hablo mañana.
Siempre te enojas.	
¿Ya te vas?	
Te traigo un regalo.	
No te veo.	

29. PAIRED SENTENCES

No se asusta.	No se asusta.
He doesn't frighten me.	No me asusta.
He doesn't get frightened.	No se asusta.

Me despierto.
I wake him up.
I wake up.

Tú te preocupas mucho.
You worry me a lot.
You worry a lot.

Nunca se aburren.
They never bore us.
They never get bored.

30. FREE RESPONSE

¿A qué hora se despierta usted?
¿Quién lo despierta?
¿A qué hora se levanta?
¿Se lava la cara cuando se levanta?
¿Se baña o solamente se lava la cara?
¿A qué hora se acuesta usted?
¿Se duerme inmediatamente?
¿Cuántas horas duerme usted?
¿Va usted a muchas fiestas?
¿Se preocupa su mamá cuando usted llega tarde de una fiesta?
¿Y usted se enoja cuando ella se preocupa?
¿Tienen ustedes muchos exámenes?
¿Se asustan cuando tienen un examen?
¿Hasta qué hora se quedan los alumnos en la escuela?
¿A qué hora se va usted?
¿Hasta qué hora se quedan los maestros?
¿Cómo se llama usted?
¿Tiene usted hermanos? ¿Cómo se llaman ellos?
¿Sabe cómo me llamo yo?

31. WRITING EXERCISE

Write the responses to Drills 24, 28 and 29.

Writing

11. SENTENCE CONSTRUCTION

MODELS: Yo / levantarse / temprano
Yo me levanto temprano.

Juana / haber / escribir / carta
Juana ha escrito la carta.

1. alumnos / siempre / presentarse / tarde
2. primos y yo / sentarse / suelo
3. hermanito / vestirse / solo
4. todo el mundo / irse / ahora
5. mamá / quitar / guantes / hermanita
6. criada / haber / abrir / puerta
7. Ana y yo / haber / hacer / lista
8. chicos / no / haber / volver / todavía

2. PARAGRAPH COMPLETION

Copy the following paragraphs, filling in the blank spaces with the appropriate reflexive pronoun.

¡Qué aburrida es mi vida! Todos los días cuando __1__ despierto, mi mamá me grita: ¡Apúrate, Juan! ¿No __2__ has vestido todavía? ¿Ni siquiera __3__ has levantado? Yo __4__ levanto, __5__ baño, __6__ visto y voy al comedor.

Mi hermana Teresa __7__ sienta conmigo y empieza a hablar y hablar. Mi mamá y mi papá __8__ enojan porque creen que vamos a llegar tarde a la escuela. Por fin __9__ levantamos. Yo __10__ pongo el saco y Teresa __11__ pone el swéater y __12__ vamos a la escuela. ¡Cómo yo __13__ aburro!

RECOMBINATION MATERIAL

Dialogs

I

BÁRBARA Elena, ¿me prestas tu swéater nuevo?
ELENA ¿Estás loca? ¿Para qué lo necesitas?
BÁRBARA Ay, tú siempre te enojas cuando yo te pido algo.
ELENA Es que tú siempre quieres usar mi ropa.
BÁRBARA ¡Qué hermana más antipática! Lo necesito para la fiesta de Ana.
ELENA Bueno, pero si algo le pasa a ese swéater, yo te MATO.

QUESTIONS

1. ¿Qué le pide Bárbara a Elena?
2. ¿Qué le pregunta Elena?
3. ¿Cuándo se enoja siempre Elena, según Bárbara?
4. ¿Qué quiere siempre Bárbara, según Elena?
5. ¿Para qué necesita el swéater Bárbara?
6. ¿Le presta el swéater por fin Elena?
7. ¿Qué dice Elena que va a hacer si algo le pasa al swéater?
8. ¿Es exagerada ella?

DIALOG VARIATION

Read the dialog once again. This time it will be an argument between two brothers, one of whom wants to borrow a tie from the other.

II

MAESTRO	¡Viera usted la clase de español que tengo! Esos chicos son imposibles.
MAESTRA	No lo creo, Sr. Almanza. Usted es tan exagerado.
MAESTRO	¡Ja! Uno se levanta; el otro sale sin pedir permiso; el otro se aburre y se duerme . . .
MAESTRA	Es que usted los hace trabajar mucho.
MAESTRO	No es eso, es que son imposibles.

QUESTIONS

1. ¿Quién es el Sr. Almanza?
2. ¿Qué dice de su clase de español?
3. ¿Cree la maestra lo que dice él? ¿Por qué no?
4. ¿Qué hacen los alumnos del Sr. Almanza?
5. ¿Por qué hacen eso, según la maestra?
6. ¿Y según el Sr. Almanza?

III

HERMANO	¿Sigues hablando? ¿No te puedes apurar un poco?
HERMANA	Sí, sí, —y fíjate, Marta, que hay una liquidación de . . .
HERMANO	¡Caramba! Esta hermana mía pasa horas hablando por teléfono. ¡¡¡APÚRATE!!!
HERMANA	¡Shhh! ¡Cómo gritas! —y otra cosa que te tengo que contar, Martita. . . .
HERMANO	¿ME VAS A DEJAR USAR EL TELÉFONO?
HERMANA	—Bueno, Martita, no puedo hablar más. Parece que mi hermanito quiere usar el teléfono. Hasta luego, chica.

QUESTIONS

1. ¿Qué está haciendo la hermana?
2. ¿Qué quiere el hermano?
3. ¿Por qué necesita usar el teléfono él?
4. ¿De qué están hablando la hermana y su amiga?
5. ¿Cómo pasa horas la hermana?
6. ¿Se apura en colgar ella?
7. ¿Qué cosa grita el hermano, por fin?
8. ¿Cuelga la hermana, por fin?

Narrative

Problemas entre° hermanos

entre: *between, among*

A mí me encanta ver la televisión, pero desgraciadamente°, a mi hermanito también le gusta mucho. Él siempre quiere ver esos programas* para niños°, esos programas aburridos de cowboys*. Me cansa tener que pelear° con él cada vez que quiero
5 ver algo interesante. A mí me gustan los programas para adultos*. . . las noticias, por ejemplo, o un buen programa musical*. También me gustan esas películas que dan en las noches, muy tarde. Pero no me gustan esos programas ridículos* de indios y cowboys.

desgraciadamente: *unfortunately*
niño: *child*
pelear: *fight*

10 Pero mi hermano es un niño todavía, tiene solamente nueve años. Él no entiende ni las noticias ni la música* ni ninguna de las cosas que a mí me interesan*. Y ahora que tenemos una nueva televisión en colores, la situación* está peor°.

peor: *worse*

El otro día, por ejemplo, llego yo de la escuela, y después
15 de comer algo y estudiar un poco, voy a la sala para ver uno de mis programas favoritos*. Diez minutos* después llega mi hermanito. Se queda viendo el programa un rato, y luego se levanta y se acerca° a la televisión. ¡Ni siquiera pide permiso! Cambia° el canal* sin decir una palabra, ni una sola palabra. ¡Nunca he
20 visto a un chico como ese hermano mío! A veces creo que hace estas cosas para molestar, nada más. ¡Qué muchacho más antipático!

acercarse: *approach, go towards*
cambiar: *change*

Bueno, él se sienta otra vez, y allí estoy yo, teniendo que ver uno de esos programas ridículos. Primero aparece* el héroe*,
25 guapo, simpático, inteligente . . . un cowboy típico* con un gran sombrero y dos pistolas*. Luego sale el indio y empiezan a pelear. ¡Qué absurdo*! Claro que yo me aburro viendo esas cosas, y entonces, después de dos o tres minutos, me levanto, voy a la televisión, y cambio el canal. No le digo nada a mi hermano.
30 ¿Para qué? Él no entiende nada. Además, él también cambia el canal cuando quiere y no le pide permiso a nadie. Ésta no es la primera vez, no señor. Esto ocurre casi todos los días en mi casa. Él siempre hace lo que quiere. Bueno, vieran ustedes cómo llora y grita ese chiquito porque yo cambio el canal. ¡Qué barbaridad!
35 En ese momento* llega mi papá, enojadísimo. Mi hermano y yo estamos muy asustados porque cuando nuestro padre se enoja, se enoja de verdad. Pero mi papá no nos dice nada. Ni siquiera nos mira. Va a la televisión y cambia el canal una vez más. Y se

sienta a ver las noticias. Mi hermano y yo salimos sin abrir la
40 boca°. Él se va a su dormitorio y cierra la puerta. Yo me voy a mi escritorio y me siento a hacer mis lecciones. Y en la sala, con excepción de la voz° del comentador* de las noticias, silencio total* y absoluto.

boca: *mouth*

voz (*f*): *voice*

QUESTIONS

Yo soy Juanita Martínez, la autora de la narración que ustedes acaban de leer.

1. ¿Qué me encanta a mí? ¿y a mi hermano?
2. ¿Qué programas le gustan a él?
3. ¿Qué tengo que hacer cada vez que quiero ver algo interesante?
4. ¿Qué programas me gustan a mí?
5. ¿Por qué está peor la situación ahora?
6. El otro día, cuando llego de la escuela, ¿que hago primero? ¿y luego?
7. ¿Quién llega diez minutos después?
8. ¿Qué hace él por un rato?
9. ¿Qué hace después?
10. ¿Qué me dice cuando cambia el canal?
11. ¿Por qué hace estas cosas, probablemente?
12. ¿Cómo es el programa que él quiere ver?
13. ¿Quién aparece primero?
14. ¿Cómo es el héroe?
15. ¿Quién aparece luego?
16. ¿Qué empiezan a hacer?
17. ¿Qué hago yo después de dos o tres minutos?
18. ¿Le digo algo a mi hermano? ¿Por qué no?
19. ¿Qué hace mi hermanito cuando yo cambio el canal?
20. ¿Quién llega en ese momento?
21. ¿Qué hace mi papá?
22. ¿Qué hacemos mi hermano y yo?
23. ¿Adónde va él? ¿Y yo qué hago?
24. ¿Qué hay en la sala?

Conversation Stimulus

Usted quiere ver las noticias en la televisión, pero su hermano quiere ver un partido de tenis.

Start like this:

Las noticias empiezan en cinco minutos.
¿Cómo? Tú quieres ver las noticias ahora?
Sí, ______________________.
¡Qué aburrido! ______________________.

¿Puede usted describir un programa de televisión típico?

Use the following questions as a guide:

1. ¿Quién es el héroe?
2. ¿Cómo es él?
3. ¿Quién es la novia del héroe?
4. ¿Cómo es ella?
5. ¿Pelean el héroe y su novia?
6. ¿Pelea el héroe con otra persona?
7. ¿Con quién?
8. ¿Termina* el programa con todos contentos?

GRAMMAR

Object Pronouns in Sequence

PRESENTATION

¿**Me** da **la maleta,** por favor?
¿**Me la** da, por favor?

Te presto **los apuntes.**
Te los presto.

Nos dice **el nombre.**
Nos lo dice.

Se pone **los guantes.**
Se los pone.

What is the position of the direct object pronoun in relation to the indirect object pronoun in the second sentence in each pair?

Ya **le** doy **la maleta.**
Ya **se la** doy.

¿**Les** prestas **el carro**?
¿**Se lo** prestas?

Which single pronoun replaces **le** and **les** immediately preceding a direct object pronoun beginning with the letter **l**?

GENERALIZATION

In the kinds of sentences you have learned so far, two object pronouns in the same sentence must occur in the following order:

me **te** **nos** **se**	+	**lo(s)** **la(s)**

This chart summarizes the following facts: *(continued)*

(*continued*)

a. The third person direct object pronouns **lo, los, la, las** never precede another object pronoun.

Me da el libro.	→	**Me lo da.**
¿Te vende la casa?	→	**¿Te la vende?**
Nos trae los libros.	→	**Nos los trae.**
Nos presta las maletas.	→	**Nos las presta.**

b. Spanish does not permit two object pronouns beginning with **l** to occur together: **se** replaces **le** and **les** before **lo, los, la, las.**

Le da el libro.	→	**Se lo da.**
Les vendo la casa.	→	**Se la vendo.**
Le trae los libros.	→	**Se los trae.**
Les presto las maletas.	→	**Se las presto.**

STRUCTURE DRILLS

7. NOUN → PRONOUN

1. Se pone el impermeable. — Se lo pone.
   ¿No te quitas los guantes? — ¿No te los quitas?
   Se lavan las manos. — Se las lavan.
   Me limpio los zapatos. — Me los limpio.
   Se compra la cartera. — Se la compra.

2. Le presto el paraguas. — Se lo presto.
   Les doy las llaves.
   ¿Nos traen el equipaje?
   No me han dicho la dirección.
   Les damos los papeles mañana.
   ¿Te han pedido los pasaportes?
   ¿No les cuentas las noticias?

8. PERSON-NUMBER SUBSTITUTION

1. ¿Me la da, por favor? — ¿Me la da, por favor?
   (a él) — ¿Se la da, por favor?
   (a mi hermana) — ¿Se la da, por favor?
   (a nosotros) — ¿Nos la da, por favor?
   (a los niños) — ¿Se la da, por favor?
   (a mí) — ¿Me la da, por favor?

2. Ya te las doy. ⊗
   (a usted–a ellos–a ustedes–a ti–a usted y a ella)

3. ¿Cuándo me lo trae? ⊗
   (a Juana y a mí–a Marta y a Luisa–a Juan y a usted)

9. WRITING EXERCISE

Write the responses to Drills 7.2, 8.2 and 8.3.

10. CUED RESPONSE

¿A quiénes les trae el papel? ⊗
(a esos señores)

Se lo traigo a esos señores.

¿A quién le presta las llaves?
(a Juan)

¿A quiénes les enseña la canción?
(a los niños)

¿A quién le pide los apuntes?
(a ustedes)

¿A quién le trae este regalo?
(a Luisa)

¿A quién le cuenta sus problemas?
(a mi mejor amigo)

¿A quién le da el dinero?
(a él)

¿A quién le escribe la carta?
(a ella)

11. DIRECTED DIALOG

Pregúntele a *Marta* quién le compra la ropa.

Marta, ¿quién te compra la ropa?

Marta, contéstele.

Mi mamá me la compra.

Pregúntele a *Diana* si ella se compra la ropa sola.

Diana, contéstele.

Pregúntele a *Pedro* quién le presta los apuntes cuando no viene a clase.

Pedro, contéstele.

(*continued*)

(*continued*)

Pregúntele a *Roberto* quién le hace el desayuno.
Roberto, contéstele.

Pregúntele a *Lupe* si ella se lava el pelo sola.
Lupe, contéstele.

Pregúntele a *Juan* si él le lava el carro a su papá.
Juan, contéstele.

12. PATTERNED RESPONSE

¿Le dan el dinero a Pepe?	No, no se lo dan a él.
¿Le venden los boletos a usted?	
¿Nos enseñan los bailes a nosotros?	
¿Les leen la carta a sus compañeros?	
¿Me traen el diccionario a mí?	
¿Les piden la visa a ustedes?	
¿Le compran el carro a su hijo?	
¿Le hacen la fiesta a María?	

13. WRITING EXERCISE

Write the responses to Drills 10 and 12.

14. FREE RESPONSE

¿A quién le pide los apuntes cuando usted no puede venir a clase?
¿Él se los presta?
¿Usted le presta los apuntes a él cuando no viene a clase?
¿Ustedes le dan la tarea a la maestra todos los días?
¿Ya se la han dado hoy?
¿Quién le lava la ropa a usted?
¿Usted se limpia los zapatos o alguien se los limpia?
¿Su mamá le arregla el cuarto?
¿Ella le hace las maletas cuando usted hace un viaje?
¿Le presta su padre las llaves del carro?
Usted no se las pierde, ¿verdad?

Position of Object Pronouns

PRESENTATION

García **nos** está **molestando.**
García está **molestándonos.**

¿**Me** estás **poniendo** atención?
¿Estás **poniéndome** atención?

Where does the object pronoun occur in the first sentence in each pair? and in the second?

¿**Me** puedo lavar las manos?
¿Puedo **lavarme** las manos?

Mi papá **me lo** va a **comprar.**
Mi papá va a **comprármelo.**

Where do(es) the object pronoun(s) occur in the first sentence in each pair? and in the second?

GENERALIZATION

1. Object pronouns may precede a verb form with a person-number ending. In the kinds of sentences you have learned so far, they never immediately follow.

   No nos oye.
   Se lo ha dado.
   ¿Me puedo lavar las manos?
   Te estoy hablando.

2. Object pronouns may also be attached to the end of an infinitive or a present participle. If two or more pronouns follow the verb, they occur as an inseparable unit.

   ¿Puedo lavarme las manos?
   Voy a dárselo.
   Estoy hablándote.

   The object pronoun never directly precedes an infinitive or present participle.

   The infinitive requires a written accent on the stressed syllable when more than one object pronoun is attached to the end. The present participle requires a written accent on the stressed syllable when one or more object pronouns are attached to the end. (See page 86.)

3. In phrases which consist of a verb form with a person-number ending and an infinitive or a present participle, object pronouns either precede or follow the whole phrase. They never occur between the two verbs.

¿Me puedo lavar las manos?
¿Puedo lavarme las manos?

Te estoy hablando.
Estoy hablándote.

STRUCTURE DRILLS

15. TRANSFORMATION DRILL

Me voy a sentar aquí.	Voy a sentarme aquí.
Te estoy hablando.	Estoy hablándote.
No la debemos invitar.	No debemos invitarla.
El niño no se quiere acostar.	El niño no quiere acostarse.
¿Le estás escribiendo una carta?	¿Estás escribiéndole una carta?
Nos acaban de llamar.	Acaban de llamarnos.
Se lo tengo que comprar.	Tengo que comprárselo.
Te lo acabo de decir.	Acabo de decírtelo.
¿No me lo puede traer?	¿No puede traérmelo?
Se lo estoy trayendo.	Estoy trayéndoselo.

A laborer from the hot coastlands of Colombia.

16. PATTERNED RESPONSE

1. ¿Cuándo vas a hacer las maletas? — Estoy haciéndolas ahora.
   ¿Cuándo vas a arreglar el cuarto?
   ¿Cuándo vas a leer el periódico?
   ¿Cuándo vas a abrir los regalos?
   ¿Cuándo vas a llamar a la chica?

2. ¿Ya te has lavado las manos? — ¡Paciencia! Voy a lavármelas ahora.
   ¿Ya me has comprado las cosas?
   ¿Ya le has escrito la carta?
   ¿Ya te has puesto el abrigo?
   ¿Ya nos has hecho el almuerzo?

17. WRITING EXERCISE

Write the responses to Drills 16.1 and 16.2.

Nominalization

PRESENTATION

La maleta negra.
La negra.

Esa maleta no.
Ésa no

La otra maleta.
La otra.

La maleta que acaba de tocar.
La que acaba de tocar.

What is the English equivalent of each of these phrases? Which word occurs in the English equivalent of the second phrase in each pair? In the examples in Spanish, how does the second phrase in each pair differ from the first?

GENERALIZATION

1. In English we normally say *"Not that suitcase, the other one,"* instead of *"Not that suitcase, the other suitcase." One* is substituted for *suitcase* in the second noun phrase. In similar Spanish

sentences, the repeated noun is simply omitted. Nothing is substituted in its place: **Esa maleta no, la otra maleta.** → **Esa maleta no, la otra.** The deletion of **maleta** from the noun phrase **la otra maleta** leaves the adjective **otra** functioning as the head of the noun phrase. This process is called nominalization.

2. The following lines from the Basic Dialog are examples of nominalization.

¡Por favor, mi maleta! **Y la mía también.** ↑ (**maleta** is dropped, leaving **mía** as a nominalized possessive)	*Please, my suitcase!* *And mine too.*
¿Cuál es la suya? ↑ ↑ **maleta maleta**	*Which is yours?*
La negra. ↑ **maleta**	*The black one.*
La que acaba de tocar. Ésa. ↑ ↑ **maleta maleta**	*The one you just touched. That one.*

3. Nominalized demonstrative adjectives have a written accent on the stressed syllable. (See page 87.)

ese baúl	→	**ése**
esa maleta	→	**ésa**
esos cepillos	→	**ésos**
esta cartera	→	**ésta**
estos guantes	→	**éstos**

STRUCTURE DRILLS

18. DELETION DRILL

¿Es cara esa cartera? ¿Cuál cartera? La cartera blanca.	¿Es cara ésa? ¿Cuál? La blanca.
¿De quién son esas llaves? ¿Cuáles llaves? Las llaves que están en la mesa.	

Ese impermeable es muy bonito.
¿El impermeable amarillo?
No, el impermeable rojo.

Los amigos tuyos son muy perezosos.
¿Los amigos míos?
Sí, los amigos que siempre invitas a la casa.

19. PATTERNED RESPONSE

1. ¿Dónde está la cartera café? — ¿La café? No tengo la menor idea.
   ¿Dónde está el cepillo blanco?
   ¿Dónde está el peine negro?
   ¿Dónde están las maletas nuevas?

2. ¿Es nuevo ese impermeable? — ¿Éste? No, no es nuevo.
   ¿Son nuevas esas llaves?
   ¿Son nuevos esos anteojos?
   ¿Es nuevo ese cepillo?

3. ¿Quién es el señor que está allí? — ¿El que está allí? No sé.
   ¿Quiénes son los muchachos que están allí?
   ¿Quién es la señora que está allí?
   ¿Quiénes son las chicas que están allí?

4. Tus boletos están aquí, ¿verdad? — ¿Los míos? Sí.
   La cartera de Eva está aquí, ¿verdad? — ¿La suya? Sí.
   Las llaves de ustedes están aquí, ¿verdad?
   Mi peine está aquí, ¿verdad?
   Nuestras cosas están aquí, ¿verdad?

20. FREE RESPONSE

¿Cuál libro es el suyo? ¿Éste o ése?
¿Cuál cartera es la suya, *Ana*?
¿Y cuál es la suya, *Rosita*?
¿Son estos anteojos los míos o los de *Pepe*?
¿Y este swéater?
¿Y estas llaves?
¿Cuál cuaderno es el suyo, *Juan*? ¿el azul?
¿Cuál pluma es la suya? ¿la roja?
¿Cuál lápiz es el mío?

(*continued*)

(*continued*)

¿Son de *Juana* los guantes negros?
Y los blancos, ¿de quién son?
¿Cuál cartera es la mía, ésa o la que acabo de tocar?
¿Cuál libro está en mejor condición, éste o el que está en la mesa?
¿Cuál chico se llama *Pedro,* éste o el que está sentado allí?

21. WRITING EXERCISE

Write the responses to Drills 19.1, 19.2, 19.3, 19.4.

Comparatives: más/menos . . . que

PRESENTATION

Esta escuela es **más** bonita **que** la otra.
Juan es **menos** alto **que** Pedro.

Which words mean *more . . . than* in these sentences? Which words mean *less . . . than?*

GENERALIZATION

1. The following sentences are called comparative sentences.

Jack is smarter than Jill.
Jill is more beautiful than Susan.
Susan is less intelligent than George.

Spanish has no suffix like the comparative *-er* of English. With the exceptions given on the next page, comparatives of this type are expressed in Spanish with the following words:

más } + **que**
menos }

Yo soy más perezoso que usted.
I'm lazier than you.

Pedro es menos ambicioso que Juan.
Pedro is less ambitious than Juan.

2. If a pronoun follows **que,** it is the subject pronoun, not the prepositional pronoun.

Yo soy más perezoso que tú.

3. English has some irregular comparative adjectives, like *good* → *better,* and so does Spanish.

más bueno → **mejor**
más malo → **peor**
más joven → **menor**
más viejo → **mayor**

The regularly formed **más bueno, más malo,** and **más joven** are used interchangeably with the irregular **mejor, peor,** and **menor. Más viejo,** however, is not completely interchangeable with **mayor. Más viejo** classifies the person or object described as old: **Mi abuelo es más viejo que mi abuela. Mayor** simply describes an age relationship; it does not imply that the persons or objects described are old: **Ana es mayor que María.**

4. Except in a few special cases, **de** instead of **que** is used before numbers.

Tengo más de cien pesos.

5. To express the ideas *-est, most, least,* Spanish uses the definite article with **más, menos,** or an irregular comparative adjective.

María es la chica más linda del mundo.	*María is the prettiest girl in the world.*
Juan es el chico más inteligente de la clase.	*Juan is the most intelligent boy in the class.*
Josefina es la mejor alumna de la escuela.	*Josefina is the best student in the school.*
Paco es el menos perezoso.	*Paco is the least lazy.*

Note the use of **de** for *in* in this construction: **del mundo, de la clase, de la escuela.**

STRUCTURE DRILLS

22. PATTERNED RESPONSE

1. Pedro es listo, ¿y Pepe? — Pepe es más listo todavía.
   Sue es linda, ¿y las gemelas?
   Esto es bueno, ¿y eso?
   El abuelo es viejo, ¿y la abuela?
   Doña Delia es joven, ¿y doña Marta?
   Esto es malo, ¿y eso?

(continued)

(*continued*)

2. Elena es alta, ¿y Lupita? — Lupita es menos alta.
   Él es pretencioso, ¿y ella?
   El muchacho es simpático, ¿y su hermana?
   Los dictados son fáciles, ¿y los exámenes?

23. CUED DIALOG

(vestido)

1ST STUDENT Quiero un vestido más barato, por favor.

2ND STUDENT Éste es el más barato que tenemos.

(camisas)
(zapatos)
(traje)
(medias)
(paraguas)
(cartera)
(guantes)

24. PATTERNED RESPONSE

Yo soy muy perezoso.

1ST STUDENT Yo soy más perezoso que usted.

2ND STUDENT Pero yo soy el más perezoso de todos.

Blanca es ambiciosa.
Ellos son muy distraídos.
María es muy joven.
Yo soy muy alto.
Él es muy delgado.

25. ENGLISH CUE DRILLS

1. Jorge es más alto que Enrique.
   Enrique is fatter than Pedro.
   Pedro is older than Juan.
   Juan is shorter than Jorge.
   Jorge is taller than Enrique.

2. ¡Qué chico! Es el alumno más inteligente de la clase.
He's the most ambitious son in the family.
He's the handsomest boy in the class.
He's the nicest classmate in the school.
He's the least pretentious boy in the world.
What a boy! He's the most intelligent student in the class.

26. PAIRED SENTENCES

Invita a más muchachos que muchachas. — Invita a más muchachos que muchachas.
She invites more than ten boys. — Invita a más de diez muchachos.
She invites more boys than girls. — Invita a más muchachos que muchachas.

Ellos han dado más fiestas que nosotros.
They've given more than five parties.
They've given more parties than we (have).

Ella tiene más dinero que yo.
She has more than a hundred pesos.
She has more money than I (do).

27. FREE RESPONSE

¿Tiene usted un hermano? ¿Es mayor o menor que usted?
¿Es usted el mayor de la familia? ¿Es el menor?
¿Quién es el más perezoso de la familia? ¿Quién es el menos perezoso?
¿Quién es su mejor amigo? ¿Es él más o menos alto que usted?
¿Cuántos años tiene? ¿Es mayor o menor que usted?
¿Tiene usted más de diez años?
¿Son ustedes los mejores alumnos de la escuela?
¿Quiénes son los peores?
¿Quién es el mejor maestro de la escuela?
¿Quién es el maestro más estricto?
¿Quién es el más simpático?

28. WRITING EXERCISE

Write the responses to Drills 22.1, 22.2, 25.2, and 26.

Writing

1. MULTIPLE ITEM SUBSTITUTION

MODEL El equipaje que usted acaba de tocar es el mío.
maleta / tú / abrir
La maleta que tú acabas de abrir es la mía.

1. ¿Cuál cartera te gusta más a ti? ¿La roja o la amarilla?
   paraguas / a usted
2. Este edificio es más alto que el otro.
   ciudad / menos / grande
3. ¿Cuál impermeable vas a comprar? ¿Éste o el que está en la silla?
   anteojos / usar / escritorio
4. Este aeropuerto es más moderno que el de Quito.
   tiendas / menos / Madrid
5. ¿Cuáles llaves necesita usted? ¿Éstas o las que acabo de tocar?
   cepillo / querer / lavar
6. Este peine no es el mío. Es el de Juan.
   llaves / suyo / María
7. ¿Cuál maleta es la tuya? ¿Ésta o la que acaban de abrir?
   baúl / cerrar
8. Este departamento es más bonito que el de la Sra. Pérez.
   casa / menos / Sr. García

2. SENTENCE CONSTRUCTION

Construct a sentence using the following words, as shown in the model. Then write a second sentence, replacing the underlined noun with a pronoun.

MODEL (yo) / dar / maleta / a Carmen
Le doy la maleta a Carmen.
Se la doy a Carmen.

1. (ella) / enseñar / bailes / a las muchachas
2. (tú) / ponerse / impermeable
3. Juan / abrir / puerta / al maestro
4. los niños / nunca / decir / verdad / a ti
5. (ellos) / prestar / carro / a mí

RECOMBINATION MATERIAL

Dialogs

I

CLAUDIA No encuentro nada en esta cartera.
GLORIA ¿Qué buscas, tus llaves?
CLAUDIA Sí, para abrir la maleta. ¡Por fin! Aquí están.
GLORIA Yo te la abro . . . ¿Qué pasa? No puedo abrirla.
CLAUDIA A la izquierda . . . más . . . más . . . a la derecha ahora . . .
GLORIA No, no puedo. Tal vez ésta no es la llave.
CLAUDIA Sí, ésa es . . . ¡ay, caramba! ¡Todas mis cosas están en el suelo! Sí, chica, ésa es la llave.

QUESTIONS

1. ¿Cuál es el problema de Claudia?
2. ¿Es éste un problema típico de las mujeres?

(*continued*)

A department store in Mexico. Department store chains, with branches in different cities, are not common.

(continued)

3. ¿Qué busca ella?
4. ¿Para qué necesita sus llaves?
5. ¿Las encuentra por fin?
6. ¿Qué le dice Gloria?
7. ¿Es fácil abrir la maleta?
8. ¿Por qué no puede abrirla, según Gloria?
9. ¿Es ésa la llave?
10. ¿Dónde encuentra su ropa Claudia cuando Gloria abre la maleta?

II

SEÑORA Señorita, ¿dónde están los impermeables?
EMPLEADA ¿Para hombres o mujeres?
SEÑORA Para mujeres.
EMPLEADA ¿Qué tamaño busca?
SEÑORA Cuarenta y dos[2].
EMPLEADA A ver, no estoy segura. Tengo que preguntarle a mi jefe.
SEÑORA Muy bien, señorita.

DIALOG VARIATION

Usted está en un almacén y quiere comprar un abrigo.

III

CHELA ¿Por qué no vienes a mi casa esta tarde?
MARÍA No sé si puedo. Tengo que ir a la biblioteca.
CHELA La chica americana va a enseñarnos unos bailes nuevos.
MARÍA ¿Bailes americanos? ¡Brutal!
CHELA Claro. Va a enseñarnos los bailes "a gogo".
MARÍA ¡Estupendo! Y yo tengo unos discos nuevos . . .
CHELA ¿Pero no vas a ir a la biblioteca?
MARÍA ¿La biblioteca? ¿Estás loca?

[2] European measurements are used in most Latin American countries. Size 42 corresponds approximately to size 10 in the United States.

QUESTIONS

1. ¿Adónde invita Chela a María?
2. ¿Dice María que puede ir?
3. ¿Adónde tiene que ir ella esta tarde?
4. ¿A quién más ha invitado Chela a su casa?
5. ¿Qué va a enseñarles la chica americana?
6. ¿Quiere María aprender unos bailes americanos?
7. ¿Cuáles bailes va a enseñarles la americana?
8. ¿Qué tiene María?
9. ¿Qué le pregunta Chela a María?
10. ¿Ha cambiado María sus planes para la tarde?

Narrative

Folklore de pueblo° chico°

pueblo: *village*
chico: *pequeño*

Los viejos de este pueblo cuentan muchas historias* misteriosas* y fantásticas*—historias que encantan y asustan a los jóvenes, quienes creen todo lo que sus abuelos les dicen. Yo no sé si esas leyendas* lindísimas que forman una parte tan impor- 5 tante* de nuestra tradición* folklórica* están basadas* en la verdad o si son productos de la imaginación de la gente° de aquí, pero sí sé que tienen una profunda* influencia* en la vida de cada uno de nosotros.

gente *f:* personas

Mi abuelo es uno de los hombres más viejos del pueblo, y 10 conoce todas las leyendas de la región. Cuenta la historia de un marinero°—figura importante de nuestro folklore—que, ya viejo, abandona* su barco y viene a vivir a nuestro pueblo a la casa de su hija Consuelo y del marido de ella. Vive y trabaja en el pueblo, pero piensa constantemente* en el mar, su gran amor. 15 Por horas y horas contempla* el horizonte* y los barcos que pasan. Y cuando uno de éstos llega al puerto, busca a los marineros para conversar con ellos y escuchar las noticias que le traen de distantes lugares. "Algún día voy a volver al mar"—les dice a sus amigos.

marinero: *sailor*

20 Pero él está muy viejo ya, y un día, enfermo y cansado de la vida, muere°.

morir (ue): *die*
p.p.: **muerto**

* * *

Pasan los años. Más barcos llegan al puerto; unos marineros se quedan en el pueblo; otros vuelven al mar. La vida continúa como siempre. Ya casi nadie recuerda al viejo marinero.

25 Una noche, en la casa de su hija, todos duermen. De repente° Consuelo se despierta.

de repente: *all of a sudden*

—¡Hay alguien en el patio*!—dice nerviosa*, despertando a su marido—Oigo voces . . .

Pero él, completamente dormido, no le contesta.

30 —¡Juan!—le grita a su marido—estoy segura de que oigo voces, y creo que vienen del patio.

Juan se despierta por fin. —¿Voces?—le pregunta medio dormido—¿Quién es?

Consuelo está muy asustada y empieza a llorar. —No sé—le 35 dice—creo que es la voz de mi padre.

—Consuelo, mi amor, estás muy nerviosa y cansada. Tienes que dormir. Y Juan, cerrando los ojos otra vez, se duerme inmediatamente.

Pero ella no puede dormir. Se levanta y se pone la bata°. 40 Va a la cocina y busca una vela°. Encuentra una y se acerca a la puerta de la casita. Escucha . . . escucha . . . pero ni ve ni oye nada en el patio. De repente nota* algo en el suelo que le llama la atención. Está asustadísima, pero por fin se acerca.

bata: *robe*
vela: *candle*

Dock workers load a ship in Cartagena, one of Colombia's two major ports on the Caribbean.

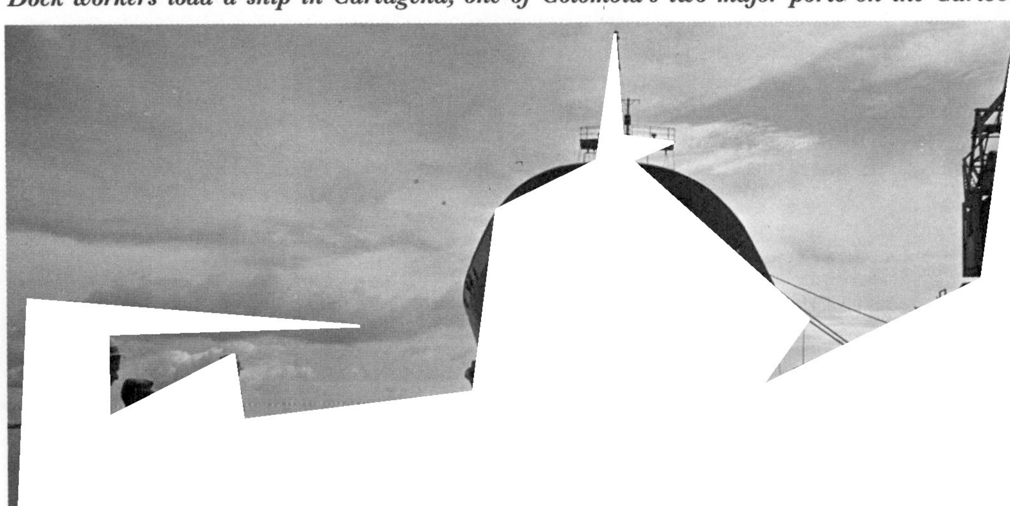

—¿Qué es esto?—se pregunta—¿qué puede ser esto?
45 —Y de repente lo ve claramente. Es un charco° de agua— un charco de agua del mar.

charco: *puddle*

Consuelo se tranquiliza*; ya no está asustada. —Mi padre ha vuelto a visitar a su hija—se dice. —Ha vuelto del mar.

Consuelo vuelve al dormitorio, y pocos minutos después,
50 duerme tranquilamente*.

QUESTIONS

1. ¿Qué cuentan los hombres viejos del pueblo?
2. ¿Cree usted que estas historias están basadas en la verdad o que son solamente productos de la imaginación?
3. ¿Es el marinero una figura importante en el folklore del pueblo?
4. ¿Por qué abandona su barco el marinero?
5. ¿Adónde va a vivir?
6. ¿En qué piensa constantemente?
7. ¿Qué contempla por horas y horas?
8. ¿Qué pasa cuando un barco llega al puerto?
9. ¿Para qué busca a los marineros que llegan en el barco?
10. ¿Qué les dice a sus amigos?
11. ¿Qué pasa un día?
12. ¿Qué hacen todos en la casa de Consuelo?
13. ¿Quién se despierta de repente?
14. ¿Qué le dice a su marido?
15. ¿Le contesta él? ¿Por qué no?
16. ¿Qué hace Consuelo entonces?
17. ¿Se despierta Juan esta vez?
18. ¿Qué empieza a hacer Consuelo?
19. ¿De quién cree ella que es la voz?
20. ¿Qué le dice su marido?
21. ¿Qué hace él entonces?
22. ¿Puede dormir Consuelo?
23. ¿Qué hace ella?
24. ¿Qué se pone?
25. ¿Adónde va primero?
26. ¿Qué busca allí?
27. ¿Adónde va entonces?
28. ¿Oye algo en cl patio?
29. ¿Qué nota de repente?
30. ¿Qué hace por fin?
31. ¿Qué es lo que está en el suelo?
32. ¿De dónde viene el agua?
33. ¿Se tranquiliza entonces Consuelo?
34. ¿Por qué? ¿Quién ha venido a visitarla?

Conversation Stimulus

¿Tú sabes la leyenda del marinero que vuelve del mar?
Claro, mi abuelo ______________________
¿Me la ______________________?
Ahora no, porque tengo que ______________________
¿Cuándo, entonces?
____

BASIC FORMS

Verbs

devolver (ue)	raspar
doler (ue)	sacar
mandar	sufrir

Nouns

pie *m.*
álgebra[3] *f.*

Adjectives

alegre
triste

Vocabulary Exercises

1. QUESTIONS

1. ¿Qué le va a prestar la maestra a José Luis?
2. ¿Cuándo quiere devolvérselo él?
3. ¿Por qué no puede devolvérselo la semana próxima?
4. Entonces, ¿cuándo va a devolverle el libro a la maestra?
5. ¿Cuándo empiezan las vacaciones en esta escuela? ¿pasado mañana?
6. ¿Cuándo es su último examen?
7. ¿Cuándo es el próximo examen en esta clase?
8. ¿Qué va a hacer usted durante las vacaciones?
9. ¿Va a ir a la playa todos los días?
10. ¿Prefiere ir a la playa o a una piscina?
11. ¿Prefiere nadar en el mar o en una piscina?
12. ¿Va a ir al campo durante las vacaciones?
13. Me va a mandar una tarjeta, sin falta, ¿verdad?
14. ¿Ha estado usted en una hacienda?
15. ¿Qué le pregunta José Luis a la maestra con respecto a las notas?
16. ¿Cuándo les va a dar ella las notas a sus alumnos?
17. ¿Está usted contento con sus notas? ¿Por qué (no)?

---

[3] The masculine definite article is used with **álgebra: El álgebra es difícil.** (See page 133.)

2. FREE COMPLETION

1. Estoy leyendo una ______.
2. Durante las vacaciones voy a ir a ______.
3. ¿Vas a mandarme una ______?
4. Escribo con una ______.

---

3. QUESTIONS

1. ¿Qué le pide José Luis a la maestra?
2. ¿Por qué necesita saber su nota inmediatamente, según él? ¿Se la da la maestra?
3. Si no puede saber su nota, ¿qué quiere saber José Luis, al menos?
4. ¿Qué le dice la maestra?
5. ¿A usted le duele la cabeza antes de un examen? ¿Le duele el estómago?
6. ¿Va a pasar raspando usted en esta clase?
7. ¿Qué nota va a sacar en la clase de historia? ¿y en la clase de álgebra? ¿y en la de dibujo?
8. ¿Estudia usted dibujo? ¿Estudia música? ¿Cuál clase le gusta más?
9. ¿Usted va a seguir estudiando español el año próximo? ¿Qué más va a estudiar?
10. ¿Están ustedes tristes porque las clases van a terminar pronto?
11. ¿Está usted resfriado hoy? ¿Le duele la garganta? ¿y la cabeza? ¿y el estómago?
12. *Juan,* ¿le duelen las piernas después de pasar todo el día jugando fútbol? ¿y los pies?
13. ¿Le duelen los pies después de hacer uno de esos bailes modernos? ¿y las piernas?
14. ¿Le duelen los brazos después de pasar todo el día nadando?

Private beach clubs are popular among Argentina's wealthy.

4. BASIC DIALOG VARIATION

Change the Basic Dialog to narrative form.

GRAMMAR

Infinitives as Verb Complements

PRESENTATION

¿No me **puede dar** la mía ahora?
Prometo no **gastar** mucho.
¿**Desea dejar** algún recado?
¿**Quieres escuchar** unos discos?
Debe ser muy bonita.

Does the first verb in each sentence have a person-number ending? Does the second? What is the form of the second verb?

GENERALIZATION

In Spanish, as in English, many verbs may be followed by an infinitive (or an infinitive phrase), just as they may be followed by a noun phrase.

The structure of examples like the following is practically identical in English and Spanish. The English infinitive marker *to* is matched by the Spanish infinitive ending **r** in these examples.

Verb + Noun Phrase	*Verb + Infinitive (Phrase)*
Quiero el dibujo.	**Quiero leer.**
I want the drawing.	*I want to read.*

The infinitive marker *to* is not used in English after *can, must,* and a few other verbs.

Puedo salir.
I can leave.

Debo salir.
I must leave.

STRUCTURE DRILLS

5. DOUBLE ITEM SUBSTITUTION

Prefiero trabajar ahora.
Quieren ________.
____ sentarse ____.
Necesita ________.
____ llamarlo ____.
Debemos ________.
____ economizar __.
Prometo ________.
____ estudiar ____.

6. SENTENCE COMBINATION

¿Desea un café? ¿Toma un café? — ¿Desea tomar un café?
Queremos una tarjeta. Mandamos una tarjeta.
Prefiero la hacienda. Visito la hacienda.
No sabe el número. No marca el número.
Necesito buenas notas. Saco buenas notas.

7. FREE RESPONSE

¿Sabe usted nadar?
¿Sabe jugar tenis?
¿Le duelen los brazos después de un partido de tenis? ¿y las piernas?
¿Piensa usted jugar tenis este sábado?
¿Piensa hacer una fiesta? ¿Son alegres las fiestas de la escuela?
¿Qué piensa hacer este sábado?
¿Qué prefiere hacer, escuchar discos o estudiar?
¿Qué deben ustedes hacer esta tarde?
¿Piensan estudiar esta tarde?
¿Necesitan estudiar mucho?
¿Me prometen estudiar más el año próximo, sin falta?
¿Piensa trabajar durante las vacaciones?
¿Prefiere usted trabajar o viajar?
¿Qué piensan hacer sus amigos?

8. WRITING EXERCISE

Write the responses to Drill 6.

More about Infinitives as Verb Complements

PRESENTATION

Vamos a **estar** en vacaciones.
¿**Aprenden** a **hablar** español?
Acaba de salir.
¿**Tienes** que **comprar** algo?

Which word precedes the infinitive in the first two sentences? in the third? in the fourth?

GENERALIZATION

Some Spanish verbs, unlike those on page 293, require **a, de,** or **que** before an infinitive.

Verb		*Examples*
aprender	**a**	**Aprenden a hablar español.**
comenzar	**a**	**Comienza a gritar.**
empezar	**a**	**¿Cuándo empezamos a estudiar?**
enseñar	**a**	**Inés nos enseña a cantar.**
entrar	**a**	**¿Entramos a ver la película?**
invitar	**a**	**¿Me invitas a bailar?**
ir	**a**	**Vamos a dar una fiesta.**
llamar	**a**	**Los llamo a almorzar.**
salir	**a**	**Salen a cenar todos los sábados.**
venir	**a**	**Vengo a ver a Pedro.**
acabar	**de**	**Acaba de salir.**
terminar	**de**	**¿Cuándo terminas de escribir la tarea?**
tener	**que**	**Tengo que estudiar.**

STRUCTURE DRILLS

9. DOUBLE ITEM SUBSTITUTION

Quiero estudiar.
Empiezan ____.
________ comer.
Prefieren ______.
________ volver.
Puedes _______.
______ economizar.
Aprenden _______.
________ nadar.
Vamos ________.
______ contestar.
Acaba ________.
______ levantarse.
Tienen ________.

10. EXPANSION DRILL

Empiezan la novela.	
(leer)	Empiezan a leer la novela.
Por fin termina sus lecciones.	
(hacer)	
¿Aprendes español?	
(hablar)	
No sé el nombre.	
(escribir)	
Me enseñan el cha-cha-cha.	
(bailar)	
Llamo a los niños.	
(comer)	
Tengo una máquina de escribir.	
(comprar)	
¿Cuándo comienza su tarea?	
(hacer)	

11. FREE RESPONSE

¿Va usted a pasar este año?
¿Va a pasar raspando, o va a sacar buenas notas?

Si pasa raspando, ¿me promete estudiar más el año próximo?
¿A qué hora empieza a hacer su tarea?
¿Ya sabe usted jugar tenis?
¿Piensa aprender a nadar este verano?
¿Quién va a enseñarle a nadar?

12. DOUBLE ITEM SUBSTITUTION

Prometo estudiar.	Prometo estudiar.
Estoy ______.	Estoy estudiando.
______ trabajado.	He trabajado.
Tengo ______.	Tengo que trabajar.
______ comiendo.	Estoy comiendo.
He ______.	He comido.
______ vistiéndome.	Estoy vistiéndome.
Acabo ______.	Acabo de vestirme.

13. WRITING EXERCISE

Write the responses to Drills 9 and 10.

Adverbs with -mente

PRESENTATION

Ella no es muy bonita, **franca<u>mente</u>.**
¡Es **absoluta<u>mente</u>** imposible!
Voy a hablar con su jefe **inmediata<u>mente</u>.**

Which words are the adverbs in these sentences? What suffix do they end in? What part of speech is the word to which the suffix is attached? Is it attached to the masculine or the feminine form?

GENERALIZATION

In English, many adverbs are formed by adding *-ly* to an adjective.

immediate → *immediate<u>ly</u>*
perfect → *perfect<u>ly</u>*

In Spanish many adverbs are formed by adding **-mente** to the feminine singular form of an adjective.

inmediata → **inmediatamente**
perfecta → **perfectamente**

STRUCTURE DRILLS

14. ADJECTIVE → ADVERB

inmediato	inmediatamente
perfecto	
absoluto	
fácil	
posible	
principal	
seguro	
exagerado	
triste	
loco	
alegre	
franco	
distraído	
desgraciado	

15. TRANSFORMATION DRILL

Aprendemos esa lección de una manera fácil.	Aprendemos esa lección fácilmente.
Los niños cantan de una manera alegre.	Los niños cantan alegremente.
Me duele la cabeza de una manera horrible.	Me duele la cabeza horriblemente.
Ella siempre habla de una manera exagerada.	Ella siempre habla exageradamente.
La criada grita de una manera loca.	La criada grita locamente.
La maestra nos mira de una manera triste.	La maestra nos mira tristemente.

16. FREE SUBSTITUTION

Es absolutamente imposible.

Comparatives: tan/tanto . . . como

PRESENTATION

Ellos no están tan **tristes** como yo.
Cristina no aprende tan **fácilmente** como tú.

Which words mean *as . . . as* in these sentences? Which part of speech is the word that follows **tan** in the first sentence? Which part of speech is the word that follows **tan** in the second sentence?

Ellos no tienen tantos **problemas** como yo.
Yo no tengo tanta **prisa** como ella.
Los otros no sufren tanto como yo.

Which words mean *as much* (*as many*) *. . . as*? In which of these sentences does a form of **tanto** function as an adjective? Does **tanto** show number and gender agreement when it functions as an adjective? Does **tanto** function as an adjective or an adverb in the last sentence?

GENERALIZATION

Spanish	*English*
tan + {adjective / adverb} **como**	*as* + {adjective / adverb} *as*
tanto, -a + {singular noun} **como** **tantos, -as** + {plural noun} **como**	*as much* + {singular noun} *as* *as many* + {plural noun} *as*
tanto como	*as much as*

1. As an adjective, **tanto** agrees in number and gender with the noun it modifies: **tanto dinero, tanta prisa, tantos muchachos, tantas muchachas.**

2. If a pronoun follows **como,** it is the subject pronoun, not the prepositional pronoun.

Ellos no tienen tantos problemas como yo.
María no es tan alta como tú.

STRUCTURE DRILLS

17. PAIRED SUBSTITUTIONS

1. Este edificio no es tan grande como el otro.
   ____ piscina ______________________________.
   Esta playa es tan linda como la de Miami.
   ____ aeropuerto ________________________.
   Esta máquina de escribir es tan cara como la tuya.
   ____ carro ______________________________________.

2. José Luis tiene tantos problemas como yo.
   ______________________ dinero ____________.
   Yo no leo tantas revistas como tú.
   ________________ libros __________.
   Ellos no tienen tanto trabajo como nosotros.
   ______________________ tarea ____________.

18. PATTERNED RESPONSE

1. Juan es guapo. Su hermano, también. — Su hermano es tan guapo como Juan.
   Ana es simpática. Isabel, también.
   Mamá está preocupada. Papá, también.
   Los niños están cansados. Yo también.
   Los alumnos están aburridos. La maestra, también.

2. Ella ha leído diez novelas. Él ha leído menos. — Él no ha leído tantas novelas como ella.
   Arturo ha mandado dos tarjetas. Juan ha mandado menos.
   José tiene muchos problemas. Los otros alumnos tienen menos.
   Enrique gana mucho dinero. Miguel gana menos.
   Este carro usa mucha gasolina. El jeep usa menos.

3. Pedro estudia más que Juan. ⊛ — Juan no estudia tanto como Pedro.
   José Luis sufre más que sus compañeros.
   El maestro se aburre más que los chicos.
   Mi papá se enoja más que mi mamá.
   La garganta me duele más que la cabeza.

19. CUED DIALOG

(carro)	1ST STUDENT	¡Qué lindo es este carro!
	2ND STUDENT	Sí, pero no es tan lindo como el otro.

(dibujos)
(hotel)
(tarjetas)
(piscina)
(aviones)
(tren)
(casa)

20. FREE RESPONSE

Juan, ¿es usted tan alto como su papá?
¿Es usted tan inteligente como él?
¿Es él tan simpático como usted?
Ana, ¿es usted tan bonita como su mamá?
¿Es tan alta como ella?
¿Ella habla español tan bien como usted?
¿Estudia usted tanto como los otros alumnos?
¿Habla español tan bien como ellos?
¿Saca notas tan buenas como ellos?
¿Habla español tan rápido como el maestro?
¿A usted le gusta la clase de historia tanto como la de español?
¿Le gusta la clase de inglés tanto como la de matemáticas?
¿A usted le parece tan fácil hablar español como inglés?
¿Tienen ustedes tantos exámenes en la clase de historia como en ésta?
¿Tienen tanta tarea?
¿Está usted tan contento el primer día de clases como el último?

21. WRITING EXERCISE

Write the responses to Drills 18.1, 18.2, and 18.3.

Writing

1. MULTIPLE ITEM SUBSTITUTION

1. ¿A qué hora empiezan a estudiar los muchachos?
   terminar / trabajar / médico

2. Aprendemos a hablar español ahora.
   preferir / estudiar / álgebra

3. ¿Desean dejar algún recado?
   tener / escribir / tarjetas

4. Pienso sacar un siete en historia.
   querer / diez / matemáticas

5. Tú y yo no hemos hecho tanto trabajo como ella.
   los otros alumnos / leer / novelas / yo

6. Tú no has mandado tantas tarjetas como yo.
   los muchachos / recibir / recados / ella

7. Este carro no es tan barato como el de Juan.
   máquina de escribir / mi hermana

8. Esta maleta no es tan bonita como la de la otra muchacha.
   baúl / grande / muchacho

9. Al niño le encanta la película.
   a mí / doler / pies

10. ¿A ti te aprietan los zapatos?
    a usted / doler / cabeza

2. SENTENCE COMBINATION

MODELS Esta tarjeta es bonita. La otra, también.
Esta tarjeta es tan bonita como la otra.

Yo mando muchas cartas. Ella, también.
Yo mando tantas cartas como ella.

1. El álgebra es difícil. La historia, también.
2. Esta revista es interesante. Ésa, también.
3. Tú lees muchas novelas. Yo, también.
4. Las gemelas García tienen mucho dinero. Ellos, también.
5. La maestra sufre mucho. Los alumnos, también.

6. La máquina de escribir mía es cara. La suya, también.
7. Ana está triste. Su mamá, también.
8. Los gemelos nadan muy bien. Su hermano mayor, también.
9. La criada grita exageradamente. La señora, también.
10. Yo lo siento mucho. Usted, también.

RECOMBINATION MATERIAL

Dialogs

I

JOSÉ LUIS ¿Cuándo vas a devolverme el libro? Lo necesito.
PATRICIO Te lo doy mañana por la mañana. Marta lo tiene ahora.
JOSÉ LUIS Yo se lo pido a ella, entonces. Es de la maestra, y tengo que devolvérselo esta tarde sin falta.
JOSÉ LUIS Marta, ¿tienes el libro? Se lo tengo que devolver a la maestra.
MARTA ¿Cuál libro? Ah, sí, ése. Dolores lo tiene. Lo necesita para su clase de historia.
JOSÉ LUIS ¡Qué barbaridad! La maestra me mata si no le devuelvo ese libro.
MARTA Vamos a la casa de Dolores. Ella lo tiene seguramente.
JOSÉ LUIS ¡Si no se lo ha prestado a otra persona!

QUESTIONS

1. ¿Qué le pregunta José Luis a Patricio?
2. ¿Quién tiene el libro, según Patricio?
3. ¿De quién es el libro?
4. ¿Cuándo se lo tiene que devolver, sin falta?
5. ¿Tiene el libro Marta?
6. ¿Quién lo tiene, según ella?
7. ¿Para qué lo necesita Dolores?
8. ¿Qué le hace la maestra a José Luis si no le devuelve el libro?
9. ¿Adónde quiere ir Marta?
10. ¿Qué cree José Luis que Marta ha hecho con el libro, probablemente?

II

MÉDICO A ver, Juan. ¿Qué tiene usted?
JUAN Me duele mucho la garganta.
MÉDICO ¿Qué más le duele? ¿La cabeza? ¿El estómago?
JUAN La cabeza. Estoy muy resfriado.
MÉDICO ¿Ha tomado algo?
JUAN Sí, para la garganta.
MÉDICO Bueno, usted va a tener que quedarse en casa algunos días. Necesita dormir.
JUAN ¡Ay, no! Tengo un examen importantísimo esta tarde.
MÉDICO ¡Los buenos alumnos se preocupan porque no pueden ir a la escuela y los malos porque tienen que ir!

QUESTIONS

1. ¿Dónde está Juan?
2. ¿Qué le duele?
3. ¿Qué más le duele?
4. ¿Le duele el estómago?
5. ¿Le duelen las piernas?
6. ¿Ha tomado algo?
7. ¿Qué le dice el médico?
8. ¿Quiere Juan quedarse en casa?
9. ¿Por qué no?
10. ¿Qué dice el médico?
11. ¿Es Juan un buen o un mal alumno?
12. ¿Hay muchos alumnos como Juan?

DIALOG VARIATION

Change the dialog to narrative form.

III

RAÚL ¡Por fin van a terminar las clases!
PACO Sí, ¡estamos libres dentro de una semana! El viernes es el último día.
RAÚL Yo nunca voy a abrir otro libro de álgebra.
PACO Ni mirar otro libro de historia.
RAÚL Yo voy a ir a la playa todos los días.
PACO Yo voy a pasar las vacaciones en el campo, en la hacienda de mi tío.

RAÚL ¡Y no voy a decir ni siquiera una palabra en inglés por tres meses!
PACO ¡Yo tampoco!

REJOINDERS

¡Por fin estamos libres!

Narrative

Carta de un alumno costarricense*

Queridísimos° viejos[4],

Estoy contentísimo por la carta que acabo de recibir de ustedes, larga° y llena° de noticias, como a mí me gustan. Ya la he leído tres veces y la voy a leer al menos una vez más.

5 Me alegro° mucho de saber que todos están bien y que no vamos a tener que vender San Fernando. Es la mejor noticia que he recibido en mi vida. Una hacienda tan bonita y tan grande, que ha estado en nuestra familia cuatro generaciones*—con ese clima, ese río° enorme, esa playa que es más bonita que la de 10 Miami—no debemos venderla por nada del mundo.

Y vieran ustedes qué preocupados han estado, no sólo yo, sino también todos los compañeros amigos míos. Es que les he hablado tanto de San Fernando. Muchas veces nos sentamos a conversar y yo les cuento y les cuento de las cosas que pasan allá y ellos no 15 se cansan de oírme; el que se cansa soy yo. Creen que yo exagero mucho cuando les digo que hay cantidades* de cocodrilos*, iguanas*, y monos° allá, pero les encanta escucharme; y cuando les hablo de las boas* de dos y tres metros*[5] de largo que usted, viejo, y los peones* han matado en la montaña*, se quedan con 20 la boca abierta.

Bueno, voy a hablar de otra cosa porque si no, no termino nunca esta carta, pero quiero decirles antes que me alegra muchísimo la noticia de que este año vamos a pasar todas las vacaciones en la hacienda. Ya tengo hechas las dos maletas y sola-

querido: *dear*
largo: *long*
lleno: *full*
alegrarse: *be glad*
río: *river*
mono: *monkey*

[4] Affectionate way of addressing parents.
[5] The metric system is used throughout Latin America, except in Puerto Rico.

Age-old plowing techniques are used on this farm in Costa Rica.

25 mente estoy esperando° pasar el último examen, el de álgebra, que es de hoy en ocho, para salir corriendo° directamente* para el aeropuerto.

A propósito, quiero pedirles permiso para llevar° a dos amigos míos a pasar las vacaciones con nosotros. Son Jack Parducci y 30 Bob O'Brien, de quienes ya les he hablado a ustedes. Son muy buenos muchachos, muy decentes* y simpáticos. Mis dos hermanitas probablemente se van a alegrar mucho de esta noticia. Ya ellos tienen el permiso de la casa y están completamente listos. No hablan de otra cosa más que de montar a caballo° y 35 de entrar a la cueva° para ver si encuentran el famoso tesoro*.

esperar: *wait*
correr: *run*
llevar: *take*
montar a caballo: *horseback ride (mount on horse)*
cueva: *cave*

QUESTIONS

1. ¿De dónde es el muchacho que escribe la carta?
2. ¿En cuál país cree usted que está estudiando él?
3. ¿A quiénes les escribe?
4. ¿Cuál palabra usa para referirse* a sus padres?
5. ¿Por qué está contentísimo?
6. ¿Es larga la carta que acaba de recibir?
7. ¿Cuántas veces la ha leído ya?

8. ¿Va a leerla otra vez?
9. ¿Cuál es la mejor noticia que ha recibido en su vida?
10. ¿Qué es San Fernando?
11. ¿Es una hacienda pequeña?
12. ¿Por cuántas generaciones ha estado San Fernando en esa familia?
13. ¿Es bonita la playa de San Fernando?
14. ¿A quiénes les ha hablado mucho de San Fernando?
15. ¿Ellos se cansan de oírlo?
16. ¿Quién se cansa?
17. ¿Qué creen ellos?
18. ¿Cuáles son algunos de los animales que hay en San Fernando?
19. ¿Qué han matado el padre del autor y los peones?
20. ¿Cómo se quedan los compañeros del autor cuando oyen estas historias?
21. ¿El autor le habla de "tú" o de "usted" a su padre?
22. ¿Ya tiene hechas las maletas el autor?
23. ¿Qué está esperando para salir?
24. ¿Cuál es su último examen?
25. ¿Cuándo es?
26. ¿Qué va a hacer después de pasar ese examen?
27. ¿A quiénes quiere llevar el autor a San Fernando?
28. ¿Cómo se llaman sus dos amigos?
29. ¿Qué dice el autor de ellos?
30. ¿Cree el autor que sus hermanitas se van a alegrar de esta noticia?
31. ¿De qué hablan constantemente Jack y Bob?
32. ¿Qué van a buscar en la cueva?

II

Mami, usted no debe preocuparse tanto por mí; yo estoy perfectamente bien y voy a estar pasando las vacaciones con ustedes muy pronto. Si no les he escrito en los últimos dos meses, ha sido porque he estado ocupadísimo preparándome para los
40 exámenes finales*. He salido bastante bien de casi todos, pero creo que voy a pasar raspando en el de inglés y en el de historia. No nos han dado las notas todavía, pero no creo que voy a sacar más de una C menos en los dos, si tengo suerte, que es como decir un seis allá. Es que cuando uno tiene que explicar* las
45 cosas en inglés es muy difícil. De todos modos ustedes deben estar muy orgullosos° de mí porque estoy seguro que he sacado mejor nota en estas dos cosas que los otros latinos* de mi grupo; si yo paso raspando, ellos van a pasar "raspandísimo".

orgulloso: *proud*

Como les digo, todavía tengo un examen más, el de álgebra
50 que es de hoy en ocho, pero no me preocupa. Yo soy, como ustedes saben, bueno para todo lo que es matemáticas, y ni siquiera tengo que estudiar para este examen porque sé que va a

Much of Costa Rica's tropical coast is unexplored jungle.

ser muy fácil. Pero estoy estudiando de todos modos porque no tengo otra cosa que hacer y estoy aburridísimo.

55 Bueno, por lo menos° tengo tiempo° para comprar algunas de las cosas que ustedes me piden. Ya he comprado dos de los vestidos para tía Matilde; son de minifalda porque falda larga he buscado por todas partes y simplemente no hay. Pero la empleada de la tienda dice que las minifaldas están de última moda° y que 60 en Suramérica hasta° las señoras las usan. Yo no sé si eso es verdad o no. Uno es azul y el otro no recuerdo en este momento*. También tengo ya los zapatos para usted, papá.

Ahora voy a ir de compras porque, qué barbaridad, con la lista que me han dado de cosas que comprar, voy a llegar allá 65 como Papá Noel°. Por favor, no más.

Un beso° y un abrazo° de su hijo que los quiere mucho y espera° verlos muy pronto.

José Rafael

José Rafael

P.D.[6] Si hay alguna inconveniencia* con la cuestión* de Jack y 70 Bob deben avisarme* inmediatamente por cable*.

por lo menos: *at least*
tiempo: *time*
de última moda: *the latest style (fashion)*
hasta: *even*
Papá Noel: *Santa Claus (Papa Christmas)*
beso: *kiss*
abrazo: *hug*
esperar: *hope*

---
[6] **P.D. (Postdata)** = *P.S. (Postscript)*.

QUESTIONS

1. ¿Quién se preocupa mucho por José Rafael?
2. ¿Dónde va a estar él muy pronto?
3. ¿Por qué no les ha escrito en los últimos dos meses a sus padres?
4. ¿Ha salido muy bien de todos sus exámenes?
5. ¿En cuáles cursos* va a pasar raspando?
6. ¿Cuál nota piensa que va a sacar en esos cursos?
7. ¿Por qué son estos cursos especialmente difíciles para José Rafael?
8. ¿Por qué deben estar orgullosos los padres de José Rafael?
9. ¿Lo preocupa a José Rafael el examen de álgebra?
10. ¿Por qué no?
11. ¿Por qué estudia tanto para ese examen, entonces?
12. ¿Qué va a poder hacer ahora?
13. ¿Qué ha comprado para tía Matilde?
14. ¿Cómo son los vestidos?
15. ¿Qué está de última moda en Suramérica, según la empleada de la tienda?
16. ¿De qué color son los vestidos?
17. ¿Qué ha comprado José Rafael para su padre?
18. ¿Le han pedido muchas cosas los parientes de José Rafael?
19. ¿Cómo quién va a llegar a Costa Rica él?
20. ¿Cómo termina la carta?
21. ¿Qué les dice en la postdata a sus padres?

Conversation Stimulus

Un lugar ideal imaginario (¡o real!)

Use the following questions as a guide:

1. ¿Cuál es el lugar ideal para usted?
2. ¿Es una ciudad? ¿cuál? ¿un pueblo chico? ¿cuál?
3. ¿Dónde está? ¿en el campo? ¿en las montañas? ¿en la costa?
4. ¿Hay playas bonitas allí?
5. ¿La gente se baña todos los días en esas playas?
6. ¿Hace siempre buen tiempo?
7. ¿Hay haciendas inmensas*?
8. ¿Usted puede montar a caballo allí?
9. ¿Hay animales interesantes? ¿cuáles?
10. ¿Tiene que trabajar allí o tiene muchos criados?
11. ¿Hay escuelas y exámenes y maestros furiosos allí?

RESPONSE FORMS FOR LISTENING EXERCISES

Do not write in this section. If you do not have the Exercise Book, you will be asked to copy whatever printed material you need for the listening exercises.

EXERCISE 4

	Ex.	1	2	3	4	5	6	7	8
SPANISH	✓								
ENGLISH									

EXERCISE 7

	Ex.	1	2	3	4	5	6	7	8	9	10
SPANISH											
ENGLISH	✓										

EXERCISE 16

	Ex.	1	2	3	4	5	6	7	8	9	10
r											
rr	✓										

EXERCISE 29

	Ex.	1	2	3	4	5	6	7	8	9	10	11	12
SPANISH	✓												
ENGLISH													

EXERCISE 32

	Ex.	1	2	3	4	5	6	7	8	9	10	11	12
A	✔												
B													

EXERCISE 37

Ex.	1	2	3	4	5	6
A	A	A	A	A	A	A
Ⓑ	B	B	B	B	B	B
C	C	C	C	C	C	C

EXERCISE 38

1. ¿Qué escuchas? ¿Unos discos?
2. Quiero practicar con la chica americana.
3. ¿Por qué no practicas conmigo?

1. ______________________________
2. ______________________________
3. ______________________________

EXERCISE 41

Ex.	1	2	3	4	5	6
(yo)	yo	yo	yo	yo	yo	yo
tú	tú	tú	tú	tú	tú	tú
él	clla	usted	él	ella	usted	él
nosotros	nosotros	nosotros	nosotros	nosotros	nosotros	nosotros
ellos	ellas	ustedes	ellos	ellas	ustedes	ellos

EXERCISE 42

1. Tal vez escuchan una canción.
2. Susana pasa por la escuela.
3. Blanca pronuncia muy bien.

1. ____________________
2. ____________________
3. ____________________

EXERCISE 45

	Ex.	1	2	3	4	5
A	✔					
B						

EXERCISE 46

1. ¿A quién llamas? ¿A ella?
2. ¿Llegan ahora Blanca y Arturo?
3. Yo no sé con quién habla.

1. ____________________
2. ____________________
3. ____________________

EXERCISE 47

1. ¿Con quién habla Pedro?
2. ¿Por qué no quiere Blanca practicar con él?
3. ¿A quién quiere llamar Pedro, entonces?
4. ¿Quiere Blanca llamar a la chica americana?

1. ____________________
2. ____________________
3. ____________________
4. ____________________

EXERCISE 49

	Ex.	1	2	3	4	5	6	7	8
SPANISH									
ENGLISH	✔								

EXERCISE 52

Ex.	1	2	3
____ *3:00*	____ 1:00	____ 9:00	____ 10:00
____ *6:00*	____ 11:00	____ 3:00	____ 7:00
Ⓐ *1:00*	____ 5:00	____ 12:00	____ 8:00
____ *10:00*	____ 4:00	____ 2:00	____ 3:00

EXERCISE 53

yes	d-yes	diez
yet	k-yet	quieto
yellow	s-yellow	cielo
yet	n-yet	nieto
yen	t-yen	tienda
yet	s-yet	siete

EXERCISE 56

	Ex.	1	2	3	4	5	6	7	8	9	10	11	12
A	✓												
B													

EXERCISE 60

	Ex.	1	2	3	4	5	6	7	8
masculine	✓								
feminine									

EXERCISE 61

1. ¿Vamos a la biblioteca con Pedro?
2. El sábado vamos a un baile.
3. Blanca habla inglés bastante bien.

1. ______________________
2. ______________________
3. ______________________

EXERCISE 65

	Ex.	1	2	3	4	5	6	7	8	9	10	11	12	13	14	15
Statement																
Question	✓															

EXERCISE 66

1. ¿Dónde estudia usted español, señorita?
2. ¿Qué día es mañana? Domingo.
3. Vamos al mercado y a las tiendas.

1. ______________________
2. ______________________
3. ______________________

EXERCISE 67

1. ¿En quién piensa Raúl?
2. ¿Qué día llega la chica americana?
3. ¿Habla inglés Raúl?
4. ¿Cómo habla español la chica americana, bien o mal?

1. ______________________
2. ______________________
3. ______________________
4. ______________________

EXERCISE 73

	Ex.	1	2	3	4	5	6	7	8	9	10	11	12
A	✓												
B													

EXERCISE 75

	Ex.	1	2	3	4	5	6	7	8
d	✔								
r									

EXERCISE 77

Ex.	1	2	3	4	5	6	7	8	9	10
Ⓐ	A	A	A	A	A	A	A	A	A	A
B	B	B	B	B	B	B	B	B	B	B
C	C	C	C	C	C	C	C	C	C	C

EXERCISE 78

1. Las gemelas García son muy inteligentes.
2. ¿Cuál de las dos es mejor? Ninguna.
3. Miguel llega con alguien.
4. ¿Con Jorge? No, con Guillermo.

1. ______________________
2. ______________________
3. ______________________
4. ______________________

EXERCISE 79

totter they	tarde	tar day
sweater tay	suerte	swear tay
cotter taw	carta	car taw
cotter nay	carne	car nay
petter though nay	perdone	pear doh nay

EXERCISE 82

	Ex.	1	2	3	4	5	6	7	8	9	10
girl	✓										
boy											
two girls											
mixed group											

EXERCISE 83

1. Quiero comprar un regalo para don Pedro. 1. ______
2. ¿A qué hora cierran el mercado? 2. ______
3. La señorita americana no habla ruso. 3. ______
4. ¡Ah, con razón! 4. ______

EXERCISE 84

todáy say	trece	trace eh
put ówn toe	pronto	prone toe
could Émma	crema	cray ma
good écho	greco	Greco
fit éat oh	frito	free toe
git ón	gran	gran

EXERCISE 87

	Ex.	1	2	3	4	5	6	7	8
A	✓								
B									

EXERCISE 88

1. ¿Son hermanas las dos chicas? 1. ______
2. ¿Son gemelas? 2. ______
3. ¿Son idénticas? 3. ______
4. ¿Cuál de las dos es más alta? 4. ______

EXERCISE 90

	Ex.	1	2	3	4	5	6	7	8	9	10
first	✔										
second											

EXERCISE 92

	Ex.	1	2	3	4	5	6	7	8	9	10	11	12
A	✔												
B													

EXERCISE 93

1. A propósito, ¿Tomás está aquí? 1. ______
2. No, está en el café. 2. ______
3. Ah, con razón. Hoy es sábado. 3. ______

EXERCISE 96

	Ex.	1	2	3	4	5	6	7	8	9	10
A	✔										
B											

EXERCISE 97

1. ¿Estudias ruso, francés, alemán, o español?	1. ____
2. ¿Yo? Inglés.	2. ____
3. José y yo vamos al café.	3. ____
4. Después vamos al partido de fútbol.	4. ____

EXERCISE 100

	Ex.	1	2	3	4	5	6
A							
B	✓						

EXERCISE 101

1. ¿Cuánto cuestan los boletos? No sé.	1. ____
2. ¡Cómo gritas, hijo! ¿Qué quieres?	2. ____
3. ¿Tú estás en tu cuarto?	3. ____

EXERCISE 102

west	p-west	puesto
wane	b-wane	bueno
wet	f-wet	fuete
we	f-we	fuí
well	m-well	muela
well	n-well	Manuel
web	y-web	llueve

EXERCISE 105

	Ex.	1	2	3	4	5	6	7	8
A	✓								
B									

EXERCISE 106

1. ¿Adónde va Roberto con tanta prisa?
2. ¿De dónde llega tío Arturo?
3. ¿Quiere Eva ir con Roberto?
4. ¿A qué hora llega tío Arturo?

1. ____________________
2. ____________________
3. ____________________
4. ____________________

EXERCISE 109

Ex.	1	2	3	4	5	6	7	8
(A)	A	A	A	A	A	A	A	A
B	B	B	B	B	B	B	B	B
C	C	C	C	C	C	C	C	C

EXERCISE 112

Ex.	1	2	3	4	5	6	7	8	9	10	11	12	13	14
(es)	es	somos	es	es	es	es	soy	eres	es	son	es	es	son	son
está	está	estamos	está	está	está	está	estoy	estás	está	están	está	está	están	están

EXERCISE 115

	Ex.	1	2	3	4	5	6	7	8
A									
B	✓								

EXERCISE 116

1. ¿Puedo ver la foto de la fiesta?
2. Claro, Felipe.
3. ¿Quién es esa chiquita?
4. Mi prima Beatricita. Es simpatiquísima.

1. ____________________
2. ____________________
3. ____________________
4. ____________________

EXERCISE 119

Ex.	1	2	3	4	5	6	7	8
A	A	A	A	A	A	A	A	A
B	B	B	B	B	B	B	B	B
(C)	C	C	C	C	C	C	C	C

EXERCISE 120

1. ¿Adónde quiere ir Adela?
2. ¿Quiere ir al cine su hermano?
3. ¿Sabe Adela qué dan?
4. ¿Qué busca ella?
5. ¿Dónde está el periódico?

1. ______________________________
2. ______________________________
3. ______________________________
4. ______________________________
5. ______________________________

EXERCISE 123

Ex.	1	2	3	4	5	6
A	A	A	A	A	A	A
(B)	B	B	B	B	B	B
C	C	C	C	C	C	C

EXERCISE 124

Yo

Yo soy Francisco Castro, alumno de la Escuela Americana. Es una escuela muy __1__ y __2__. Me gusta mucho. Mis compañeros son todos muy __3__ y __4__. Aquí tengo dos fotos: una es de la escuela; __5__ ¿no? La otra es de todos los __6__ y __7__ que están en mi __8__, y del maestro, don Pedro. Ése que está __9__ con la chica __10__ soy yo.

1. ______
2. ______
3. ______
4. ______
5. ______
6. ______
7. ______
8. ______
9. ______
10. ______

EXERCISE 128

Ex.	1	2	3	4	5	6	7	8	9	10	11	12
Ⓐ	A	A	A	A	A	A	A	A	A	A	A	A
B	B	B	B	B	B	B	B	B	B	B	B	B
C	C	C	C	C	C	C	C	C	C	C	C	C

EXERCISE 132

Ex.	1	2	3	4	5	6	7	8	9	10
Ⓐ	A	A	A	A	A	A	A	A	A	A
B	B	B	B	B	B	B	B	B	B	B
C	C	C	C	C	C	C	C	C	C	C

EXERCISE 133

1. María todavía pronuncia muy mal.
2. ¿Qué día es la fiesta? El viernes.
3. ¿Vas al estadio con tu tío?
4. ¿Dónde está el diccionario? En tu cuarto.

1. ______________________
2. ______________________
3. ______________________
4. ______________________

EXERCISE 136

	Ex.	1	2	3	4	5	6	7	8	9	10
A											
B	✓										

EXERCISE 137

1. ¿Qué quiere hacer Susana esta tarde?
2. ¿Quiere Pedro practicar inglés?
3. ¿Por qué no quiere?
4. ¿Qué quiere hacer Susana, entonces?
5. ¿Quiere Pedro esuchar discos también?
6. ¿Qué tiene él?

1. ______
2. ______
3. ______
4. ______
5. ______
6. ______

EXERCISE 139

	Ex.	1	2	3	4	5	6	7	8
A	✔								
B									

EXERCISE 140

El gordito contesta la carta de Sue

Estimada amiga:

Muchas gracias por __1__ carta tan bonita. __2__ debes ser una chica muy __3__. Y muy bonita tambien. ¿__4__ años tienes? ¿No tienes una __5__?

Yo tengo casi __6__ años. Soy __7__, y tengo __8__ __9__. También soy un poco gordo, no muy gordo, un poco __10__.

1. ______
2. ______
3. ______
4. ______
5. ______
6. ______
7. ______
8. ______
9. ______
10. ______

EXERCISE 143

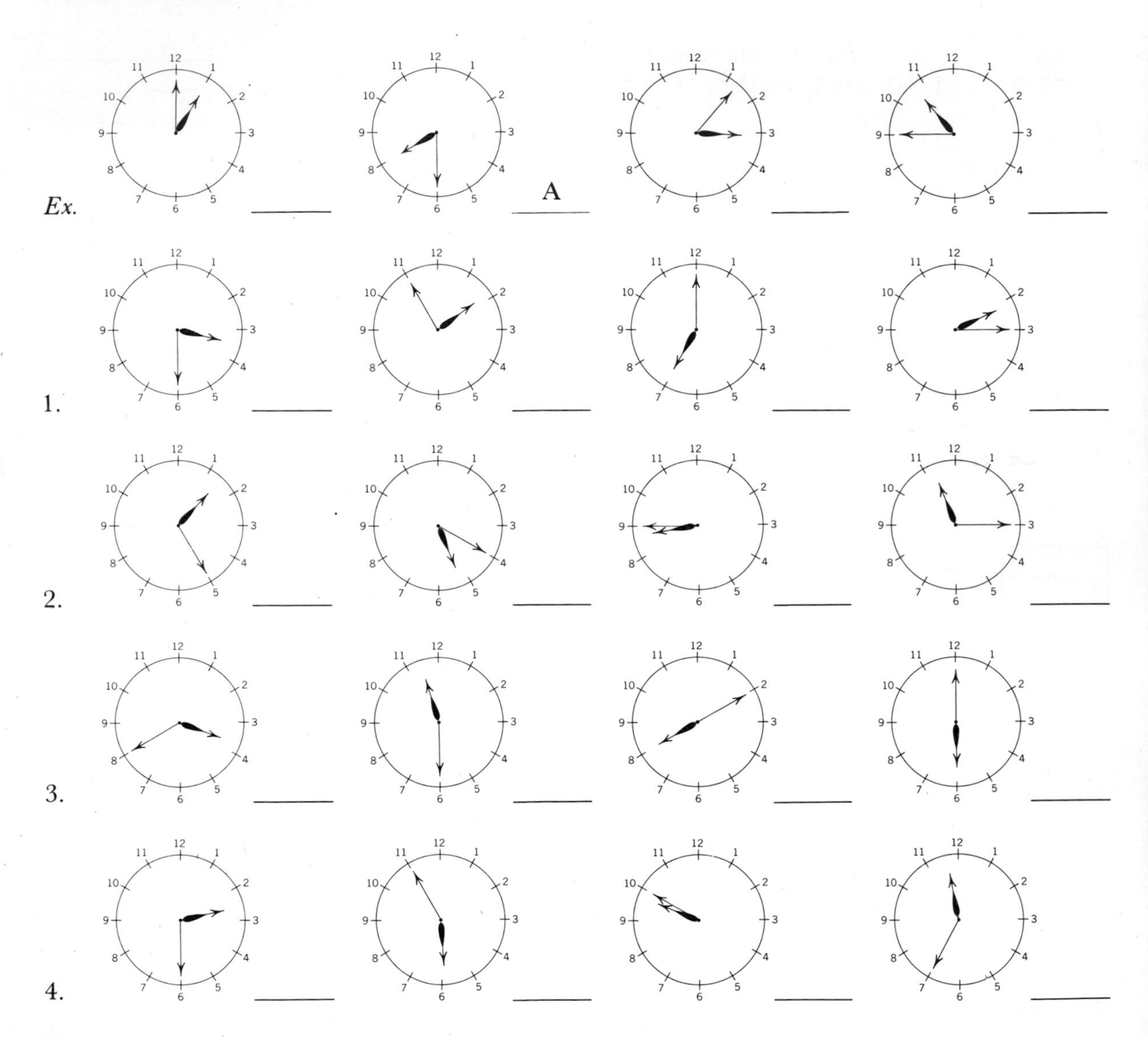

EXERCISE 145

	Ex.	1	2	3	4	5	6	7	8
A	✔								
B									

EXERCISE 148

	Ex.	1	2	3	4	5	6	7	8	9	10
A											
B	✓										

EXERCISE 149

1. ¿Tiene hambre el hijo?
2. ¿Qué hora es?
3. ¿Qué hay de comer?
4. ¿Qué quiere tomar el hijo?

1. ______
2. ______
3. ______
4. ______

EXERCISE 152

Ex. _74_
1. ______
2. ______
3. ______
4. ______
5. ______
6. ______
7. ______
8. ______
9. ______
10. ______
11. ______
12. ______
13. ______
14. ______
15. ______
16. ______
17. ______
18. ______
19. ______
20. ______

EXERCISE 153

Lunes: día feo

¡Imposible! ¡Qué tarde! ¡Lunes! ¡Las siete de la __1__! ¡Escuela! ¡Examen de __2__! ¡Qué __3__! ¡Y no sé nada, absolutamente nada! ¡Examen con don Pedro, el maestro más __4__ del mundo! No, imposible, no puedo ir a la escuela hoy, estoy enfermo, tengo __5__. Yo sé que no sé nada . . . a ver: ¿la capital de __6__? Este . . . este . . . ¡Río de Janeiro! . . . No no no, no es Río de Janeiro, ahora tienen otra nueva, ¿cómo se __7__? . . . no recuerdo. ¿Los productos __8__ de Colombia? No tengo la menor idea.

1. ____
2. ____
3. ____
4. ____
5. ____
6. ____
7. ____
8. ____

EXERCISE 156

	Ex.	1	2	3	4	5	6
A	✔						
B							

EXERCISE 158

	Ex.	1	2	3	4	5	6	7	8	9	10
A	✔										
B											

EXERCISE 161

Ex.	1	2	3	4	5	6	7	8	9	10
A	A	A	A	A	A	A	A	A	A	A
B	B	B	B	B	B	B	B	B	B	B
Ⓒ	C	C	C	C	C	C	C	C	C	C

EXERCISE 162

1. ¿Qué le pasa a la hija?
2. ¿Puede caminar más ella?
3. ¿Adónde quiere ir la hija?
4. ¿Quiere el padre ir al café también?

1. ______________________
2. ______________________
3. ______________________
4. ______________________

EXERCISE 165

	Ex.	1	2	3	4	5	6
A							
B	✔						

EXERCISE 166

Jeem, Beel, y Beector

Salen de Washington el día 25 de junio y calculan llegar a Laredo, Tejas, cinco días más tarde. El jueves salen de Laredo, pasan el Río Grande y __1__ a México por Nuevo Laredo, donde pasan la noche, para luego continuar su __2__ hasta llegar al Distrito Federal, la __3__, que también se llama México, D.F.

En México van a pasar unos diez días, más o menos, porque quieren __4__ muchos lugares. Quieren ver, por __5__, las famosas __6__ de San Juan Teotihuacán, los __7__ que tienen las __8__ de las grandes __9__ indias de México, los puertos de Acapulco en el Pacífico y Veracruz en el __10__. Y muchas cosas más.

1. ______
2. ______
3. ______
4. ______
5. ______
6. ______
7. ______
8. ______
9. ______
10. ______

EXERCISE 169

Ex.	1	2	3	4	5	6	7	8	9	10
(A)	A	A	A	A	A	A	A	A	A	A
B	B	B	B	B	B	B	B	B	B	B
C	C	C	C	C	C	C	C	C	C	C

EXERCISE 170

1. Luis ¿cuántas veces has leído este libro? ¡Seis!
2. ¿Qué te han traído? Veinte pesos.
3. Yo no oigo nada. ¿Tú has oído algo?

1. ______________________________
2. ______________________________
3. ______________________________

EXERCISE 173

	Ex.	1	2	3	4	5	6	7	8	9	10	11	12	13	14	15
change																
no change	✓															

EXERCISE 176

	Ex.	1	2	3	4	5	6	7	8
A	✓								
B									

EXERCISE 177

1. ¿Con quién quiere hablar el señor?
2. ¿Por qué no puede hablar con ella?
3. ¿Sabe la criada cuándo vuelve la señorita?
4. ¿Quiere dejar un recado el señor?
5. ¿Qué le dice él a la criada?

1. ______________________
2. ______________________
3. ______________________
4. ______________________
5. ______________________

EXERCISE 180

Ex.	1	2	3	4	5	6	7	8	9	10
Ⓐ	A	A	A	A	A	A	A	A	A	A
B	B	B	B	B	B	B	B	B	B	B
C	C	C	C	C	C	C	C	C	C	C
D	D	D	D	D	D	D	D	D	D	D

EXERCISE 181

El teléfono

Ese aparato feo y de color negro, de __1__ poco artística, frío de __2__, ese instrumento que un señor con uniforme de la Compañía Nacional de Electricidad colgó en __3__ __4__ de la cocina de mi casa, ése es nuestro indispensable y sincero amigo, el teléfono.

Si de todos los aparatos __5__ que la técnica moderna ha __6__, alguien me dice que solamente uno puedo tener en mi casa, y me ordena eliminar todos los otros, yo inmediatamente selecciono el teléfono y elimino __6__ __7__, el radio, y todos los otros que tenemos en la casa, inclusive __9__ __10__ en colores que es tan bonita.

1. ______
2. ______
3. ______
4. ______
5. ______
6. ______
7. ______
8. ______
9. ______
10. ______

EXERCISE 184

	Ex.	1	2	3	4	5	6	7	8	9	10
A											
B	✔										

EXERCISE 187

	Ex.	1	2	3	4	5	6	7	8
A	✔								
B									

EXERCISE 190

	Ex.	1	2	3	4	5	6	7	8
A	✔								
B									

EXERCISE 191

1. ¿En qué clase tienen un dictado Pedro y Luisa?
2. ¿Ha estudiado Luisa?
3. ¿Ella siempre sale bien o mal en inglés, según Pedro?
4. ¿Cómo habla la maestra, según Luisa?
5. ¿Qué le contesta Pedro?

1. ______
2. ______
3. ______
4. ______
5. ______

EXERCISE 193

	Ex.	1	2	3	4	5	6	7	8	9	10
[ɏ]	✔										
no [ɏ]											

EXERCISE 196

Ex.	1	2	3	4	5	6	7	8
Ⓐ	A	A	A	A	A	A	A	A
B	B	B	B	B	B	B	B	B
C	C	C	C	C	C	C	C	C

EXERCISE 197

América y los americanos

"__1__ Todos los __2__ de este Hemisferio somos americanos, no sólo la __3__ de los Estados Unidos! ¡Porque América es Canadá, es __4__, is todo el Hemisferio Occidental __5__"

Ésta es la eterna protesta de unos pocos extremistas, quienes no están contentos porque los americanos han monopolizado esta palabra y han limitado su __6__ a la nacionalidad de los Estados Unidos. Es una protesta sin mucha __7__. Técnicamente es verdad que todos nosotros somos americanos, pero la realidad de las cosas es que cuando hablamos de "nacionalidad americana" o de "productos americanos", sabemos muy bien que esa nacionalidad y esos productos no __8__ a ningún otro __9__ del Hemisferio sino a los Estados Unidos. Es __10__ una conveniencia, un __11__ que ha sido adaptado por los Estados Unidos y aceptado en todo el mundo, inclusive en el resto de América __12__

1. ______
2. ______
3. ______
4. ______
5. ______
6. ______
7. ______
8. ______
9. ______
10. ______
11. ______
12. ______

EXERCISE 199

	Ex.	1	2	3	4	5	6	7	8	9	10
r	✔										
t											

EXERCISE 201

Ex.	1	2	3	4	5	6	7	8	9	10
(A)	A	A	A	A	A	A	A	A	A	A
B	B	B	B	B	B	B	B	B	B	B
C	C	C	C	C	C	C	C	C	C	C

EXERCISE 205

	Ex.	1	2	3	4	5	6	7	8
A	✔								
B									

EXERCISE 209

	Ex.	1	2	3	4	5	6	7	8
A	✔								
B									

EXERCISE 210

1. ¿De qué están hablando Roberto y Cristina? 1. ______
2. ¿Por qué no quiere ir al partido Roberto? 2. ______
3. ¿Por qué dice eso? 3. ______
4. ¿Quién va a ir al partido, según Cristina? 4. ______
5. ¿Qué va a hacer Roberto, de todos modos? 5. ______

EXERCISE 213

Ex.	1	2	3	4	5	6	7	8	9	10
A	A	A	A	A	A	A	A	A	A	A
(B)	B	B	B	B	B	B	B	B	B	B
C	C	C	C	C	C	C	C	C	C	C
D	D	D	D	D	D	D	D	D	D	D

EXERCISE 214

El Nuevo Mundo

Si _1_ un mapa del Hemisferio Occidental _2_ podemos observar que el Nuevo Mundo tiene la forma de dos triángulos unidos por una delgada faja de _3_. El triángulo superior contiene tres grandes países _4_ Canadá, Estados Unidos, y México, y llamamos esta parte del continente "_5_". Por esta razón también les decimos "norteamericanos" a los americanos. _6_, nadie les aplica este término a los habitantes de Canadá y México, que por su _7_ geográfica también son norteamericanos. La _8_ de cada una de estas dos _9_ es una palabra tan claramente derivada del nombre del país—canadiense y mexicano—que para no hacer _10_ preferimos reservar "norteamericanos" para los habitantes de los Estados Unidos.

1. ______
2. ______
3. ______
4. ______
5. ______
6. ______
7. ______
8. ______
9. ______
10. ______

EXERCISE 216

	Ex.	1	2	3	4	5	6	7	8
´ — — THIRD-FROM-LAST	✓								
— ´ — NEXT-TO-LAST									
— — ´ LAST									

EXERCISE 218

	Ex.	1	2	3	4	5	6	7	8
A	✓								
B									

EXERCISE 220

	Ex.	1	2	3	4	5	6	7	8
morning	✓								
afternoon									
evening									

EXERCISE 222

	Ex.	1	2	3	4	5	6	7	8
A	✓								
B									

EXERCISE 223

1. ¿Por qué le van a comprar un regalo a Cecilia los dos chicos? 1. ______________________
2. ¿Por qué no sabe Carlos qué comprar para Cecilia? 2. ______________________
3. Según María, ¿qué le debe comprar Carlos a Cecilia? 3. ______________________
4. ¿Carlos le quiere comprar eso? 4. ______________________
5. ¿Qué le va a comprar, mejor? 5. ______________________

EXERCISE 227

Ex. ***p r i s a***

1. m _ _ _ _
2. a _ _ _ _
3. p _ _ _ _ _ _ _
4. m _ _ _ _ _ _
5. r _ _ _ _ _ _ _
6. d _ _ _ _ _ _ _ _ _ _ _
7. e _ _ _ _ _ _ _
8. v _ _ _ _
9. b _ _ _ _ _
10. i _ _ _ _ _ _ _ _

EXERCISE 228

Be prepared to write a short paragraph from dictation.

EXERCISE 230

	Ex.	1	2	3	4	5	6	7	8	9	10
A	✔										
B											

EXERCISE 232

Ex. *sentarme*

1. ________
2. ________
3. ________
4. ________
5. ________
6. ________
7. ________
8. ________
9. ________

EXERCISE 235

Ex.	1	2	3	4	5	6	7	8	9	10
(A)	A	A	A	A	A	A	A	A	A	A
B	B	B	B	B	B	B	B	B	B	B
C	C	C	C	C	C	C	C	C	C	C

EXERCISE 236

1. ¿Qué está haciendo la Sra. Ramos?
2. ¿Qué busca ella?
3. ¿Ya ha puesto toda la ropa en la maleta?
4. ¿Qué no ha puesto todavía?
5. ¿La familia Ramos, va a viajar en tren o en avión?

EXERCISE 240

Ex. ***p i e r n a s***

1. h _ _ _ _ _ _ _
2. p _ _ _ _
3. h _ _ _ _ _ _ _
4. a _ _ _ _ _ _
5. d _ _ _ _ _
6. n _ _ _ _ _
7. g _ _ _ _ _ _ _
8. c _ _ _ _
9. t _ _ _ _ _
10. t _ _ _ _ _ _

EXERCISE 242

Ex. *r*

1. ____
2. ____
3. ____
4. ____
5. ____
6. ____
7. ____
8. ____
9. ____
10. ____
11. ____
12. ____

EXERCISE 244

Ex.	1	2	3	4	5	6	7	8	9	10	11	12
A	A	A	A	A	A	A	A	A	A	A	A	A
(B)	B	B	B	B	B	B	B	B	B	B	B	B
C	C	C	C	C	C	C	C	C	C	C	C	C

EXERCISE 245

Be prepared to write a short paragraph from dictation.

EXERCISE 247

Ex. (*a*) *e* *o*

1. a e o
2. a e o
3. a e o
4. a e i
5. e i o
6. e i o
7. e i o
8. i o u
9. i o u
10. a o i

EXERCISE 249

Ex.	1	2	3	4	5	6	7	8	9	10
A	A	A	A	A	A	A	A	A	A	A
B	B	B	B	B	B	B	B	B	B	B
(C)	C	C	C	C	C	C	C	C	C	C

EXERCISE 251

Ex.	1	2	3	4	5	6	7	8	9	10
A	A	A	A	A	A	A	A	A	A	A
(B)	B	B	B	B	B	B	B	B	B	B
C	C	C	C	C	C	C	C	C	C	C

EXERCISE 252

Carta de un alumno costarricense

Bueno, voy a hablar de otra cosa porque si no, no __1__ nunca esta carta, pero quiero __2__ antes que me alegra __3__ la noticia de que este año vamos a pasar todas las vacaciones en la hacienda. Ya tengo hechas las dos maletas y solamente estoy __4__ pasar el último examen, el de álgebra, que es de hoy en ocho, para salir __5__ directamente para el aeropuerto.

A propósito, quiero __6__ permiso para llevar a dos amigos míos a pasar las vacaciones con nosotros. Son Jack Parducci y Bob O'Brien, de quienes ya les he hablado a ustedes. Son muy buenos muchachos, muy decentes y simpáticos. Mis dos hermanitas probablemente __7__ van a __8__ mucho de esta noticia. Ya ellos tienen el permiso de la casa y están completamente listos. No hablan de otra cosa más que de montar a __9__ y de entrar a la __10__ para ver si encuentran el famoso tesoro.

1. ______
2. ______
3. ______
4. ______
5. ______
6. ______
7. ______
8. ______
9. ______
10. ______

EXERCISE 253

1. ¿Qué le pregunta la maestra a Carlos?
2. ¿Contesta bien él?
3. ¿Por qué no puede contestar, según él?
4. ¿Y según la maestra?
5. ¿Cuál nota saca Carlos en geografía?
6. ¿Va a pasar este año él?

1. ______________________________
2. ______________________________
3. ______________________________
4. ______________________________
5. ______________________________
6. ______________________________

SPANISH–ENGLISH VOCABULARY

This vocabulary includes the words and phrases which appear in Level One. Not included are names of people and verb forms other than the infinitive, except when another form has been introduced first.

The number or letter-number combination after each definition refers to the unit in which the word or phrase first appears. A number by itself refers to the Basic Dialog of that unit; the letter S refers to the Supplement; G refers to the Grammar section; and N refers to the Narrative.

For adjectives and for nouns that have a masculine and a feminine form, the feminine ending is listed immediately following the masculine form, for example, **barato, -a; tío, -a.**

Alternations in verb stems are given in parentheses after the corresponding verb.

ABBREVIATIONS

abbrev	abbreviation of	*m*	masculine noun
adj	adjective	*pl*	plural
f	feminine noun	*pp*	past participle
fn	footnote		

A

a to, 1; at, 3
  a fines de around the end of, 9S; **a la una** at one o'clock, 9S; **al menos** at least, 15; **a propósito** by the way, 5; **¿a qué hora?** at what time?, 3; **a ver** let's see, 6
abajo down, 14S
abandonar abandon, 14N
abierto *pp* **abrir,** 13S
abrazo hug, 15N
abrigo coat, 4S
abril April, 9S
abrir open, 12S
absolutamente absolutely, 8N
absoluto absolute, 13N
absurdo, -a absurd, 13N
abuelo, -a grandfather, grandmother, 6S
aburrido, -a bored, 10S
aburrir bore, 10S
  aburrirse get bored, 13S
acabar de have just, 10
  acaba de salir he has just left, 10
aceptable acceptable, 11N
aceptar accept, 11N
acercarse approach, go towards, 13N
acostar (ue) put to bed, 13G
  acostarse (ue) go to bed, lie down, 13
acostumbrado, -a accustomed, 10N
acostumbrar accustom, 10N
activo, -a active, 9N
adaptación *f* adaptation, 11N
adaptar adapt, 11N
además besides, 12S
adicto, -a addicted, 10N
adiós good-bye, 4
adivinar guess, 6
admiración *f* admiration, 9N
adónde where, 1
adulto, -a adult, 13N

aeropuerto airport, 5S
afecto affection, 10N
agosto August, 9
agua (el agua) *f* water, 8S (*see fn page 133*)
¡ah! oh! (*exclamation*), 1
ahora now, 2S
ajá aha, 5
al (a + el) to the, 3
álbum *m* album, 6
alegrar make happy, 15N
  alegrarse be glad, 15N
alegre gay, 15S
alemán *m* German, 2S
alemán (alemana) *adj* German, 4
álgebra (el álgebra) *f* algebra, 15S (*see fn page 291*)
algo something, 3
alguien someone, 2S
alguno some, 10G
  algún some, 10
almacén *m* department store, 12S
almorzar (ue) have lunch, 8
almuerzo lunch, 6S
aló hello (*on phone*), 10
alto, -a tall, 4S
alumno, -a student, 4S
allá there, 9 (*see fn page 155*)
allí there, 8S (*see fn page 155*)
amarillo, -a yellow, 7S
ambicioso, -a ambitious, 9N
americano, -a American, 2
amigo, -a friend, 1
  tan amiga de él so friendly with him, 4
amor *m* love, 12
  mi amor darling, 12
andar walk, 11
  Anda tomando agua. He's out drinking water., 11
animal *m* animal, 10N
aniversario anniversary, 13S
anteojos *m pl* glasses, 14
  anteojos negros sunglasses, 14
antes first, beforehand, 3S
  antes de before, 7G
antipático, -a unpleasant, 4S
año year, 7
  ¿Cuántos años tiene? How old are you?, 7; **tener _____ años** be _____ years old, 7
aparato apparatus, 10N
aparecer (zc) appear, 13N
aplicación *f* application, 11N
aplicar apply, 12N
aprender learn, 14S
apretar (ie) squeeze, 3
  Me aprietan mucho los zapatos. My shoes are too tight., 3
apunte *m* note, 11S
apurarse hurry, 13G
apúrate hurry up, 3G
aquí here, 5
Argentina Argentina, 12N
arreglar fix, clean, 5
arriba up, 14
artículo article, 11N
artístico, -a artistic, 10N
asociado, -a associated, 12N
asustado, -a frightened, 10S
asustar frighten, 10S
  asustarse get frightened, 13S
atención *f* attention, 11
Atlántico Atlantic, 9N
autobús *m* bus, 9S
aventura adventure, 9N
avión *m* plane, 9
avisar advise, 15N
¡ay! oh! (*exclamation*), 5
azul blue, 7

B

bailar dance, 10S
baile *m* dance, 3S
bajo, -a short, 4S
banco bank, 5S
bañar bathe, 13G
  bañarse bathe, 13N
baño bathroom, 5S
barato, -a cheap, 5S
barbaridad *f*: **¡Qué barbaridad!** That's awful!, 11
barco boat, 9
basar base, 14N
bastante pretty, enough, 2S
bata robe, 14N
baúl *m* trunk, 14S
belleza beauty, 10
  salón de belleza beauty shop, 10
beso kiss, 15N
biblioteca library, 2S
bicicleta bicycle, 9S

bien well, 2S
bien, gracias fine, thanks, 5S; **muy bien** all right, 4
blanco, -a white, 7S
blusa blouse, 4S
boa boa (*snake*), 15N
boca mouth, 13N
boleto ticket, 5
Bolivia Bolivia, 12N
bolsa bag, 8
bonito, -a pretty, nice, 4 (*see fn page 90*); cute, 6
Brasil Brazil, 12N
brazo arm, 15S
brutal brutal, terrific, 14S
bueno, -a good, 1
buen good, 10G
buscar look for, 5

C

caballo horse, 15N
montar a caballo horseback ride, 15N
cabeza head, 15S
cable *m* cable, 15N
cada each, 10N
café *m* café, 5; coffee, 8S
café *adj* brown, 7S (*see fn page 110*)
calcetín *m* sock, 5S
calcular calculate, 9N
caliente hot, 8S (*see fn page 132*)
calor *m* heat, 8S
tener calor be warm (*for a person*), 8S; **Tengo mucho calor.** I'm very warm., 8S (*see fn page 132*)
calle *f* street, 7S
camarero, -a waiter, waitress, 10S
cambiar change, 13N
caminar walk, 3
camisa shirt, 4S
campeón *m* champion, 5
campo country, 15S
Canadá Canada, 7
canadiense Canadian, 12N
canal *m* canal, 9N; channel, 13N
canción *f* song, 2S
cansado, -a tired, 6S
cansar tire, 13G
cansarse get tired, 13S
cantar sing, 10S
cantidad *f* quantity, 15N
capital *f* capital, 8N
cara face, 8
¡caramba! darn it! (*exclamation*), 5
carga cargo, 9N
Caribe *m* Caribbean, 12N
carne *f* meat, 8S
caro, -a expensive, 5S
carrera race, 1
carrera de perros dog races, 1
carro car, 1
carta letter, 7
cartera purse, 14S
cartero mailman, 8
casa house, 1
en casa at home, 1
casi almost, 3
caso case, 9N
en todo caso in any case, 12
castaño, -a brown, 7S (*see fn page 110*)
catástrofe *f* catastrophe, 11N
catedral *f* cathedral, 8N
catorce fourteen, 6S
cena supper, dinner, 6S
cenar to have dinner, 8S
centro center, downtown, 3S
Centroamérica Central America, 9N
centroamericano, -a Central American, 12N
cepillo brush, 14S
cero zero, 10
cerrar (ie) close, 3
cien one hundred, 9S
ciento uno one hundred one, 9S
cierto, -a correct, 11N
cinco five, 3S
cincuenta fifty, 9S
cine *m* movies, 3
ciudad *f* city, 14S
civilización *f* civilization, 9N
claramente clearly, 12N
claro of course, 4
clase *f* class, 6N
clasificación *f* classification, 12N
clienta client, 10 (*see fn page 179*)
cliente *m* client, 10 (*see fn page 179*)
clima *m* climate, 9
cocina kitchen, 1
cocodrilo crocodile, 15N
colgar (ue) hang up, 10
colgó he hung up, 10
Colombia Colombia, 6G
colombiano, -a Colombian, 11N
color *m* color, 7
¿De qué color es? What color is it?, 7S

coma comma, 11
comedor *m* dining room, 5S
comentador *m* commentator, 13N
comenzar (ie) commence, begin, 10N
comer eat, 7S
¿Qué hay de comer? What's there to eat?, 8S
comida dinner, meal, food, 3S
como as, like, 5G; since, 8N
cómo how, 1; **¿cómo?** what?, 1
¿Cómo eres tú? What are you like?, 7; **¿Cómo te llamas?** What's your name?, 7S
compañero, -a kid, companion, 4
compañía company, 10N
completo, -a complete, 11N
comprar buy, 3
compras shopping, 12
ir de compras go shopping, 12
comprender comprehend, be comprised of, 12N
comunicación *f* communication, 10N
con with, 1
con razón no wonder, 4; **con permiso** excuse me, 8 (*see fn page 131*)
condición *f* condition, 9N
confesar confess, 10N
confortable comfortable, 9N
confusión *f* confusion, 12N
conmigo with me, 2
conocer (zc) **know, 8**
consiguiente: por consiguiente therefore, 12S
consultar consult, 9N
contacto contact, 10N
contar (ue) tell, 9
contemplar contemplate, 14N
contener (ie) contain, 12N
contento, -a happy, 6S
contestar answer, 2
contigo with you, 7S
continuar (ú) continue, 9N
conveniencia convenience, 11N
conversación *f* conversation, 10N
conversar converse, 10N
convertir (ie) convert, 9N
corbata tie, 4S
correo mail, 8
correr run, 15N
corresponder correspond, 11N
cosa thing, 5
costa coast, 9N
costar (ue) cost, 5
¿Cuánto cuestan los boletos? How much are the tickets?, 5; **No saben lo que cuesta el dinero.** They don't know the value of a dollar., 12
Costa Rica Costa Rica, 12N
costarricense Costa Rican, 15N
cowboy cowboy, 13N
crear create, 10N
creer think, believe, 7
creo I think, I believe, 5
criada maid, 10S
crónico, -a chronic, 10N
cuaderno notebook, 11S
cuál, cuáles which, 4
cualidad *f* quality, 9N
cuando when, 5
cuándo when, 1
cuánto, -a how much, 5
cuántos, -as how many, 5G
cuarenta forty, 9S
cuarto room, 5; quarter, 8
Es la una y cuarto. It's a quarter past one., 8S; **Son las dos menos cuarto.** It's a quarter to two., 8S
cuarto, -a *adj* fourth, 10S
cuatro four, 3S
Cuba Cuba, 11N
cubano, -a Cuban, 11N
cuestión *f* question, matter, problem, 15N
cueva cave, 15N
culebra snake, 8
cumpleaños *m* birthday, 13
cumplir fulfill, 13
cumplir quince be fifteen, 13
cuñado, -a brother-in-law, sister-in-law, 12S
curso course, 15N

CH

charco puddle, 14N
chica girl, 1
chico, -a boy, girl, 2; *adj* small, 14N
Chile Chile, 12N
China China, 11N
chino, -a Chinese, 11N

D

dan they give, 3
¿qué dan? what's playing?, 3
dar give, 6G

de of, from, 1
 de nada you're welcome, 14S; **de ojos azules** with blue eyes, 7; **¿De qué color es?** What color is it?, 7S; **de repente** all of a sudden, 14N; **de veras** really, 9
deber must, 7
decente decent, 15N
décimo, –a tenth, 10S
decir (i) (digo) say, tell, 7
dejar leave, 10; let, 12
del (de + el) of the, 5
delante (de) in front (of), 7S
delgado, –a thin, 6S
denominar denominate, name, 11N
dentista *m f* dentist, 10S
dentro (de) within, 15S
departamento apartment, 14S
derecho, –a right, 14
 a la derecha on the right, 14
derivación *f* derivation, 11N
derivar derive, 11N
desayunar have breakfast, 8S
desayuno breakfast, 8S
describir describe, 10N
desear wish, 10
desfile *m* parade, 3S
desgraciadamente unfortunately, 13N
despacio slowly, 11
despertar (ie) awaken, wake up, 13G
 despertarse awaken, wake up, 13S
después later, afterward, 3
 después de after, 7G
detrás (de) behind, in back (of), 7S
devolver (ue) return, 15
día *m* day, 3
 buenos días good morning, 4S; **El Día de la Madre** Mother's Day, 3; **todos los días** every day, 10N
dibujo drawing, 15S
diccionario dictionary, 7
dice he, she says; you say, 7
diciembre December, 9S
dictado dictation, 11
dicho *pp* **decir,** 13S
diecinueve nineteen, 6S
dieciocho eighteen, 6S
dieciséis sixteen, 6S
diecisiete seventeen, 6S
diez ten, 3S
diferente different, 9N
difícil difficult, 4S
dinero money, 5
dirección *f* direction, 9N; address, 10S
directamente directly, 15N
disco record, 2
distante distant, 9N
distraído, –a absent-minded, 7S
doble *m* double, 13
 el doble de hombres twice as many men, 13
doce twelve, 3S
dólar *m* dollar, 9N
doler (ue) hurt, 15S
doméstico, –a domestic, 10N
domingo Sunday, 3S
don title of respect, 4 (*see fn page 47*)
donde where, 9N
dónde where, 1
doña title of respect, 4 (*see fn page 47*)
dormir (ue) sleep, 9S
 dormirse go to sleep, 13S
dormitorio bedroom, 5S
dos two, 3S
 dos puntos colon, 11S
durante during, 7

E

economizado, –a saved, economized, 9N
economizar save, economize, 9N
Ecuador Ecuador, 14
edición *f* edition, 10
edificio building, 14S
¿eh? eh?, 8N
ejemplo example, 9N
 por ejemplo for example, 9N
el the, 1
él he, 2G, him, 7G
electricidad *f* electricity, 10N
eléctrico, –a electrical, 10N
eliminar eliminate, 10N
El Salvador El Salvador, 12N
ella she, 2G; her, 2
ellas they, 2G; them, 7G
ellos they, 2G; them, 7G
emoción *f* emotion, 14
 ¡qué emocion! how exciting!, 14 (*see fn page 265*)
empezar (ie) start, begin, 3
 Ya casi empieza. It's about to begin., 3
empleado, –a employee, 10

en in, on, at, 1
en punto exactly, on the dot, 8S
encantar delight, 9
Me encanta. I love it., 9
encontrar (ue) find, 5
energía energy, 9N
enero January, 9S
enfermo, -a sick, 6S
enojado, -a angry, 10S
enojar anger, make angry, 10S
enojarse get angry, 13S
enorme enormous, 12N
ensalada salad, 8S
enseñar teach, 14S
entender (ie) understand, 8S
entonces then, 2
entrar enter, 9N
entre between, among, 13N
equipaje *m* baggage, 14S
equivocado, -a mistaken, 10
equivocar mistake, 10
equivocarse be mistaken, make a mistake, 136
es he, she is; you are, 1
esa that, 8G
ésa that one, 1
escribir write, 7
escrito *pp* **escribir,** 13S
escritorio desk, 11S (*see fn page 200*)
escuchar listen to, 2
escuela school, 2
ese that, 4
ése that one, 6
eso that, 8G
espantoso, -a awful, 14S
España Spain, 9
español *m* Spanish, 2S
español, -a Spaniard, 11
español, -a *adj* Spanish, 4G
especialmente especially, 9N
esperar wait, 15N; hope, 15N
esposo, -a husband, wife, 12S (*see fn page 224*)
esquina corner, 7S
esta this, 4
ésta this one, 14G
está he, she is; you are, 1
estación *f* station, 7S; season, 13S
¿En qué estación estamos? What season is this?, 13S
estadio stadium, 5S
estado state, 1
Estados Unidos United States, 1
estadounidense American, from the United States, 11N
están they are, 1
estar be, 6
¿Está el Sr. Campos? Is Mr. Campos there?, 10
este this, 6
éste this one, 14G
este . . . uh . . . (*see fn page 69*)
estimado, -a esteemed, dear, (*in letters*), 7N (*see fn page 127*)
esto this, 8
estos, -as these, 8G
éstos, -as these, 14G
estómago stomach, 15S
estricto, -a strict, 8N
estudiar study, 2
estupendo, -a wonderful, 14S
eterno, -a eternal, 11N
exactamente exactly, 9N
exagerar exaggerate, 12
tan exagerado don't exaggerate, 12
examen *m* exam, 3S
excelente excellent, 11N
excepción *f* exception, 9N
excepto except, 4
exclamación *f* exclamation, 11S
signo de exclamación exclamation mark, 11S
explicación *f* explanation, 11N
explicar explain, 15N
extensión *f* extension, 12N
extremista *m f* extremist, 11N
extremo, -a extreme, 9N

F

fácil easy, 4S
faja strip, 12N
falda skirt, 4S
falta fault, 15
sin falta without fail, 15
familia family, 6
famoso, -a famous, 9N
fantástico, -a fantastic, 14N
favor: por favor please, 10
favorito, -a favorite, 13N
febrero February, 9S
fecha date, 9S
¿Qué fecha es hoy? What's the date today?, 9S

feo, -a homely, ugly, 6S
fiesta party, 3S
figura figure, 10N
fijarse notice, 13
fíjate just imagine, 13
fin end, 9
  a fines de towards the end of, 9; **por fin** finally, 10
final final, 15N
finalmente finally, 9N
folkórico, -a folk, 14N
foto *f* picture, photograph, 6
francamente frankly, really, 6
francés *m* French, 2S
francés (francesa) *adj* French, 4G
frase *f* sentence, 11
frecuentemente frequently, 10N
frío cold, 8
  tener frío be cold (*for a person*), 8S; **Tengo mucho frío.** I'm very cold., 8
frío, -a *adj* cold, 8
frito, -a fried, 8S
  papas fritas French fries, 8S
furioso, -a furious, 10N
fútbol *m* soccer, 5
  partido de fútbol soccer game, 5; **fútbol americano** football, 5 (*see fn page 69*)

G

ganar earn, win, 12S
ganga bargain, 12S
garganta throat, 15S
gasolina gas, 9N
gastar spend, 12
gemelo, -a twin, 4
generación *f* generation, 15N
gente *f* people, 14N
geografía geography, 8N
geográfico, -a geographic, 12N
gordito, -a little fat boy, girl, 7
gordo, -a fat, 6S
gracias thank you, thanks, 5S
  bien, gracias fine, thanks, 5S
gracioso, -a funny, 6
gran great, 10G
grande big, 4S
gris grey, 7S
gritar shout, scream, 5
guante *m* glove, 5S
guapo, -a handsome, pretty, 6S (*see fn page 90*)
Guatemala Guatemala, 11N
guatemalteco, -a Guatemalan, 11N
gusta it pleases, 4
  A ti te gusta? Do you like it?, 4; **Me gusta mucho.** I like it a lot., 4
gustar please, 4
  Me gusta. I like it., 4

H

haber have (*auxiliary verb*), 10
  hay there is, there are, 8; **¿Qué hay de comer?** What's there to eat?, 8
habitante *m f* inhabitant, 11N
hábito habit, 10N
hablar talk, speak, 2
hacer make, do, 7
  Hace buen tiempo. The weather is nice., 9S; **Hace calor.** It's warm, hot., 9; **Hace frío.** It's cold., 9; **Hace mal tiempo.** The weather is bad., 9S; **hacer las maletas** pack, 14S; **hacer una fiesta** have a party, 13; **hacer un viaje** take a trip, 9
hacienda farm, ranch, 15S
Haití Haiti, 12N
hambre (el hambre) *f* hunger, 8 (*see fn page 132*)
  tener hambre be hungry, 8
hasta until, 4; even, 15N
  hasta luego see you later, 4S; **hasta mañana** see you tomorrow, 4
hay there is, there are, 8
hecho *pp* **hacer,** 13
helado ice cream, 8S
hemisferio hemisphere, 11N
hermano, -a brother, sister, 4S
héroe *m* hero, 13N
hijo, -a son, daughter, 5
Hispanoamérica Spanish America, 12N
hispanoamericano, -a Spanish American, 12N
historia story, 14N; history, 15S
¡hola! hi!, 1
hombre *m* man, 13
Honduras Honduras, 12N
hora hour, 3
  ¿A qué hora? At what time?, 3; **hora de almuerzo** lunch time, 8; **hora del desayuno** breakfast time, 8S; **¿Qué hora es?** What time is it?, 8
horizonte *m* horizon, 14N

horrible horrible, 8N
hotel *m* hotel, 9N
hoy today, 2
de hoy en ocho días a week from today, 15S; **de hoy en quince días** two weeks from today, 15S (*see fn page 290*)
huevo egg, 8S

I

idea idea, 6
ideal ideal, 9N
idéntico, -a identical, 4
iguana iguana, 15N
imaginación imagination, 14N
impermeable *m* raincoat, 14S
importancia importance, 11N
importante important, 8N
imposible impossible, 8N
incluir include, 12N
inclusive including, 10N
inconveniencia inconvenience, 15N
indicar indicate, 9N
indio, -a Indian, 9N
indispensable indispensable, 10N
informar inform, 10N
inglés *m* English, 8
inglés (inglesa) *adj* English, 4G
inicial *f* initial, 11N
iniciar initiate, 9N
inmediatamente immediately, 8N
inmediato, -a immediate, 10N
inmenso, -a immense, 15N
instrumento instrument, 10N
inteligente intelligent, 4S
intención *f* intention, 9N
interesante interesting, 9N
interesar interest, 13N
intermediario intermediary, 10N
interrogación *f* question, 11
signo de interrogación question mark, 11S
invierno winter, 13S
invitar invite, 13
ir go, 1
ir de compras go shopping, 12; **irse** go, leave, 13; **¡Vamos!** let's go!, 8; **vamos a ver** let's see, 4
italiano, -a Italian, 3
izquierdo, -a left, 14
a la izquierda on the left, 14

J

Jamaica Jamaica, 12N
Japón Japan, 11N
japonés *m* Japanese, 11N
jardín *m* garden, 14
jeep *m* jeep, 9N
jefa boss, 10S (*see fn page 179*)
jefe *m* boss, 10S (*see fn page 179*)
joven young, 13S
jueves *m* Thursday, 3S
jugar (ue) play, 5
junio June, 9S
julio July, 9S

L

la the, 2; her, it, you, 12G
lápiz *m* **(lápices** *pl***)** pencil, 11S
largo, -a long, 15N
las the, 2S; them, you, 12G
latino, -a Latin, 12N; Latin American, 15N
Latinoamérica Latin America, 12N
latinoamericano, -a Latin American, 12N
lavar wash, 13S
lavarse wash up, 13S
le to him, to her, to you, 4S
A él le gusta mucho. He likes it a lot., 4S; **A ella le gusta mucho.** She likes it a lot., 4S; **A usted le gusta mucho.** You like it a lot., 4S
les to them, to you, 9G
lección *f* lesson, 11
leche *f* milk, 8S
leer read, 7
lengua language, tongue, 11N
levantar lift, 13G
levantarse get up, 13
leyenda legend, 14N
libre free, 12N
librería bookstore, 10
libro book, 6S
Lima capital of Peru, 9
limitar limit, 11N
limpiar clean, 5S
lindo, -a pretty, nice, 4 (*see fn page 90*)
línea line, 10
lingüístico, -a linguistic, 12N
liquidación *f* sale, 12
lista list, 13
listo, -a bright, clever, 7S; ready, 11

lo: lo que what, 11
lo it, 8; him, you, 12G
loco, -a crazy, 11
lógicamente logically, 12N
los the, 1; them, you, 12G
luego then, 4S
hasta luego see you later, 4S
lugar *m* place, 5
lunes *m* Monday, 3

LL

llamar call, 2
llamarse be called, named, 7; **¿Cómo te llamas?** What's your name?, 7; **Me llamo Conchita.** My name is Conchita., 7; **se llama** her name is, 7
llave *f* key, 14S
llega he, she arrives; you arrive, 1
llegar arrive, 2
lleno, -a full, 15N
llevar take, 15N
llorar cry, 12
llover (ue) rain, 9

M

madre *f* mother, 3
El Día de la Madre Mother's Day, 3 (*see fn page 27*)
maestra teacher, 2S
maestro, -a teacher, 3
mal badly, 2
maleta suitcase, 14
malo, -a bad, 10
mal bad, 10
mamá mom, 3
mami *f* mom, 5
mandar send, 15S
manera manner, 9N
mano *f* hand, 13N
mantequilla butter, 8S
mañana tomorrow, 2S; morning, 12S
hasta mañana see you tomorrow, 4; **mañana por la mañana** tomorrow morning, 15S
mapa *m* map, 9
máquina de escribir typewriter, 15S
mar *m* sea, 11N
marcar dial, 10S
marido husband, 12 (*see fn page 224*)
marinero sailor, 14N
martes *m* Tuesday, 3S
marzo March, 9S
más more, 2
más tarde later, 2; **No puedo caminar más.** I can't walk any more., 3; **¿Qué más dice?** What else does she say?, 7
matar kill, 12
matemáticas mathematics, 15S
mayo May, 9S
mayor older, 4
me to me, 3; me 12; myself, 13G
Me aprietan mucho los zapatos. My shoes are too tight., 3; **Me llamo Conchita.** My name is Conchita., 7S
media stocking, 5; half, 8S
Es la una y media. It's half past one., 8S
mediados middle, 9S
a mediados de julio around the middle of July, 9S
mediano medium, 12N
médico doctor, 10S
medio means; 10N
mejor better, instead, 3
mencionar mention, 10N
menor younger, 4S; least, slightest, 6
No tengo la menor idea. I don't have the slightest idea., 6
menos least, minus, 8S; less, 14G
al menos at least, 15; **la una menos cinco** five minutes to one, 8S; **por lo menos** at least, 15N
mentira lie, 11
mercado market, 3S
mes *m* month, 9S
¿En qué mes estamos? What month is this?, 9S
mesa table, 6S
metro meter, 15N (*see fn page 305*)
mexicano, -a Mexican, 11N
México Mexico, 9N (*see fn page 173*)
mi my, 1
mí me, 4
miércoles *m* Wednesday, 3S
mil thousand, 12
minifalda miniskirt, 15N
minuto minute, 13N
mío, -a my, mine, of mine, 12
mirar look at, 12N
mis my, 5
misterioso, -a mysterious, 14N
mitad *f* half, 13
moda fashion, 15N

de última moda the latest style, 15N
moderno, -a modern, 6N
modo way, 12
de todos modos anyway, 12
mojado, -a wet, 10S
mojar wet, 10S
mojarse get wet, 13G
molestar bother, fool around, 11
momento moment, 13N
mono monkey, 15N
monopolizar monopolize, 10N
montaña mountain, 15N
montar mount, 15N
montar a caballo horseback ride, 15N
morir (ue) die, 14N
muchacho, -a boy, girl, 13
mucho much, a lot, 3
mucho, -a much, 5
muchos, -as many 7
muerto *pp* morir, 14N
mujer *f* woman, 12
mundo world, 5
todo el mundo everybody, 9
museo museum, 9N
musical musical, 13N
muy very, 2

N

nación *f* nation, 12N
nacional national, 10N
nacionalidad *f* nationality, 10N
nada nothing, 3
de nada you're welcome, 14S
nadar swim, 10S
nadie no one, 10N
narración *f* narrative, 6N
narrador *m* narrator, 10N
naturalmente naturally, 11N
necesitar need, 2
negro, -a black, 7S
nervioso, -a nervous, 14N
ni nor, 11
ni . . . ni . . . neither . . . nor, 11
nieto, -a grandson, granddaughter, 12S
ninguno, -a neither, none, 4
ningún no, 10G
niño, -a child, 13N
ni siquiera not even, 11
no no, 2G; not, 2
noche *f* night, 4S
Buenas noches. Good evening., Good night., 4S (*see fn page 48*)
Noel *m* Christmas 15N
Papá Noel Santa Claus
nombre *m* name, 11N
norte *m* north, 12N
Norteamérica North America, 12N
norteamericano North American, 12N
nos to us, 9G; us, 12G; ourselves, 13G
nosotras we, 2G
nosotros we, 2G
nota grade, 15; note, 15S
notar note, notice, 14N
noticias *f pl* news, 2S
novela novel, 15S
noveno, -a ninth, 10S
noventa ninety, 9S
noviembre November, 9S
novio, -a boyfriend, girlfriend, 6S
nuestro, -a our, 10S; ours, of ours, 12S
nueve nine, 3S
nuevo, -a new, 4
número number, 10
número de teléfono telephone number, 10
nunca never, 9

O

o or, 1
o . . . o either . . . or, 11
observar observe, 12N
occidental occidental, western, 11N
octavo, -a eighth, 10S
octubre October, 9S
ocupado, -a busy, 10
ocurrir occur, 10N
ochenta eighty, 9S
ocho eight, 3S
oficial official, 12N
oficina office, 10S
oír (oigo) hear, 8
ojo eye, 7
once eleven, 3S
oportunidad *f* opportunity, 10N
orden *f* order, 10
a sus órdenes at your service, 10
ordenar order, 10N
orgulloso, -a proud, 15N
otoño autumn, 13S
otro, -a other, 4

P

paciencia patience, 10N
Pacífico Pacific, 9N
padre *m* father, 6S
  padres *m pl* parents, 12S
país *m* country, 11N
palabra word, 11
pelear fight, 13N
pan *m* bread, 8S
pantalones *m pl* pants, 5S
pañuelo handkerchief, 5S
papa potato, 8S
  papas fritas French fries, 8S
papá *m* papa, dad, 10N
  Papá Noel Santa Claus, 15N
papel *m* paper, 11
papi *m* dad, 9
para for, 3
paraguas *m* umbrella, 14S
Paraguay Paraguay, 12N
parecer (zc) seem, 9
  ¿Qué te parece la idea? What do you think of the idea?, 9
pared *f* wall, 10N
pariente *m f* relative, 12
parque *m* park, 3S
párrafo paragraph, 11S
parte *f* part, 10N
partido game, 5
pasado: pasado mañana the day after tomorrow, 15S
pasaporte *m* passport, 9N
pasar pass, 2
  pasado mañana the day after tomorrow, 15S; **pasar las vacaciones** spend the vacation, 9S; **pasar por** stop by, 2; **¿Qué pasa?** What's the matter?, 2
patio patio, 14N
pedir (i) ask for, 11
peine *m* comb, 14S
pelear fight, 13N
película film, movie, 3
pelirrojo, -a redheaded, 7S
pelo hair, 7S
peluquería barber shop, beauty shop, 10S
peluquero, -a barber, hairdresser, 10S
pensar (ie) think, expect, intend, 13
  pensar en think about, 5
peón *m* peon, 15N
peor worse, 13N
pequeño, -a small, 4S
perder (ie) lose, 10N
perezoso, -a lazy, 7S
perfecto, -a perfect, 9N
periódico newspaper, 6S
permiso permission, 8
  con permiso excuse me, 8
permitir permit, 9N
pero but, 1
perro dog, 1
  carreras de perros dog races, 1
persona person, 10N
personalidad *f* personality, 10N
Perú Peru, 9
peso peso (*Spanish-American monetary unit*), 5
pie *m* foot, 15S
pierna leg, 15S
pintoresco, -a picturesque, 9N
pirámide *f* pyramid, 9N
piscina swimming pool, 15S
pistola pistol, 13N
plan *m* plan, 9N
playa beach, 15S
plaza plaza, square, 7S
pluma pen, 11
población *f* population, 11N
poco little, 7
poco, -a little, 10G
  pocos, -as few, 10G
poder (ue) can, be able, 9G
poner (pongo) put, 8, put on, 13G
  poner atención pay attention, 11; **¿Por qué pones esa cara?** Why are you making that face? 8; **ponerse** put on, 13S
por through, by, 2S
  por consiguiente therefore, 12S; **por ejemplo** for example, 9N; **por favor** please, 10; **por fin** finally, 10; **por lo menos** at least, 15N; **por qué** why, 2
porque because, 2
posición *f* position, 12N
P.D. (postdata) P.S. (postscript), 15N
practicar practice, 2
preferir (ie) prefer, 8S
preguntar ask, 9S
preocupado, -a worried, 10
preocupar worry, 10S
  preocuparse get worried, 13S
preparación *f* preparation, 9N
preparado, -a prepared, 9N

preparar prepare, 9N
presentar present, 13G
presentarse show up, present oneself, 13
prestar lend, 11
pretencioso, -a pretentious, 4
¡Qué pretencioso! What a showoff!, 4
primavera spring, 13
primero, -a first, 10S (*see fn page 156*)
primer first, 10G
primo, -a cousin, 6
principal principal, main, 9N
principio beginning, 9
a principios de around the beginning of, 9
prisa *f* haste, 5
¿Adónde vas con tanta prisa? Where are you going in such a hurry?, 5; **tener prisa** be in a hurry, 14
probablemente probably, 9N
problema *m* problem, 5
producir (zc) produce, 11N
producto product, 8N
programa *m* program, 13N
prometer promise, 12
pronto soon, 11
pronunciación *f* pronunciation, 11N
pronunciar pronounce, 2
propósito: a propósito by the way, 5
protesta protest, 10N
próximo, -a next, 15
proyecto project, 9N
pueblo village, 14N
puedo I can, 3
puerta door, 3S
puerto port, 9N
puertorriqueño *f* Puerto Rican, 11N
puesto *pp* **poner,** 13S
punto dot, 8S; period, 11S
Es la una en punto. It's one on the dot., It's exactly one o'clock., 8S; **dos puntos** colon, 11S; **punto y coma** semicolon, 11S
pupitre *m* desk, 11 (*see fn page 200*)

Q

que that, which, who, 1
qué what, 1; how, 4
quedarse stay, 13
querer (ie) want, 8; love, 12
querido, -a dear, 15N
quien who, whom, 10N
quién who, whom, 2
quiere he, she wants; you want, 1
quieres you want, 2
quiero I want, 2
quince fifteen, 6S
quinto, -a fifth, 10S
quitar take off, 13G
quitarse take off, 13S

R

radio radio, 8N
rápido fast, rapid, 11
raspar scrape, 15
pasar raspando barely pass, 15
rato while, 13
razón *f* reason, 4
¡con razón! no wonder!, 4
reaccionar react, 10N
realidad *f* reality, 9N
realmente really, 10N
recado message, 10
recibir receive, 10
reconocer (zc) recognize, 8S
recordar (ue) remember, 5
recreo recess, 7
refrigerador *m* refrigerator, 10N
regalo gift, 3
región *f* region 12N
regresar return, 14S
regreso return, 14
reliquia relic, 9N
reloj *m* clock, watch, 8
repente: de repente all of a sudden, 14N
repetido, -a repeated, 10N
repetir (i) repeat, 11
república republic, 9N
República Dominicana Dominican Republic, 12N
requerir (ie) require, 9N
reservar reserve, 12N
resfriado, -a: Está resfriado. He has a cold., 10S
resfriarse catch a cold, 10G
respectivamente respectively, 9N
respecto: con respecto a with respect to, 9N
restaurante *m* restaurant, 5S
reunión *f* meeting, 6S
revista magazine, 15S
ridículo, -a ridiculous, 13N
río river, 15N

rojo, -a red, 7S
romance Romance, 12N
ropa clothes, clothing, 12
rubio, -a blond, 4
Rusia Russia, 11N
ruso Russian, 2S
ruso, -a *adj* Russian, 4G
ruta route, 9N

S

sábado Saturday, 1
sabe he, she knows; you know, 1
saber (sé) know, 7; **quién sabe** I don't know, 12
sacar: sacar un diez en matemáticas get a ten in mathematics, 15S
saco jacket, 12S
  saco sport sport coat, 12S
sala living room, 1
salir (salgo) go out, leave, 8S
salón *m* salon, 10
  salón de belleza beauty shop, 10
saludo greeting, 15N
Santo Saint's day, 13 (*see fn page 246*)
Santos *m:* **El Santos** Brazilian soccer team, 5
satisfacción *f* satisfaction, 11N
satisfactorio, -a satisfactory, 11N
se himself, herself, yourself, itself, themselves, yourselves, 13
  Se llama Sue. Her name is Sue., 7
sé I know, 1
secretaria secretary, 10
sed *f* thirst, 8
  tener sed be thirsty, 8S; **Tengo mucha sed.** I'm very thirsty., 8S
seguir (i) continue, follow, 11G (*see fn page 203*)
  La línea sigue ocupada. The line's still busy., 10
según according to, 8
segundo, -a second, 10S
seguro, -a sure, 12
seis six, 3S
seleccionar select, 10N
semana week, 15
sentado, -a seated, 6
  ése que está sentado the one who's sitting, 6
sentar (ie) seat, 13G
  sentarse (ie) sit down, 13S
sentir (ie) regret, be sorry, 8
  lo siento I'm sorry, 8
señor *m* gentleman, Mr., 2S
señora lady, Mrs., 2S
señorita young lady, Miss, 2S
septiembre September, 9
séptimo, -a seventh, 10S
ser be, 4
  ¿Cómo eres tú? What are you like?, 7; **Es la una.** It's one o'clock., 8S; **Son las dos.** It's two o'clock., 8S
servicio service, 10
servir (i) serve, 11
  No sirve. It's no good., 11
sesenta sixty, 9S
setenta seventy, 9S
sexto, -a sixth, 10S
si if, whether, 1
sí yes, 1
siempre always, 10N
siete seven, 3S
signo de exclamación exclamation mark, 11S
signo de interrogación question mark, 11S
sigue he, she continues; you continue, 10
  sigue molestando he's still fooling around, 11G
sílaba syllable, 11N
silencio silence, quiet, 10N
silla chair, 6S
simpático, -a nice, 4
simplemente simply, 9N
sin without, 7S
sincero, -a sincere, 10N
sin embargo nevertheless, 12N
siquiera: ni siquiera not even, 11
situación *f* situation, 13N
situado, -a situated, 12N
sobrino, -a nephew, niece, 12S
sofá *m* sofa, 1
solamente only, 7
sólo only, 8
solo -a alone, 13S
  Han vuelto solos. They've come back by themselves, 13S
solución *f* solution, 9N
sombrero hat, 4S
sordo, -a deaf, 5
Sr. *abbrev* **señor** (*see fn page 38*)
Sra. *abbrev* **señora** (*see fn page 38*)
Srta. *abbrev* **señorita** (*see fn page 38*)
su its, 1; his, her, your, their, 11G
suelo floor, 6

suerte *f* luck, 10
sufrir suffer, 10N
superior superior, upper, 12N
supermercado supermarket, 9N
sur south, 12N
Suramérica South America, 12N
suramericano, -a South American, 12N
suyo, -a (of) his, hers, yours, theirs, 12G
swéater *m* (**swéaters** *pl*) sweater, 12S (*see fn page 224*)

T

tal vez maybe, 2
tamaño size, 12N
también too, also, 3
tampoco either, neither, 3
tan so, so much, 4
tanto, -a so, such, so much, 5
  tantos, -as so many, 10G
tarde late, 2
  más tarde later, 2
tarde *f* afternoon, 4S
  buenas tardes good afternoon, 4S
tarea assignment, 11S
tarjeta card, 15S
te to you, 4; you, 12; yourself, 13
  ¿A ti te gusta? Do you like it?, 4; **¿Cómo te llamas?** What's your name?, 7S
té *m* tea, 8S
técnica technique, technology, 10N
técnicamente technically, 11N
Tejas Texas, 8N
telefónico, -a telephone, 10
"telefonitis" *f* "telephonitis", 10N
teléfono telephone, 1
televisión *f* television, 10N
temperatura temperature, 8N
temprano early, 8
tener (ie) (tengo) have, 8G
  aquí tiene here you are, 8; **tener calor** be warm (*for a person*), 8S; **tener frío** be cold (*for a person*), 8S; **tener hambre** be hungry, 8; **tener prisa** be in a hurry, 14; **tener sed** be thirsty, 8S; **tener __ años** be __ years old, 7
tengo I have, 6
tenis *m* tennis, 7N
teoría theory, 11N
tercero, -a third, 10S
  tercer third, 10S
terminar terminate, end, 13N
término term, 11N
territorio territory, 12N
tesoro treasure, 15N
ti you, to you, 4
  ¿A ti te gusta? Do you like it?, 4
tía *f* aunt, 1
tiempo weather, 9S; time, 15N
  Hace buen tiempo. The weather is nice., 9S;
  Hace mal tiempo. The weather is bad., 9S
tienda store, 3
tiene he, she, has; you have, 3
tienes you have, 4
  tienes que you have to, 3
tierra land, 12N
tío, -a uncle, aunt, 1
típico, -a typical, 13N
tocar touch, 14
todavía yet, still, 2
todo everything, 5
todo, -a all, 4
  en todo caso in any case, 12; **todo el mundo** everybody, 9; **todos los días** every day, 10N; **de todos modos** anyway, 12S
tomar drink, take, 8S
  ¿Qué hay de tomar? What's there to drink?, 8S
tópico topic, 10N
total total, 13N
totalmente totally, 9N
trabajar work, 9S
trabajo job, work, 11S
tradición *f* tradition, 14N
traer (traigo) bring, 8
traje *m* suit, 12S
traje de baño *m* bathing suit, 12S
tranquilamente tranquilly, calmly, 14N
tranquilizarse become tranquil, calm down, 14N
transportación *f* transportation, 9N
trece thirteen, 6S
treinta thirty, 9S
  treinta y uno thirty-one, 9S
tren *m* train, 9S
tres three, 3S
triángulo triangle, 12N
trigueño -a brunette, 7S
triste sad, 15S
tú you, 1

tu your, 1
tuyo, -a your, yours, of yours, 12

U

último, -a last, 15
de última moda the latest style, 15N
un a, an, one, 4
una a 2; one, 3S
a la una at one o'clock, 3S; **es la una** it's one o'clock, 3S
unas some, 4
uniforme *m* uniform, 10N
unir unite, 12N
uno one, 3S
unos some, 2
Uruguay Uruguay, 12N
usado used, 9N
usar use, 9N
uso use, 11N
usted (*pl* ustedes) you, 2G

V

va he, she goes; you go, 5S
vacaciones *f pl* vacation, 9 (*see fn page 155*)
vamos we'll go, 1; let's go, 3
vas you go, 1
veinte twenty, 6S
veinticinco twenty-five, 9S
veinticuatro twenty-four, 9S
veintidós twenty-two, 9S
veintinueve twenty-nine, 9S
veintiocho twenty-eight, 9S
veintiséis twenty-six, 9S
veintisiete twenty-seven, 9S
veintitrés twenty-three, 9S
veintiuno twenty-one, 9S
vela candle, 14N
vender sell, 12S
Venezuela Venezuela, 12N
venir (ie) (vengo) come, 8
ventana window, 3S
ver see, 5
a ver let's see, 6
verano summer, 13S
veras: de veras really, 9
verdad *f* truth
¿verdad? aren't they, isn't it?, 4; **de verdad** really, 13N
verde green, 7S
vestido dress, 4S
vestir (i) dress, 13G
vestirse get dressed, 13S
vez *f* **(veces** *pl***)** time, 10
viajar travel, 9S
viaje *m* trip, 9
viceversa vice versa, 9N
vida life, 10N
viejo, -a old, 13S (*see fn page 305*)
viera you should see, 12
viernes *m* Friday, 3S
visa visa, 9N
visitar visit, 9N
visto *pp* **ver,** 13S
vivir live, 7
volver (ue) return, come back, 9
vosotros, -as you, 2G
voz *f* **(voces** *pl***)** voice, 13N
vuelta return, 14
estar de vuelta be back, 14
vuelto *pp* **volver,** 13S

Y

y and, 1
ya already, 3; now, 8
yo I, 1

Z

zapatería shoe store, 10S
zapatero, -a shoemaker, 10S
zapato shoe, 3

GRAMMATICAL INDEX

ABBREVIATIONS

adj	adjective	infin	infinitive
art	article	obj	object
auxil	auxiliary	part	participle
def	definite	prep	preposition
dir	direct	pres	present
f (*ff*)	and following page(s)	pron	pronoun
indir	indirect		

PHONETIC SYMBOLS

[a]	mamá
[b]	Blanca, vamos
[b̸]	sabe, Eva
[ch]	chica
[d]	dos, dónde
[d̸]	nada
[e]	de, te
[f]	foto
[g]	gordo, alguien
[g̸]	amigo, Miguel
[h]	mejor, gemela
[i]	Lili, y
[í]	día, traído
[k]	con, qué, quién
[m]	mamá
[ñ]	señor
[o]	cómo
[r]	pero, hablar
[rr]	perro, ruso
[s]	su, cine, tal vez
[u]	tu
[ú]	continúa, Raúl
[w]	cuarto, puedo
[y]	piensa
[y̶]	yo, llega

9 0 1 D 2 E 3 F 4 G 5 H 6 I 7 J 8